옥스퍼드
세계도시
문 명 사

3

옥스퍼드 세계도시문명사

THE OXFORD HANDBOOK OF CITIES IN WORLD HISTORY

3

근현대 도시 I

피터 클라크 총괄편집 | **앤드루 리스 외** 지음

민유기 옮김

책과함께

──────────── **제3부 근현대 도시** ────────────

개관

──────────── 제2부 전근대 도시 ────────────

개관

주제

주제

시각자료 목록(도형, 도판, 지역지도, 표)

이미지 사용 허가

글쓴이 소개

옮긴이 해제: 인류 도시 문명의 '오래된 미래'를 위한 지침서

찾아보기

근현대 도시

MODERN AND CONTEMPORARY CITIES

개관

Surveys

거대도시권역 인구, 2000년경

1 암스테르담   ◉   > 400만 명
2 노트르담   ○   > 200만 명
3 브뤼셀   ●   > 100만 명

라인-루르 거대도시지역
4 루르 거대도시지역-도르트문트, 에센, 뒤스부르크
5 뒤셀도르프 거대도시지역
6 쾰른/본 거대도시지역

7 프랑크푸르트/라인-마인 거대도시지역
 - 프랑크푸르트 암마인, 비스바덴, 마인츠
8 라인-네카르 거대도시지역-만하임,
 루트비히스하펜, 하이델베르크

대서양

뉴캐슬
더블린
리즈
맨체스터
런던
버밍엄
영국해협

북해
코펜하겐
하노버
함부르크
베를린
빌렐펠트
헬싱키
스톡홀름
상트페테르부르크
모스크바

민스크
키이우
[키예프]

바르샤바
카토비세
프라하
뉘른베르크
빈
부다페스트

파리
슈투트가르트
뮌헨
리옹
토리노
밀라노
베오그라드
소피아
오데사
흑해
이스탄불
부르사
부쿠레슈티

비스케이만

아헨
릴

발트해
베를린

릴
아드리아해
로마
나폴리
티레니아해
지중해

포르투
마드리드
리스본
바르셀로나
마르세유
알제
튀니스

라바트
페스
카사블랑카

에게해
이즈미르
아테네
이오니아해

0   150   300 킬로미터
0   150   300 마일

[지역지도 III.1] 유럽

거대도시권역 인구,
2000년경

흑해 · 카스피해

이스탄불 · 부르사 · 앙카라 · 이즈미르

트빌리시 · 예레반 · 바쿠

아다나 · 가지안테프 · 알레포 · 모술 · 타브리즈 · 마슈하드

지중해 · 베이루트 · 다마스쿠스 · 바그다드 · 카라지 ◉테헤란 · 쿰

텔아비브-야파 · 알렉산드리아 · 암만 · 이스파한

카이로 · 바스라 · 쿠웨이트시티 · 시라즈

페르시아만 · 호르무즈해협

두바이 · 도하 · 오만만

메디나 · 리야드 ◉

제다 · 메카

홍해

하르툼

사나 · 아라비아해

아덴만 · 인도양

◉ > 400만 명
○ > 200만 명
● > 100만 명

0 300 600 킬로미터
0 300 600 마일

○아디스아바바

[지역지도 Ⅲ.2] 중동

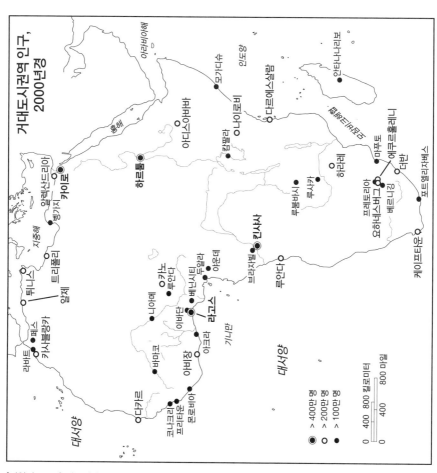

거대도시권역 인구, 2000년경

대서양

튀니스
트리폴리
알제
벵가지
라바트
메스
카사블랑카
다카르
코나크리
프리타운
몬로비아
아비장
바마코
아크라
나이레
이바단
베닌시티
쿠말라
라고스
칸타투
아부타
두알라
아운데
나이로비
킨샤사
브라자빌
루안다
루붐바시
루사카
하라레
프레토리아
요하네스버그
베를니징
마푸토
더반
에쿠루훌레니
포트엘리자베스
케이프타운
기니만

지중해

홍해

카이로
알렉산드리아
하르툼
모가디슈
나이로비
캄팔라
아디스아바바
다르에스살람
안타나나리보

아라비아해

나일강

콩고강/자이르강

마다가스카르섬

대서양

> 400만 명
> 200만 명
> 100만 명

0 400 800 킬로미터
0   400   800 마일

[지역지도 III.3] 아프리카

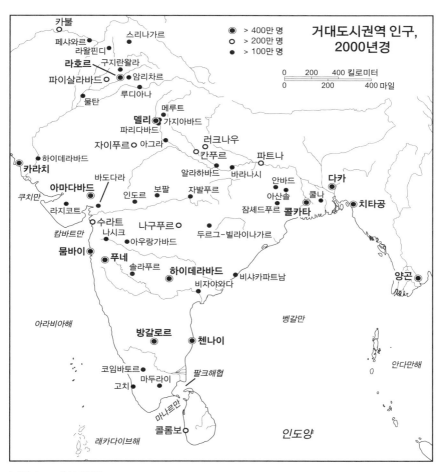

거대도시권역 인구,
2000년경

● > 400만 명
○ > 200만 명
• > 100만 명

0 200 400 킬로미터
0 200 400 마일

카불
페샤와르
스리나가르
라왈핀디
라호르 구지란왈라
파이살라바드 암리차르
물탄 루디아나
메루트
멜리 가지아바드
파리다바드
자이푸르 아그라
러크나우
칸푸르 파트나
하이데라바드 알라하바드 바라나시
카라치 안바드
바도다라 아산솔 쿨나 다카
아마다바드 인도르 보팔 자발푸르 잠셰드푸르 콜카타 치타공
쿠치만
라지코트 두르그-빌라이나가르
수라트 나구푸르
캄바트만 나시크
뭄바이 아우랑가바드 양곤
푸네 솔라푸르
하이데라바드
비자야와다 비샤카파트남

아라비아해
벵갈만
방갈로르 첸나이
안다만해
코임바토르
고치 마두라이 팔크해협
마나르만
콜롬보 인도양
래카다이브해

[지역지도 III.4] 남아시아

거대도시권역 인구, 2000년경

◉ > 400만 명
◯ > 200만 명
● > 100만 명

0   200   400 킬로미터
0   200   400 마일

치치하얼 ● ● 다칭
◉ **하얼빈**

창춘 ◉ ● 지린

산포르 ●

선양 ◉◉ 푸순
● 안산

다롄 ◯
Yantai
웨이팡 ●
황해

남포 ● 평양 ◯ 서울 ◉ 1 2
대구 ◯ 3 4

센다이 ●

도쿄 ◉

후허하오터 ● 다통 ●
바오터우 ● **베이징** ◉ **톈진** ◉
탕산 ●
스자좡 ◯ 바오딩 ●
타이위안 ◉

인촨 ● 시닝 ●
◯ 란저우

부산 ◉ 5 6

지난 ◯ 타이안 ○
한단 ● 안양 ●
허쩌 ●
쉬저우 ◯
난징 ◉

청다오 ◯

교토 ● **나고야** ◉
오사카-고베 ◉
히로시마 ○
**후쿠오카-
기타큐슈** ○

시안 ◉
난양 ● 7 8 9
허페이 ◯ 10 11
화이안 ◯
12 15
13 14 **상하이** ◉

동해

태평양

청두 ◉ 난충 ●
네이장 ●
충칭 ◉
루저우 ●
우한 ◉
이창 ● 징저우 ●
창더 ●
이양 ● **창사** ◉
난창 ◯
항저우 ◉
닝보 ●
타이저우 ●

동중국해

1 인천
2 수원
3 대전
4 울산
5 창원
6 광주

구이양 ◯

쿤밍 ◯
류저우 ●
구이린 ●

푸저우 ◯
타이페이 ◉

광저우 ◉
샤먼 ◯
타이중 ◯
타이난 ●
가오슝 ◉

7 뤄양
8 정저우
9 상추
10 푸양
11 화이난
12 창저우
13 우시
14 쑤저우
15 난퉁

취안저우 ◉
산터우 ●
홍콩 ◉
선전 ◉

포산 ●
장먼 ●
장지앙 ●

하이커우 ●

필리핀해

남중국해

[지역지도 III.5] 동아시아

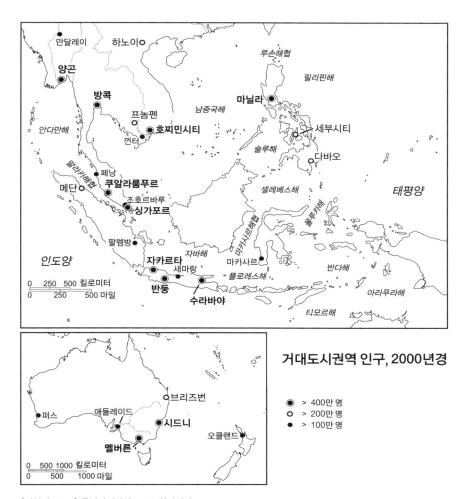

만달레이
하노이◉
양곤
방콕
프놈펜
호찌민시티
껀터
루손해협
필리핀해
마닐라
세부시티
안다만해
남중국해
다바오
술루해
페낭
쿠알라룸푸르
메단
조호르바루
싱가포르
셀레베스해
태평양
팔렘방
말라카해협
마카사르해협
몰루카해
인도양
자카르타
자바해
마카사르
반다해
세마랑
플로레스해
반둥
수라바야
아라푸라해
티모르해

0 250 500 킬로미터
0 250 500 마일

브리즈번
퍼스
애들레이드
시드니
오클랜드
멜버른

0 500 1000 킬로미터
0 500 1000 마일

거대도시권역 인구, 2000년경

◉ > 400만 명
◯ > 200만 명
● > 100만 명

[지역지도 III.6] 동남아시아와 오스트랄라시아

거대도시권역 인구, 2000년경

◉ > 400만 명
○ > 200만 명
● > 100만 명

티후아나
시우다드후아레스
토레온　몬테레이
멕시코만
과달라하라　산루이스포토시
레온
아바나
톨루카
푸에블라
멕시코시티
산토도밍고
산후안
포르토프랭스
과테말라시티
산살바도르
테구시갈파
카리브해
카라카스
대서양
마나과
산호세
2
1　　6
3　4 5
메데인　부카라망가
보고타
칼리
태평양
키토
벨렘
과야킬
마나우스
포르탈레자
나타우
레시페
1 카르타헤나
2 바랑키야
3 마라카이보
4 바르키시메토
5 발렌시아
6 마라카이
마세이오
리마
사우바도르
산타크루스　고이아니아
브라질리아
라파스
벨루오리존치
캄피나스
쿠리치바
리우데자네이루
산투스
아순시온
상파울루
비토리아
멘도사
코르도바
로사리오
몬테비데오
포르투알레그리
산티아고
부에노스아이레스
태평양
대서양

0　500　1000 킬로미터
0　500　1000 마일

[지역지도 III.7] 라틴아메리카

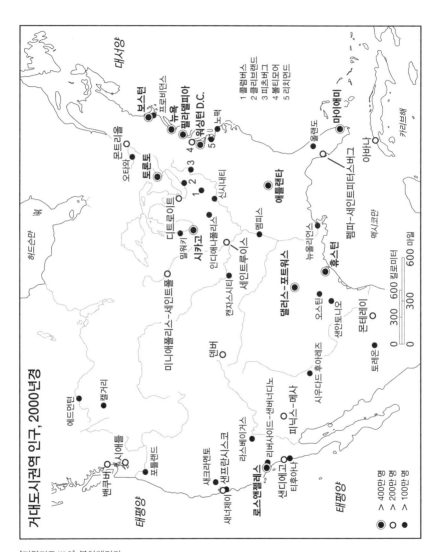

거대도시권역 인구, 2000년경

대서양

허드슨만

1 클럼버스
2 클리브랜드
3 피츠버그
4 볼티모어
5 리치먼드

보스턴
프로비던스
몬트리올
오타와
토론토
뉴욕
필라델피아
워싱턴 D.C.
노퍽
1 2 4
5 3
신시내티
디트로이트
밀워키
시카고
인디애나폴리스
세인트루이스
캔자스시티
미니애폴리스-세인트폴
덴버
에드먼턴
캘거리
밴쿠버
시애틀
포틀랜드
새크라멘토
샌프란시스코
산호세
라스베이거스
로스앤젤레스
샌디에이고
리버사이드-샌버나디노
피닉스-메사
시우다드후아레즈
샌안토니오
오스틴
댈러스-포트워스
휴스턴
멤피스
애틀랜타
뉴올리언스
올랜도
마이애미
아바나
카리브해
탬파-세인트피터스버그
몬테레이
토레온
멕시코만
태평양

300   600 킬로미터
0
300   600 마일
0

> 400만 명
> 200만 명
> 100만 명

태평양

[지역지도 III.8] 북아메리카

제25장

유럽: 1800~2000년
Europe: 1800-2000

앤드루 리스
Andrew Lees

린 홀런 리스
Lynn Hollen Lees

19~20세기 유럽에서 도시의 인구는 시골countryside에서 타운town으로, 더 작은 규모의 타운에서 보다 큰 규모의 타운으로의 이주를 추동한 산업화와 국가 발전이라는 이중의 압력으로 폭발적 성장을 보였다. 유럽에서 도시성장은 뚜렷한 도시 유산의 틀 내에서 일어났다. 부지 및 중심지 계획의 장기적 연속성continuity, 상대적으로 안정적인 도시위계, 효과적인 현지 거버넌스local governance 전통, 잘 발달한 시민적 정체성이 그것이다(전근대 발달에 대해서는 12~13장을, 1800년경 주요 도시들의 지도는 [지역지도 II.1]을 참조하라). 지난 200년간 유럽의 도시화는 혁신 그리고 전통 존중 두 가지 모두로 특징지어진다. 이 장에서는 기술 변화의 영향, 환경문제 및 사회문제의 출현, 이러한 것들에 대처하려는 자생 차

원 및 정부 차원의 노력에 초점을 맞춤으로써 도시화의 궤적을 따라가 볼 것이다.

도시성장

장기長期 19세기the long 19th century에 유럽에서 도시의 전체 규모는 엄청난 증가를 경험했다. 1800년에는 러시아 제국 이외의 유럽 인구 14.5퍼센트만이 거주민 5000명 이상의 지방 자치체 또는 여타 현지 행정 단위에 거주했던 반면, 1910년 무렵에는 그 비율이 43.8퍼센트로 증가했다. 인구가 10만 명이 넘는 '대big' 도시의 인구 증가율은 훨씬 더 두드러졌다. 도시팽창urban expansion은 처음 영국에서 시작되었고, 다른 국가들이 그 뒤를 따랐다. 1800년에는 런던이 유일한 대도시big city였으나, 이후 50년 동안에 다른 10개 도시가 인구 10만 명의 문턱을 넘어섰다. 맨체스터Manchester와 버밍엄Birmingham 같은 산업 중심지industrial centre들뿐 아니라 리버풀Liverpool과 글래스고Glasgow 같은 항구도시port city들도 그 규모가 3배 이상 증가했다. 이어 벨기에가 산업화industrialization하면서 벨기에의 제조업타운manufacturing town과 항구도 빠르게 확장되었다. 도시들로의 인구 유입은 그 후 북쪽과 동쪽으로 퍼져나갔다. 19세기 후반기 50년 동안의 도시팽창 속도는 중부유럽에서 특히 빨랐다. 1850~1910년에, 베를린Berlin 외에도, 10여 개 도시가 규모 면에서 최소 5배 성장했으며, 그 가운데는 브레슬라우Breslau〔지금의 폴란드 브로츠와프Wroctaw〕, 뮌헨München, 슈투트가르트Stuttgart가 있었다. 스칸디나비아와 러시아 제국에서의 도시 인구는 약 2배로 늘었다. 세기 말 무렵, 정말 거대한 규모의 도시를 여러 국가에서 찾아볼 수 있었다. 파리, 베를린, 빈, 모스크바, 상트페테르부르크가 거주민 100만 명을 넘어섰고, 런던은 650만 명 이상이 거주하는 세계에서 가장 큰 규모의 도시였다([표 25.1] 참조).

　도시성장urban growth은 20세기에도 거의 전 기간에 걸쳐 지속되었으나 불균일하고 다소 느린 속도로 진행되었다. 두 차례의 세계대전과 러시아혁명은 타운들을 파괴하고 이주에 지장을 주었다. 그럼에도 도시성장은 재건과 함께 다시 시작되었다. 유럽 전체로 보면, 인구 10만 명 이상의 도시는 1900년에서 1950년 사이에 163개에서 190개로 증가했고, 1950년과 1990년 사이에 190개에서 290개로 증가했다. 세기 중반 무렵, 인구 100만 명 이상의 거대도시권metropolitan area은 영국에서 소련에 이르기까지 유럽 도처에 산재해 있었다. 아테네와 부쿠레슈티Bucureşti도 그 문턱을 넘어섰다. 이와 같은 장소들은 경계가 명확하고 중앙에서 관리되는 자치체municipality보다는 도시지역urban region이었다. 1950년에 690만 명 인구의 라인-루르Rhein-Ruhr 산업도시 복합단지〔복합체〕complex는 세계에서 네 번째로 큰 거대도시권metropolitan area이었다!(41장 참조).

　유럽의 가장 큰 규모의 도시들로의 인구 유입은 제2차 세계대전 이후 수십 년간의 재건과 전후 경제 호황기 동안 계속되었다([표 25.2] 참조). 일자리는 사람들을 농토로부터 끌어내 더 큰 규모의 타운들로 계속 이주하게 했다. 점점 더 많은 도시가 법적 경계선을 넘어 더 오래된 원原도심urban core을 에워싸고 성장하는 고리 모양의 교외suburb 지역

을 형성했다. 1970년 무렵, 스웨덴·덴마크·그리스·체코슬로바키아·
소련 인구의 50퍼센트 이상이 도시민으로 간주될 수 있었던 반면에,
서유럽에서 가장 도시화한 지역—영국·벨기에·네덜란드—에서의
그 비율은 80퍼센트에 도달했거나 이를 넘어섰다.[1]

　도시성장의 양상은 1970년대와 1980년대에 변화하기 시작했다.
두 가지 완전히 다른 역동성이 도시 인구에 영향을 끼쳤다. 자동차와
풍족함으로 많은 사람이 더 나은 주택과 더 넓은 공간을 추구할 수 있
게 되면서, 한때 번영했던 더 오래된 도시지구urban district들은 거주민
을 잃었다. 동시에 산업의 쇠퇴는 오래된 제조업타운과 항구도시로의

[표 25.1] 유럽 대도시들의 성장, 1800~1910년

유럽	영국	프랑스	독일	러시아 제국
1800: 2.9 (21)	1801: 8.2 (1)	1801: 2.8 (3)	1816: 1.9 (2)	1800: – (2)
1850: 4.8 (43)	1851: 21.8 (11)	1851: 4.6 (5)	1849: 3.1 (4)	1850: – (2)
1900: 12.3 (143)	1911: 40.7 (39)	1911: 14.6 (15)	1910: 21.3 (48)	1910: – (20)

출처: Andrew Lees, *Cities Perceived: Urban Society in European and American Thought, 1820-1940* (New York: Columbia University Press, 1985), 4-5; B. R. Mitchell, *International Historical Statistics: Europe, 1750-1993* (London: Stockton Press, 1998), 72-74. 각각의 칸에서, 연도 뒤의 첫 번째 수치는 총인구에서 10만 명 이상의 도시에 거주하는 인구 비율, 두 번째 수치는 해당 도시 수다.

[표 25.2] 유럽 대도시들의 성장, 1950~1990년

	서유럽	북유럽	지중해 유럽	중부유럽 + 동유럽	러시아 (유럽 + 아시아)	총계
1950	93	3	31	29	32	190
1990	111	4	57	44	74	290

출처: Jean-Luc Pinol, ed., *Histoire de l'Europe Urbaine*, II (Paris: Seuil, 2003), 572

이주를 막았다. 국제 경쟁이 치열해지면서 대서양과 발트해의 많은 항구는 심각한 타격을 입었다. 도시 제조업의 사실상의 붕괴는 맨체스터·리에주Liège·에센Essen과 같이 이전에 번창했던 산업타운industrial town들을 쇠퇴의 국면으로 몰아넣었다. 1990년 소비에트 제국이 붕괴할 때까지 소련·발칸반도·동유럽에서 도시성장은 지속되었지만, 그 후 많은 산업타운에서 심지어 상트페테르부르크와 같은 주요 도시들에서도 인구가 감소했다. 그러나 여전히 20세기 말에 유럽은 도시가 두드러지는 대륙이 되었고, 대다수 시민이 도시와 타운에 거주했다([지역지도 III.1] 참조).

도시성장률은 경제구조의 차이에 의해 결정되었다. 도시들은 19세기에 산업화가 변화시킨 생산과 교환의 지역적, 국제적 네트워크에 포함되었다. 증기기관, 방적기, 동력 직조기power loom의 등장으로 직물의 공장 생산이 가능해지자 직물 생산은 급속하게 도시의 주요 직업이 되어 다수의 산업타운을 형성했으며, 이들 타운은 처음에는 영국 북부에서 빠르게 성장했고 이내 벨기에, 프랑스 북동부, 라인란트로 빠르게 퍼져나갔다. 이와 관련해 가장 먼저 눈에 띄는 도시는 맨체스터였다. 때때로 영국의 '코트노폴리스Cottonopolis'[면직물도시]로 불리며 맨체스터는 1820년대와 1840년대 사이에 유명해졌다. 맨체스터는 곧 지역의 소규모 타운들의 중심지로 기능하면서 국제시장에 공급을 하는 업체들에 마케팅 및 금융 서비스를 제공했다.[2]

이와 같은 산업적 도시화industrial urbanization의 초기 물결은 석탄에 의해 가속화되었고, 석탄 채굴로 요크셔Yorkshire, 남웨일스South Wales, 벨기에 보리나주Borinage, 루르계곡 등의 탄광 입구 주변에서 타운들이 성장했다. 값싼 석탄과 새로운 제련술은 철, 그리고 이후 강철 생산의 혁명을 일으켰고, 많은 도시 가운데 셰필드Sheffield, 리에주, 생테티엔 St.-Étienne, 에센의 성장을 촉진했다. 마을village이 타운으로 성장하면서, 새롭게 도시화한 지역의 중추는 영국 북서부에서 벨기에, 프랑스 북동부, 라인–루르Rhein-Rhur 지역으로 이어질 수 있었다.

19세기 후반기에는 진취적 사업가들이 증기기관과 새 기계를 중부유럽의 여러 더 오래된 타운은 물론이고 남유럽 및 동유럽에도 도입했다. 베를린, 밀라노, 바르셀로나, 바르샤바Warszawa, 모스크바는 산업 생산의 주요 중심지로 부상하며 세계무역의 가파른 성장을 촉진했다. 세기말에 상업적으로 이용가능한 전기의 개발로 광산과 공장의 연결고리가 끊어진 이후, 노동자와 원자재 및 완제품을 운송할 수 있는 사실상 거의 모든 도시는 수출을 위한 제조업을 확장할 수 있었다.

새 교통수단은 19세기 중반 산업적 도시화의 도약을 가속했다. 1820년대 말에 잉글랜드에서 확산된 철도는[3] 이후 수십 년 동안 영국과 프랑스 기술자들에 의해 건설되고 영국과 프랑스 자본에 의해 자금을 지원받으며 대륙 전역으로 확장되었다. 1870년 무렵 서유럽과 남유럽의 모든 국가는 전국적 철도망을 갖추고 있었고, 1900년 무렵에는 철도망이 서로 긴밀하게 연결되었다. 함부르크와 글래스고 같은 항구도시들의 증기선 운항도 빠르게 성장하고 있었다. 육상 운송망과 해상 운송망 모두 세계무역을 촉진했고, 이는 더 많은 도시개발urban development로 이어졌다. 여행은 점점 더 쉬워지고 저렴해졌다. 이러한 새 교통망은 주요 도시—해안가 항구와 국가 수도—를 중심으로 구축되어, 이미 원거리 무역, 산업권력 및 정치권력에 의해 선호된 장소들의 성장을 자극했다. 이를 통해 상품이 유럽의 생산자로부터 미국이나 아시아 시장으로 빠르게 이동할 수 있었거니와 젊은 노동자들이 프로이센이나 남부 이탈리아의 고향 마을을 떠나 에센이나 밀라노로 더욱 쉽게 갈 수 있었다. 런던은 오랫동안 영국 전역에서 이주민들을 유인했지만, 19세기 후반에는 러시아와 동유럽으로부터 기차와 증기선을 타고 이동해온 수천 명에 이르는 새 이주민의 목적지가 되었다. 1994년 영불해협터널Channel Tunnel〔영국 남부의 포트스턴과 프랑스 북부 칼레 사이의 철도·차량 해저터널. 채널터널〕의 개통 이후 영국과 대륙의 철도 체계는 서로 제휴해 유럽의 육상 이동을 진정으로 통합했다.

새 교통수단들은 처음에는 인구의 중앙집중을 가져왔으나 또한 분산decentralization을 불러오기도 했다. 지하철과 지역철도 체계에 더해 전차trolley는 노동자와 쇼핑객들을 변두리 지역에서 상업지구로 데려왔다가 밤에 다시 집으로 데려다주었다. 1930년 무렵 연간 8억 8800만 명의 여행객이 파리 지하철Métro de Paris을 이용했다고 알려졌다! 저렴한 요금으로 집과 직장 사이 통근이 가능해졌고, 도시의 성장과 함께 통근 거리는 점점 더 길어졌다. 내연기관의 등장이 특히 중요했다. 이미 1920년대에 영국 전역에서 상업적인 버스 운행은 마을 거주민들이 타운에서 쇼핑하고 놀 수 있게 해주었고, 따라서 더 넓은 교외화 suburbanization를 촉진했다. 그 후 수십 년 동안, 자가용 수의 증가는 엄청난 도전을 불러일으키며 통근과 인구유출out-migration만 아니라 교통 혼잡과 대기오염에도 영향을 끼쳤다. 1920년 무렵 운전면허 소지자가 약 10만 명에 이른 런던에서 자동차는 이미 제2차 세계대전 이전에 도시 경관urban landscape을 새로운 모양으로 만들었다. 런던 외 다른 곳에서도,

도시 주차공간보다 자동차가 많은 지역에서 도시 내 그리고 도시 간 빠른 교통의 흐름을 가능케 할 방법을 고안하는 게 점점 더 어려워졌다.

　　도시화urbanization는 빈번히 그리고 당연하게 산업화와 연관되지만, 국가의 형성 그리고 유럽에서 정부의 규모 증대와도 관련 있다는 점 또한 명심할 필요가 있다. 19세기에 여러 새로운 국민국가〔민족국가〕nation-state가 수립되었다. 그리스가 그 선봉에 섰다. 벨기에, 루마니아, 이탈리아, 합스부르크 제국 내 반#주권국 헝가리, 독일, 세르비아 등이 뒤를 따랐다. 이들 각 국가의 수도capital city는 새 정부 활동의 중심지가 되면서 극적으로 성장했다. 아테네, 브뤼셀, 부쿠레슈티, 로마, 부다페스트, 베를린, 베오그라드 모두 늘어난 거주민 수의 많은 부분은 국가의 정치 생활 및 전국적 행정의 중심지라는 도시의 새로운 위상 덕분이었다. 20세기 내내 새 수도들이 계속해서 생겨났다. 프라하Praha(처음에는 체코슬로바키아의 수도였고 이후에는 체코 공화국의 수도), 바르샤바(폴란드), 더블린Dublin(아일랜드), 빌뉴스Vilnius(리투아니아), 리가Riga(라트비아), 자그레브Zagreb(크로아티아), 그리고 또 다른 여섯 곳이 수도의 지위를 얻었다. 한편, 19세기 이전부터 이미 주권국가의 수도였던 도시들―런던, 파리, 빈, 상트페테르부르크, 스톡홀름Stockholm, 마드리드, 리스본 등―은, 역사가 긴 국가는 물론 그렇지 못한 국가에서도, 점점 더 많은 기능을 전국적으로 수행해가는 과정에서 인구학적으로 혜택을 받았다. 자국민의 요구를 충족시키고자 국민국가가 수행하는 역할의 확대는 관료 및 여타 국가 공무원의 수적 증가에 의존했으며, 이 중 다수는 국가의 정치 중심지 또는 국가 행정이 지역적으로 작동하는 다른 장소들에 자리 잡았다.

산업체의 노동자건 공공 부문의 피고용자건 전체 도시 인구를 위한 서비스 제공자건, 도시 거주민들은 그들의 거주지로 이주해왔을 가능성이 매우 크다. 유럽 대륙에서, 대부분의 도시성장은 19세기 후반까지 자연적 성장이 아니었다. 프랑스, 독일, 러시아, 이탈리아, 헝가리, 스웨덴의 대규모 도시large city들에서 사망률은 보통 출생률을 초과했다. 타운의 영아사망률infant mortality은 1900년 이후까지도 여전히 높았다. 그렇기에 도시성장은 기본적으로 시골과 소규모 타운으로부터 도시로의 대규모 이주를 통해 가능했다. 농업 부문 고용이 감소하고 도시 임금이 상승함에 따라 점점 더 많은 남녀가 도시에서 새 기회를 모색했다―산업 노동자로서든 도시 서비스 업종에서든. 대부분은 젊고 미혼의 성인으로, 가족이나 마을 단위에서 잘 닦인 통로를 따라 다른 사람들을 쫓아온 부류였다. 수만 명의 아일랜드인이 리버풀과 런던에 거주했고,[4] 비슷한 수의 폴란드인이 뒤셀도르프Düsseldorf와 루르 계곡의 여러 도시로 이주했다.[5] 이러한 이주migration의 대부분은 일시적이었다. 젊은이들은 이곳저곳으로 자주 이동했다. 1850년경에 유럽 도시 거주민의 절반가량이 그들이 거주하는 곳이 아닌 다른 장소에서 태어났다. 도시 거주민의 이주민 비율은 이후 수십 년 동안 다소 감소했지만, 1890년에도 여전히 프랑스에서 43.7퍼센트, 프로이센에서 46.1퍼센트를 차지했다. 도시 이주민 대부분은 인근 지역 출신이었으나, 런던·파리·베를린 같은 '세계world' 도시들은 인근 지역뿐 아니라 유럽의 다른 나라들과 그들의 제국 전역에서 엄청난 수의 이주민들을 받아들였다. 증기선 항로와 장거리 철도에 의해 멀리 떨어져 있는 곳까지 연결된 이 도시들은 매년 수천 명을 새로 끌어들였다.

유럽 도시로의 이주는 시간이 지남에 따라 요동쳤다. 전쟁, 혁명, 불황은 때때로 사람들을 여정에 오르도록 내몰았지만 다른 때에는 이주를 억제하기도 했다. 시간이 흐르면서, 각국의 정부들은 노동력 확보에 점점 더 많은 관심을 보였으나 동시에 국경 통제 또한 모색했다. 징집의 시대이자 노동 통제의 시대였던 20세기에 시작된 이러한 압력들은 동원령 해제의 시대, 귀환의 시대, 재건의 시대로 이어졌다. 미국 정부가 남유럽과 동유럽으로부터의 이민을 제한했던 1920년대에 프랑스 정부는 외국인 노동력을 유치하려 노력했는바, 특히 북부 지역의 타운과 공장을 재건하려는 목적에서였다. 대조적으로, 1930년대에 공산주의자들은 스페인〔에스파냐〕의 타운들에서 달아났고, 수천 명의 유대인은 독일·폴란드·헝가리의 도시들을 떠나 안전한 곳을 찾아 서쪽으로 더 멀리 이동했다. 대규모로 인구 이동은 강제 노동자들과 포로들이 고향으로 돌아온 제2차 세계대전 기간과 그 이후에도 계속되었고, 소련 정부는 동유럽에서 게르만 민족을 몰아냈다.

1945년 이후 유럽 경제가 되살아나면서 북서부 유럽의 심각한 노동력 부족은 남쪽과 동쪽의 노동자들에게 고용의 기회를 제공했다. 포르투갈, 스페인, 이탈리아, 그리스, 터키〔튀르키예〕, 북아프리카에서 온 수백만 명이 북서부 유럽의 산업타운 및 수도로 몰려들었다. 1970년대에 매년 10만 명 이상의 터키인〔튀르키예인〕이 독일에 도착했다. 일반적으로 그들의 체류가 일시적이리라 예상되었지만, 남성 이주민들은 자신의 가족을 〔자신의 체류지로〕 불러들였고, 여성 이주민들은 결혼하고 〔자신의 체류지에〕 남아 있기로 결정했다. '초청노동자들'은 식민지 전쟁과 탈식민 권력 투쟁으로 발생한 수천 명의 난민과 합쳐졌다. 수십만 명의 인도네시아인과 수리남인은 네덜란드의 주요 도시에 정착한 한편, 훨씬 더 많은 수가 알제리와 프랑스의 사하라 이남 식민지를 떠나 프랑스의 타운들에 정착했다(35장 참조).[6]

위계와 네트워크

도시들은 항상 도시 네트워크urban network 내에서 존재했다.[7] 산업적 도시화의 물결이 일어나기 훨씬 이전에 시장타운market town과 소규모 정주지settlement들이 아일랜드에서 우랄산맥까지 유럽 도처에 산재해 있었다. 산업적 도시화의 전성기 이전인 1800년에 영국, 저지대 국가들Low Countries, 이탈리아에서 거주민 1만 명 이상 도시들 사이의 평균 거리는 30킬로미터에 불과했고, 스페인, 프랑스, 독일어 사용 국가들에서는 약간 더 떨어져 있었다. 이들 영역에서는 정력적인 보행자나 말을 탄 사람이 하루 이내에 이 도시에서 저 도시 사이를 이동할 수 있었고, 시장 중심지는 훨씬 더 가까이 있었다. 도로와 강으로 연결된 정주지 연결망은 대륙의 평원과 저지대를 뒤덮고 있었다. 일부는 특화된 중심지 — 항구, 휴양지resort, 제조업타운, 광산타운mining town — 로, 몇몇 직종의 주도성에 따르는 노동력을 확보한 특화된 중심지였다. 다른 도시들은 농촌 인구가 사고팔러 가는 단순한 시장타운들이었다. 더 크고 더 다양해진 도시들은 훨씬 더 폭넓은 상품과 서비스를 얻으러 이동할 준비가 된 사람들에게 그것들을 제공했다. 항구는 물론 대학과 대성당이 있는 장소들은 훨씬 더 넓은 지역의 사람들을 유인했다. 이들이 필요로 했던 주택과 음식은 계속해서 많은 이주민에게 일자리를 제공했다. 법원, 교도소, 관공서에 자금을 지원하는 국가 행정력이 성장하면서, 이들 기관이 위치한 도시들도 성장했다.

도시화가 진행되던 지역들은 그 중심지들의 위계를 발전시켰다. 가장 큰 곳은 일반적으로 국가의 수도였으며, 가장 중요한 정치와 종교 기관들과 아울러 은행, 외국기업, 종종 공장도 수용했다. 그러나 국가별로 지역 중심지와 지방정부 소재지도 있었으며 이곳에는 하급 법원, 공무원, 변호사·서기·교사를 고용하는 중등학교가 있었다. 비록 수도보다 규모는 작더라도, 지역 중심지와 지방정부 소재지의 상대적인 부와 다양한 기관들은 젊은 노동자들과 중산층의 꾸준한 유입을 자극했다.

도시위계urban hierarchy의 형태는 유럽 전역에서 다양했다. 1850년 무렵 더 중앙집중화한 국가들—프랑스, 영국, 포르투갈, 스웨덴, 덴마크, 합스부르크 제국—에서 수도는 자국에서 두 번째로 큰 도시보다 몇 배나 더 규모가 컸다. 아테네와 부쿠레슈티는 20세기 후반에 이 대열에 합류했다. 이 종주도시宗主都市, primate city 각각은 국가의 자원과 인구의 불균등한 분배를 낳았다. 대조적으로, 벨기에, 네덜란드, 독일, 이탈리아 북부에 있는 고밀도의 타운들은 여러 중간 규모 도시들을 중심으로 구성된 도시체계urban system를 형성했고, 이러한 양상은 지속되었다. 네덜란드에서는 암스테르담, 헤이그The Hague, 레이던Leiden, 위트레흐트Utrecht가 정치적·경제적·문화적 기능을 공유하는 상호의존적이고 상호보완적인 도시로 남아 있었고, 잉글랜드에서는 그 기능이 런던에 모두 결합되어 있었다. 세 번째 양상은 스페인과 러시아에서 찾아볼 수 있는바, 각각의 두 주요 도시(바르셀로나와 마드리드, 상트페테르부르크와 모스크바)가 자원과 권력을 놓고 서로 경쟁했다. 전국적 도시 네트워크는 산업시대의 성장 양상과 함께 각 지역의 역사적 유산을 반영한다. 학자들은 오늘날 유럽이 국경을 초월해 하나로 통합된 일련의 도시 틀을 가졌는지를 두고 논쟁한다. 한 곳과 다른 한 곳을 잇는 긴 도로망과 철도망이 연결의 증거를 제시하지만, 정치적 분열과 빈곤은 이주를 억제하고 있다. 〔유럽〕 대륙을 두 개의 적대 진영으로 갈라놓은 20세기의 국제적 갈등 이후 냉전은 베를린을 분단시켰거니와 나토NATO〔북대서양조약기구〕 회원국과 바르샤바조약기구Warsaw Treaty Organization 회원국 사이 교류를 제한했다. 유럽연합European Union, EU은 초기 6개국에서 현재의 27개국으로 점차 회원국이 확대되면서 시민들이 자유롭게 이주할 권리가 있는 광대한 영역이 생겨났고, 브뤼셀에 본부를 둔 유럽연합의 관료조직과 스트라스부르에 본부를 둔 유럽의회European Parliament를 통해 유럽 국가들과 도시들이 서로 연결되면서 국경의 중요성이 줄어들었다.

유럽의 주요 도시들은 그들 사이에서만 아니라 해외 도시들과도 밀접하게 연결되어 있었다. 도시 네트워크는 수 세기 전에 지구적으로 퍼져나갔다. 서부 연안항coastal port ─ 보르도·리버풀·리스본 등 ─ 은 바다로 아메리카 및 아프리카 대륙과 연결되어 있었다. 지중해를 통해 마르세유에서 알제까지, 나폴리에서 트리폴리와 벵가지Bengazi까지 이동이 쉬워졌다. 증기선은 런던에서 홍콩으로, 함부르크에서 상하이로 승객과 우편물을 왕복 운반 했다. 사람·재화·문화의 지구적 교환은 도시와 그 교통 네트워크를 통해 운영되었고, 이는 유럽의 도시체계를 아시아, 아프리카, 아메리카의 도시체계와 연결했다.

지난 두 세기 동안 일어난 광범위한 발전의 배경에서 오늘날의 도시 네트워크와 도시개발 수준은 어떻게 보일까? 유럽 전체에서 가장 규모가 크고 가장 중요한 도시들은 1800년 이래로 놀라울 정도로 일정하게 유지되었다. 모두 다기능 도시로 대부분은 수 세기 내내 정치적 수도였다. 런던과 파리는 글로벌 수준에서 정치적·경제적·문화적 영향력을 행사하는 유럽에서 오직 둘 뿐인 '세계도시world city'로 남아 있다. 경제성장과 지역 통합은 19세기에 맨체스터·리버풀·에센과 같은 새 도시 슈퍼스타를 만들어냈고, 20세기 후반의 탈산업화deindustrialization는 그들의 중요성을 떨어뜨렸다. 모스크바·베를린·브뤼셀·프랑크푸르트〔공식 명칭은 프랑크푸르트암마인〕·밀라노·마드리드는 여전히 2순위 도시로 기능하고 있음에도 국제적·지역적 기능을 담당하고 있다. 북서부 유럽의 도시들이 갖는 지배력은 1950년 이후 남유럽 도시지역의 급속한 성장으로 20세기 후반에 줄어들었다. 바르셀로나에서 프랑스 남부를 거쳐 이탈리아 중북부에 이르는 지중해 연안을 따라, 경제발전은 더 오래된 타운들에 활력을 불어넣고, 행정적 관할권을 초월하는 역동적 거대도시권을 창출했다. 전체적으로, 당시 유럽인들의 아주 낮은 비율만이 어떤 규모의 도시에 살았던 1800년의 상황과는 뚜렷이 대비된다. 오늘날에는 유럽 대륙의 일부―주로 스칸디나비아의 극북 지역과 발칸반도의 일부분―만이 여전히 넓은 의미의 '농촌rural'으로 여겨질 수 있다.

사회문제, 현실과 인식

특히 19세기 전반기에 도시 인구의 증가세는 큰 문제를 촉발했고 현지 당국은 오랫동안 이를 제어할 수 없을 것 같았다. 이와 같은 어려움은 물리적, 생리학적, 사회적, 정치적 차원의 것이었으며 도시 생활의 질에 대해 불평하는 커다란 합창을 이끌었다. 산업도시industrial city에 대한 전형적인 우려의 표현은 찰스 디킨스Charles Dickens의 소설《어려운 시절 Hard Times》(1854)에 나타나 있다. 소설 속에서〔상상의 도시〕'코크타운 Coketown'에 대한 묘사는 작가 자신이 맨체스터에서 삶의 황량함과 이 기적 무정함이라고 여겼던 것을 에둘러 비판했다. 1850년대 중반에 독일 민족지학자ethnographer 빌헬름 하인리히 리엘Wilhelm Heinrich Riehl은 도시 중심지urban centre에 대한 보다 노골적인 비난을 기록했다. 리엘이 "유럽은 대도시의 흉악함으로 병들고 있다"라고 적었을 당시, 그는 넓은 범주의 질병들을 염두에 두고 있었다. 이 질병들은 유럽인의 육체적 건강만 아니라 그들이 살아가는 공동체의 사회적 행복에도 피해를 주었는바, 리엘의 관점에서 이것은 공동체적 화합의 심각한 결핍을 나타냈다. 1850년대 이전에 널리 퍼졌던 표현에서 발견되는 이러한 정서는 그 후 오랫동안 많은 작가에 의해 계속해서 언급되었다.[8]

도시에 가해진 많은 비난은 대도시의 거주민 대다수가 처한 비참한 물리적 환경에서 비롯했다. 대규모 타운들은 매우 빨리 성장한 탓에 위험할 정도로 비위생적이었다. 하수 처리 시설의 불충분으로 인한 깨끗한 식수의 부족은 1830년대~1860년대에 특히 심각한 결과를 초래했다. 이 시기에 반복적 콜레라의 창궐은 엄청난 수의 사망자를 발생시켰다. 러시아에서 서쪽으로 확산한 콜레라는 중부유럽과 서유럽에서는 1832년에 발병했다. 그해부터 세기말까지 콜레라는 수백만 명의 유럽인들을 괴롭혔는데, 그들 대다수는 도시의 빈민 구역에 살았으며, 콜레라 감염자의 최소 3분의 1이 사망했다. 도시민들은 다른 형태의 전염성 질병으로부터도 불균형적 고통을 받았고, 그중 장티푸스와 결핵의 발병은 열악한 위생 상태에 직접 관련되었다.[9]

깨끗한 물 부족에 대한 우려와 전염병 발생이 줄어들면서 점점 더 많은 관심이 불량 주택에 집중되었다. 1840년대에 위생개혁가들은 질병과 적정 수의 옥외변소privy가 부족한 과밀 주거지 사이 연관성을 널리 알렸다. 이후 열악한 주택의 악영향은 도시환경 비판에서 더욱 중요한 특징이 되었던바, 새 주택 건설이 도시의 인구성장보다 계속해서 크게 뒤처졌기 때문이다. 따라서 '슬럼slum'이 도시권urban area에서 빠르게 퍼져가는 것처럼 보였다. 동런던East London은 이 점에서 특히 악명 높았지만 다른 많은 도시도 비슷한 문제를 안고 있었다. 베를린에서는 노동자계급 가족들이 이른바 '임대 막사rental barrack'라 불리는 곳에 정어리처럼 꽉 들어차 있었고, 1911년 부다페스트Budapest〔헝가리어 발음 부더페슈트〕에서 노동자 거주 지역 내의 일련의 주거지는 한 관찰자에 의해 '교도소 안의 독방cells in a prison'으로 묘사된 판잣집으로 이루어져 있었다. 한 건물에서 97명이 2개의 옥외변소를 공유했다. 그곳의 전형적인 아파트는 방 1개와 창문이 없는 부엌으로 구성되어 있었다. 과밀overcrowding은 20세기에 전반적으로 감소했으나, 1939~1945년〔제2차 세계대전〕 사이 도시 공습空襲으로 많은 주택이 파괴되었다.

가난한 사람들만 아니라 어린이들도 더러운 물과 과밀의 결과로 도시의 다른 거주민들보다 더욱 명백하게 위험에 처했다. 1841년 랭커셔Lancashire와 체셔Cheshire 주들의 타운들에서는 신생아 1000명당 영아 198명이 첫 생일이 돌아오기 전에 사망했다. 당시에 영국 북부 모든 도시의 영아사망률이 농촌의 영아사망률보다 약 50퍼센트 더 높았다. 1~5세의 사망률은 1886년 프랑스 전체에서는 1000명당 30.3명이었지만, 파리에서는 58.2명이었다. 사망률은 노동자 동네에서 가장 높았고 중산층과 상류층 거주지에서는 훨씬 더 낮은 경향이 있었다.

청소년과 청년의 인구 비율은 농촌권rural area보다 도시권이 더 높았으나, 사망률은 19세기 내내 도시 규모에 비례해 다양했다. 1886~1890년에 인구 1000명당 사망자는 파리에서는 23.69명이었지만, 인구 5000명 미만의 도시에서는 20.91명에 불과했다. 가장 큰 규모의 도시들에서 매우 심한 편이었던 과밀은 특히 치명적이었다. 도시의 출생률이 농촌의 출생률보다 훨씬 낮았다는 추가적 사실을 고려할 때, 시골에서 온 새 구성원들의 공급이 고갈되면서 도시 인구는 궁극적으로 훨씬 더 고령화되고 결국에는 자취를 감추기 시작한다는 상황을 많은 관찰자가 우려하는 것은 놀랄 일이 아니다. 다른 사람들은 도시 태생인 사람들의 낮은 출산율과 높은 수준의 장거리 이주 사이 결합이 위협적 방식으로 도시사회를 근본적으로 변화시킬 것이라 우려했다.[10]

신체적 건강에 대한 위협은 겉보기에 추가적 위험을 동반하는 것 같았는데, 도시 엘리트들은 그것이 도덕적 건강을 위협한다고 생각했다. 많은 당대인이 보기에, 도시는 사회적 병리와 여러 일탈행위의 온상이었다. 성적 문란함, 만취, 자살, 범죄는 도시화와 도시 생활이 더 나쁜 행동을 발생시키는 데서 어떤 역할을 하는지를 입증하는 듯 보였다. 당대인들은 도시에서 종교의식의 쇠퇴를 누누이 지적했다.[11] 유럽에서 교회 참석률이 도시가 성장함에 따라 전반적으로 하락했고 다른 곳보다 도시에서 낮았던 것은 사실이지만, 그 비율은 나라마다 편차가 컸고, 가톨릭의 종교의식은 일반적으로 개신교 교인들의 경우보다 더 잘 유지되었다. 특정 형태의 일탈행위를 고려할 때 문제는 유사하게 복잡하다. 19세기 후반 독일에서는 재산권 침해 범죄가 시골보다 도시(도둑질할 물건이 더 눈에 띄었던)에서 더욱 빈번했으나 폭력 범죄는 덜 빈번했다. 그럼에도 인식과 공포는 그 자체로 사회적 현실을 형성했고, 도시문제들이 시정되어야 한다는 믿음을 촉진했다. 20세기에도 비슷한 두려움이 외국에서 온 1세대 이민자와 2세대 이민자들이 살아가는 도시권과 관련해 일어났다. 일례로, 북아프리카에서 온 이민자들이 많이 거주하는 파리의 교외와 튀르키예계 '초청노동자guest worker' 〔독일어 가스트아르바이터Gastarbeiter. 서독 정부가 1955년부터 1973년까지 실시한 같은 명칭의 외국인 노동자 수용 정책에서 유래했다〕들과 그 자녀들이 불균형적으로 거주하는 베를린의 크로이츠베르크Kreuzberg 구역을 들 수 있다. 노동력 확보라는 국가적 필요성에도, 이 이민자들은 피부색·종교·언어의 차이 때문에 다수에게 생물학적·문화적 위협이 되는 외부인으로 인식되었고 지금도 여전히 그러하다. 유럽의 도시들은 항상 사회계급으로 종종 종교와 민족으로 구분되는 인구를 수용해왔지만, 문화적 다양성에 대한 유럽인의 관심과 함께 종종 분개가 커지면서 반이민 정당들의 발흥을 부추기고 있다.[12]

대도시들은 또한 정치적, 사회적 현상을 변화시키려는 남녀들의 주요한 무대 역할을 했다. 1830년에 파리와 브뤼셀에서 혁명이 일어났

고, 1848년에는 파리만 아니라 베를린·빈·부다페스트·밀라노에서
도 혁명이 일어났으며, 1871년에 파리에서 또다시 혁명이 일어났다.[13]
1905년 상트페테르부르크에서도 혁명이 일어났다. 서유럽에서는 그
지도자들이 혁명을 적극적으로 추구하지 않았음에도 혁명을 설파한
조직적 사회주의 세력들이 다른 곳보다 대도시에서 훨씬 더 많은 유권
자의 표를 받았다. 독일의 사례를 보자. 1898년 선거 당시 대도시 선
거구들에서 사회주의자들은 제국의회Reichstag의 60퍼센트의 의석을 얻
었으나 국가의 나머지 선거구들에서는 5퍼센트의 의석을 차지하는 데
그쳤다. 20세기에는 국가의 정치체제를 바꾸려는 노력이 제1차 세계
대전 기간과 끝 무렵에 페트로그라드Petrograd와 베를린, 1968년에 다
시 파리, 1989년과 1990년에 부다페스트, 라이프치히Leipzig, 베를린,
프라하, 빌뉴스를 중심으로 전개되었다.

문제에 대처하기

이와 같은 도전에 직면해, 중산층과 상류층 출신의 개혁가 집단들은
위생과 사회 개선을 추구하며 노력했다. 특히 19세기 중반 이후의 전
반적 경향은 전적으로 시장 세력의 자선에 대한 믿음에서 벗어나 자발
적 차원과 정부 차원 둘 다에서 행동주의activism가 증가하는 방향으로
이어졌다.

　조직적 자선사업을 통해 도시의 고통을 완화하려는 시도는 세기
내내 널리 퍼져 있었다. 자발적 결사체들은 가난한 사람들을 돕는 기

금을 모으는 동시에 교육적 노력을 통해 그들의 행동양식을 바꾸려 노력했다. 부분적으로는 프랑스혁명에 대한 반동으로 넓게 확산한 종교의 부흥은 자유방임주의 신조가 그랬던 것과 마찬가지로 때때로 이러한 접근법에 기여했다. 자선가들은 영국에서 특히 활발했다. 1820년대부터 런던과 여타의 도시권에서 자선 '방문단체visiting society'가 확산했다. 같은 기간에 보르도·리옹뿐만 아니라 파리의 가톨릭 여성단체들은 아픈 성인과 고아들을 도우려는 그들의 노력을 강화했다.[14] 세기 후반에는 사회지향적 개신교 및 가톨릭 단체들과 아울러 많은 세속적 단체도 사회적 자선의 확대를 추구했고, 이러한 단체로는 런던에서 시작된 자선조직협회Charity Organisation Society, 프랑스의 자선활동중앙사무소Central Office of Philanthropic Works, 독일의 빈민구호자선단체협회German Association for Poor Relief and Charity가 있었다. 이에 질세라 러시아인도 많은 자선단체를 설립했다.[15]

의사들이 주축이 되었던 세속적 개혁가들은 정부에 물리적 환경을 정화하도록 강한 압력을 넣었다. 개선된 하수도, 깨끗한 물, 포장된 도로, 더 나은 환기를 요구하는 시위가 이들에 의해 1820년대에 프랑스와 영국에서 시작되었다. 이런 흐름은 영국에서 1848년 공중보건법Public Health Act의 제정으로 절정에 달했으며, 이 법은 지역 당국에 많은 새로운 규제의 책임을 지게 했다. 새 하수 처리 시설 설치를 비롯해 과도하게 밀집된 주택의 철거와 새 직선대로의 건설은 센Seine 지사 오스만 남작Baron Haussmann〔조르주-외젠 오스만Georges-Eugène Haussmann〕의 지휘로 1850년대 파리에서 시작된 대대적 도시재건urban reconstruction 사업의 주요 특징이었다.[16] 파리의 '오스만화Haussmannization'와 비슷한 흐름은 세기의 세 번째 사분기 동안 폭넓은 재건축을 경험한 리옹·마르세유만 아니라 바르셀로나·빈에서도 볼 수 있었다.[17] 이와 같은 재건축에는 효율적인 자치체정부, 조세 역량, 금융 제도들이 필요했으며, 이는 다른 곳보다 유럽에서 더 일찍 발전했다.

19세기 후반과 20세기 초반에는 이전의 어떠한 변화마저 상쇄할 정도로 시 정부의 권력과 책임이 급증했다. 정력적인 시장市長들과 멀리 내다보는 시의회의 주도 아래, 시 정부는 자신이 관리하는 사람들의 삶을 개선하려는 목적에서 점점 더 많은 기능을 담당했다. 시 당국이 점차 수도회사water company를 장악해감에 따라, 고용된 기술자들은 기술 혁신을 도입함으로써 도시를 훨씬 더 건강하게 만드는 방법을 고안했다. 시영市營 수도사업은 시영(혹은 최소한 도시가 조정하는) 방식의 가스와 전기 사업에 의해 보완되었다. '자연스러운 독점'으로 보이는 이와 같은 사업은 '공익사업public utility'으로 운영되어야 한다는 점이 널리 받아들여졌다. 이러한 공공시설utilities의 제공은 다른 사업들(도축장과 시장의 정비 등)과 함께 '시정사회주의municipal socialism'〔자치체 사회주의 또는 도시사회주의〕로 자주 언급되었다. 그러나 자치제 사업들이 순전히 자선적 기반에서 제공이 된 것은 아니었다. 확실히 깨끗한 물은 공익public good이었다. 하지만 소비자들은 수도뿐 아니라 가스와 전기 사용 비용을 내야만 했고, 그 판매 수익은 스스로 이익을 내지 못할 수도 있는 다른 사업들에 대한 비용 지출에 도움을 주었다. 대중교통mass transit — 처음에는 1880년대부터의 전동전차, 이후에는 지하철 — 은 도시 전역뿐 아니라 거대도시권에까지 확대되어 지역의 통합을 촉진했다.[18] 시 정부는 또한 병원, 학교, 보육원, 노동 교류를 통해 인적 자본을 개선함

으로써 도시 인구 대상의 사회 서비스를 크게 확대했다.[19]

자치체〔시정〕 행동주의municipal activism의 지형도는 어떠했는가? 당대 여러 국가의 국민들은 독일 시 정부들의 업적에 깊은 찬사를 보냈다.[20] (창의도시〔창조도시〕 모델로서 베를린에 대해서는 38장 참조). 제1차 세계대전 직전까지 독일 시 정부들은 수도·가스·전기의 자치체 공급과 관련해 독보적이었고, 시 정부의 사회 서비스도 고도로 발달했다. 이러한 지도력에는 비용이 많이 들었다. 1870년과 1913년 사이에 독일 도시들의 자치체 예산 규모는 크게 늘어 전국적으로 약 11배 증가했다. 영국에서도 자치체 행동주의의 중심지로서 좋은 평가를 받을 만했던 버밍엄과 글래스고에서([도판 25.1] 참조), 스칸디나비아에서도 시가 후원

[도판 25.1] 1889년경의 버밍엄. 배경에서 보이는 산업 장소들은 그림 전경과 중앙에 나타나는 시민적 건물들(미술관과 시의회 건물)에 가려져 있다. 이 그림은 산업과 도시팽창으로 제기된 도전들을 자치체가 극복한 것을 기념한다. (출처: Edwin Hodder, *Cities of the World*, IV, 1889, 41)

한 현저한 발전 사례들이 있었다. 지중해 국가들과 그 동쪽에서는 자치체의 발전 속도가 훨씬 더 느렸으나, 자치체 차원의 활동 증가는 거의 모든 곳에서 분명하게 나타났다.

양차 세계대전 사이에 지방정부들은 점점 더 많은 책임을 떠맡게 되었다. 공공주택public housing 건설은 훨씬 더 큰 규모로 일어났다. 영국에서 1919년에 통과된 주택법Housing Act은 처음으로 국가가 '시영'주택'council' housing에 대해 상당한 보조금을 지급하는 결과를 낳았다. 리버풀시 당국은 1920년대와 1930년대에 3만 8000채의 주택을 지었다. 빈과 스톡홀름의 자치체 당국도 대규모로 새 주택을 건설했다. 이와 함께 대중교통체계가 확장되고 통합되었다. 1929년에 파리 지하철이 교외권까지 이어졌고, 베를린시 정부는 전차와 경전철의 조화를 성공적으로 추진했다. 대공황Great Depression은 시 정부들이 빈민 구호와 여타 사회적 서비스를 제공하도록 추동하는 압력을 증가시켰다. 이러한 발전의 결과로 자치체 공무원들의 수가 빠르게 증가했다. 예를 들어, 헬싱키Helsinki시의 공무원 규모는 1931년과 1941년 사이에 50퍼센트 정도 증가했다.[21]

건축가들이 새로운 도시 형태를 상상하고 새로운 기술과 과학의 도움으로 도시문제에 맞서려고 계획하면서 '좋은 도시good city'의 기준이 꾸준히 높아졌다. 르코르뷔지에Le Corbusier[1887~1965]는 파리 중심권central area을 평지화하고 그곳의 인구를 고층 아파트로 이사하게 해그 자리에 녹지공간을 도입할 것을 제안했다. 1928년에 조직된 근대건축국제회의International Congress of Modern Architecture, CIAM는 근대적 건축양식에 대한 지지와 도시 활동을 기능별로 분리하는 것에 대한 지지를 확산했다.[22] 유럽 전역에서 도시계획가들은 오래된 도시의 기술적 현대화와 아울러 교통 양상의 재설계, 대중교통의 확대, 새로운 공원 및 근대적 사회주택social housing 주위에서 동네 만들기에 대해서도 생각했다. 1920년대와 1930년대에 주창된 사상들은 1940년대에도 그 매력을 잃지 않았다. 전쟁이 시작된 직후 유럽 각국 정부들은 도시의 재건을 목표로 개발계획을 담당하는 기관들을 구성했다. 1943년에 영국도시·농촌계획부British Ministry of Town and Country Planning가 창설되었고, 그 안에서 런던대학교 도시계획학 교수 패트릭 애버크롬비Patrick Abercrombie는 건축가들과 함께 런던의 파괴된 지역을 재건하고, 뉴타운과 외곽 정주지 개발을 통해 런던 인구를 재배치하는 정교한 전략을 고안했다. 또한 비시프랑스Vichy France[1940년 7월부터 1944년 8월 파리가 해방될 때까지 프랑스 남동부를 통치하던 프랑스의 친나치 정권], 벨기에 및 노르웨이에도 전후 도시질서를 위한 구체적 구상의 기획을 담당하는 중앙 기획부서가 있었다.

1940~1945년 사이 유럽 도시들의 파괴 규모는 지금으로서는 상상하기도 어렵다. 대적한 양측의 군사전략가들 모두 승리로 이르는 길은 민간인의 삶을 붕괴시키는 것에 있다고 생각했다. 공장, 철도, 항구와 함께 도시 중심지city centre도 표적이 되었다. 런던과 코번트리Coventry에 대한 독일군의 공습은 수천 명을 노숙자로 만들었고, 주택만 아니라 교회·학교·병원도 시커멓게 그을린 골격으로 바꾸어놓았다. 동부전선에서도 독일 비행기들은 스탈린그라드Сталинград와 레닌그라드Ленинград를 평지로 만들어버렸다. 소련과 동유럽의 다른 지역들에서 후퇴하면서 독일군은 많은 러시아 도시와 마찬가지로 바르샤바를 조

직적으로 폭파했다. 영국과 미국 공군의 공습으로 독일의 더 큰 규모의 도시들의 기존 시가지 중 약 50퍼센트가 파괴되었고, 그 결과 40만~60만 명의 주민이 목숨을 잃었다. 도시 거리에는 산더미만 한 파편들이 도처에 널려 있었고, 전기와 수도 공급은 다시 설정되어야 했다. 현지의 수요가 엄청나서 어디서부터 시작해야 할지 알 수가 없었다.[23]

급진적 재생과 현대화에 대한 도시계획가들의 희망에도, 시간과 자원의 제약은 타협이 이루어져야 함을 의미했다. 사람들은 새로운 집과 바로 일할 수 있는 장소가 필요했고, 기존의 도로와 토지 소유의 형태는 바꾸기가 매우 어렵다는 점이 입증되었다. 게다가 상실된 도시 세계에 대한 대중적 향수는 도시질서를 근본적으로 바꾸려는 정치적 의지를 꺾었다. 타운마다 건설업자들은 기존의 도로선과 구획을 사용하는 비슷비슷한 저층의 실용적 건물을 생산해냈다. 가장 기본적인 오래된 토착적 주택 양식은 역사적 연속성에 대한 환상을 키워냈다. 뉘른베르크·프라이부르크Freiburg·뮌스터는 저마다 가장 중요한 기념물들을 새로 지었지만, 그 외 대부분은 전통적 양식과 유사한 재료·색상·디자인 사용 등 적응성 있는 재건축 전략을 따랐다. 건물의 90퍼센트가 파괴된 바르샤바의 복구는 과거 회복 노력에서 몇 단계 더 나아갔다. 전후 폴란드 정부는 도시 경계 내의 모든 토지가 자치체에 귀속됨을 빠르게 법제화해 도시계획가들에게 큰 자유를 주었다. 새 도로가 교통을 수월하게 했으나, 타운의 역사적 중심지는 대부분 전쟁 이전의 지도와 도면에 따라 재건되었다. 재건된 〔바르샤바〕 왕궁Royal Castle은 국립문화박물관이 되었다. 개별적 건물만이 아니라 교회, 궁전, 기념물 등의 복합단지〔복합체〕가 모여 있는 동네와 주요 거리도 복원되었다. 매우 적은 도시만이 재건축에 적극적으로 모더니즘 양식을 선택했다. 코번트리의 새 대성당, 베를린 한자비에르텔Hansa Viertel의 세련된 아파트 단지, 로테르담Rotterdam의 중심 상가 등은 현대적 디자인이 시경관cityscape에 도입된 기억할 만한 사례로 돋보인다.

1960년대에는 새 건축에 대한 점점 더 많은 강조가 있었고, 건설되는 건축물들도 놀라웠다. 마셜플랜Marshall Plan과 유럽경제공동체European Economic Community, EEC의 설립으로 촉발된 서유럽의 경제부흥은 재건과 함께 대규모 확장에도 자금을 지원했다. 건설사들은 대중교통망을 확충하고, 시 중심지로부터의 교통을 우회시키는 용도로 순환도로를 건설했다. 녹지공간과 도시 서비스들을 중심으로 기술적으로 설계된 새 타운들은 스칸디나비아, 네덜란드, 프랑스, 영국, 아일랜드에서의 도시성장과 도시의 지방분권화urban decentralization 관리에 도움이 되었다. 도시에 대한 국가적 계획은 유럽 전역에서 이루어졌다. 동유럽과 러시아의 공산주의 체제는 경제의 급속한 산업화를 지원하려고 1000개 이상의 새 타운들을 건설했다. 토지의 국유화와 정부의 자원배급으로, 당국은 자신이 원하는 곳에 정주지를 건설할 수 있었고 새 공장에 직원을 고용하며 노동자들을 그곳으로 이주시킬 수 있었다. 소련의 도시계획가들은 현대사회에 대한 그들의 평등주의적 비전을 구현하는 사회주의 도시들을 창조하고자 노력했다. 국가는 공원과 필요한 서비스를 제공하는 동네 단위별 아파트 단지에 공간을 조성하고 할당했다. 주민들은 직장에 출근하거나 정치적 집회나 문화 활동이 가능한 공공공간이 있는 중심권으로 이동하는 데 대중교통을 이용했다. 심각한 주택 부족과 소비재 및 서비스의 한정된 양은 대다수 국민의 생활수준을 균일화했고, 그 결과 사회계층에 따른 구분은 거의 사라졌다. 중앙정부의 계획은 도시 형태를 좌우했으나 장기적 문제와 결함을 해결하는 데서 반드시 효율적이거나 충분히 창의적인 것만은 아니었다. 이 새 타운들에는 적절한 서비스와 교통수단은 물론 적절한 주택까지 부족했다. 대중오락과 문화생활 시설들은 더욱 실용적인 요구를 위해 도외시되었다. 그럼에도 서유럽뿐만 아니라 동유럽에서도 건설적 변화가 일어나고 있었다.[24]

문화와 여가

도시들은 언제나 단순한 안식처와 일터 이상의 것을 제공했다. 도시민들은 기념하고, 배우고, 즐기고자 모였다. 도시사회urban society는 모든 취향에 맞게 고안된 폭넓은 문화적 기회를 증진해왔다. 문화적 풍요는 경제적 기회 및 사회적 서비스와 결합해 도시민들이 자신들이 살아가는 도시에 대한 충성심과 애정을 동시에 느낄 수 있게 촉진했다.[25]

이미 19세기에 더 규모가 큰 도시들은 고급문화에 대한, 그리고 정치권력과 위신[위세]prestige의 전통적 상징들에 대한 자신들의 헌신을 강조했다. 유럽의 주요 도시를 걷는 동안 보행자는 수십 개의 인상적 건물들을 지나쳤을 것으로, 그 가운데 많은 건물은 역사주의적 양식으로 새롭게 지어졌고 그 외의 것들은 수 세기 이전에 건설되었다. 시민적 정체성civic identity의 상징으로 특히 중요했던 시청은 물론 철도역, 은행, 오페라하우스, 극장, 공연장, 박물관 등도 도시적 우아함의 분위기를 조성했다.[26] 이 건물들은 문화적 삶과 함께 정치적, 경제적 삶의 발판을 제공했다. 오페라, 관현악, 연극 관람은 부유한 사람들에게 문화적 선택의 기회이자 동시에 부를 과시할 기회가 되었다. 미술관과 민족학박물관은 전통적 고급문화의 인상적 수장고 역할을 했다—파리의 루브르Louvre박물관, 마드리드의 프라도Prado미술관, 베를린의 '박물관섬museum island'〔독일어로 무제움스인젤Museumsinsel〕에 있는 갤러리들과, 19세기 초반과 1930년대 사이에 유럽 도시에 건설된 수백 개 다른 박물관 등이 그 예다. 한편 이러한 곳들은 갈수록 중산층과 상류층 남녀뿐만 아니라 노동자들도 맞아들였다. 이전에는 주중과 토요일로 제한되었던 운영 시간으로 이용하지 못했던 노동자들은 박물관들이 일요일에도 문을 열면서 그 혜택을 받았다. 1900년 무렵 함부르크의 박물관 관장들은 전통적 의미의 예술품과 이에 더해 지역 미술품 및 응용 미술품을 전시함으로써 방문객들을 끌어들이는 활발한 캠페인을 벌였다.[27] 자치체가 훈련된 사서들을 통해 좋은 문학에 대한 감상을 함양하게 할 수 있도록 공공도서관을 설립해 또 다른 방식의 대중적 '계몽enlightenment'을 장려하려 노력한 것은 1850년대에 영국에서 시작되었다. 민간 자선가들과 현지 공무원들 모두가 높은 수준의 여가활동에 매력을 느끼는 '대중public'을 확대하고자 노력함에 따라 더 큰 규모의 도시들은 문화적 혁신과 문화적 혼합의 장소가 되었다.

시 정부는 또한 건강한 오락 활동을 촉진함으로써 도시 거주민들의 '인성character'을 함양하고자 노력했다. 도시공원은 빈부를 막론하고 사람들을 개방공간으로 유인했다. 빅토리아Victoria공원은 주택과 공장으로 둘러싸인 190에이커〔0.8제곱킬로미터〕의 녹지공간으로 1842년에 런던 동부에 조성되었다. 다른 많은 도시도 거주민들이 푸른 잔디밭에 감탄할 뿐만 아니라 스포츠도 즐길 수 있는 공공장소를 조성하면서 그 뒤를 따랐다. 사람들은 수영이나 축구를 하고 또는 스포츠 경기를 보려고 리옹의 제를랑Gerland경기장이나 모스크바의 고리키Gorky공원으로 향했다. 헬싱키의 스포츠위원회Sports Committee는 1939년까지 86개 공공 스포츠경기장의 문을 열었다. 주거 지역이 사회계급에 따라 점점 더 분리되는 도시들에서 모두에게 개방된 새로운 공공공간의 건설은 민주적 대중문화의 방향으로 나아가는 중요한 움직임이었다.

대부분의 도시문화urban culutre는 비용을 지출하는 사람들에게 제공되는 대중적 상업 오락의 형태를 취했다. 교양이 아닌 오락에 대한 열망이 사람들을 상업적 공간인 도시로 끌어들였다. 먹는 것, 마시는 것,[28] 쇼핑이 이러한 문화의 중심이었다. 동네에는 술집, 클럽, 음식점이 있었으나 중심권도 그것들을 가지게 되었다. 18세기 후반 파리에서 대중적 레스토랑이 발명된 이후, 우아한 식사를 할 수 있는 장소가 신설된 대로boulevard를 따라 중심권에 펼쳐졌다. 브뤼셀과 밀라노의 유리로 덮인 회랑은 쇼윈도 진열, 카페, 가스 조명이나 전기 조명으로 고객들을 유혹했다. 특히 중산층 여성들이 백화점의 등장으로 혜택을 받았는바, 백화점은 안전하고 대접받으면서 쇼핑할 수 있는 장소를 제공해 주었으며, 점심 식사, 깨끗한 화장실, 앉아서 쉴 수 있는 자리도 마련되어 있었다. 1850년대 파리의 봉마르셰Bon Marché나 런던의 셀프리지스Selfridge's, 1900년경 베를린의 베르트하임Wertheim 백화점 등 도시 거주민들은 전 세계의 최신 디자인과 호화로운 상품 전시를 보러 이 흥미진진한 새로운 소비의 신전으로 몰려들었다([도판 25.2] 참조).[29] 상업

[도판 25.2] 포츠담광장Potsdamer Platz. 베를린장벽 붕괴 이후 1990년대 초반에 이 장소는 세계에서 가장 크고 가장 창의적인 건설부지 중 하나가 되었다. 수년 동안 인적이 끊긴 황량한 공간이던 도시의 한 부분에 수십 개의 새 건물이 세워졌다. (출처: Bildarchiv Preussischer Kulturbesitz)

용 극장 또한 다양한 사회적 배경의 고객들을 끌어들였다. 도시의 무대들은 고전 연극에서부터 현대 희극, 오페레타, 보드빌vaudeville〔춤과 노래 따위를 곁들인 가볍고 풍자적인 통속 희극〕, 멜로드라마에 이르기까지 모든 공연을 제공했다. 베를린의 모틀리Motley극장과 파리의 샤누아르 Chat Noir 같은 카바레들은 좋은 포도주와 풍자적 노래나 촌극의 조합을 지역 주민들과 관광객들에게 제공했다.[30] 더 많은 도시 거주민들은 상대적으로 저렴한 비용으로 음식, 음료, 흥겨운 노래들을 즐길 수 있는 뮤직홀을 선호했다.

새 형태의 도시 상업 오락은 도시의 대중문화를 매우 풍요롭게 했다. 세기가 전환된 직후에 갓 태동한 영화산업이 상당히 빠르게 성장했다. 1912년 런던에서 영화는 약 600개 장소에서 정기적으로 상영되었다. 독일 도시들에서는 1910년과 1928년 사이에 영화관 수가 5배나 증가했다(39장 참조). 도시 간 경쟁이 가능해진 프로 스포츠클럽 설립도 도시 대중문화의 생동감에 기여했다. 1880년대에 영국에서 축구리그가 설립되었고, 1911년에 인구 10만 명이 넘는 거의 모든 영국 도시에 연고지 프로팀이 있었다. 축구 광풍이 대륙 전체로 퍼져나감으로써 독일 도시들뿐만 아니라 이탈리아와 스페인의 도시들도 곧 자신들의 팀을 갖게 되었다. 북유럽 국가들에서는 1945년 이후 아이스하키 경기가 수천 명의 팬을 끌어들였다.

결론

오늘날 유럽 도시들에서의 삶의 질은 도시민들의 경제적·사회적 지위와 도시민 사회들의 부유함에 따라 매우 다양하다. 심각한 도시 빈곤 지역은 많은 도시에서 특히 유럽 밖의 나라들로부터 온 이민자들이 살아가는 구역이나 경제성장이 뒤떨어진 지역에서 여전히 찾아볼 수 있다. 그러나 미국과는 대조적으로, 너무 낡아 버려지는 주택의 수는 훨씬 적었다. 전반적으로, 시 중심지는 부유한 사람들이 살고 싶어 하는 장소로서 그 매력을 유지했고, 교외로의 이동은 비교적 제한되어 있었다. 많은 지역에서 효과적 거버넌스와 도시계획은 규제되지 않은 시장의 붕괴 효과를 억제했다. 일부 역사학자들이 '유럽형 도시the European city'라고 부르는 것의 지속적 특성은 밀도와 상대적으로 압축적인 정주지와 더불어 높은 수준의 도시 서비스, 그중에서도 자주 두드러지는 대중교통 서비스다.[31] 많은 점에 비추어볼 때, 지난 2세기 동안 유럽 도시들의 이야기는 기술 변화, 폭발적인 인구 증가, 민주화에 의해 제기된 문제들을 해결해가는 주목할 만한 성공의 이야기였으며 지금도 그러하다. 과거 도시화 시대의 유산은 20세기의 세계화한 경제의 압력과 정치적 변화들에 잘 적응했다.

주

1 Paul Bairoch, *De Jéricho à Mexico: Villes et économie dans l'histoire* (Paris: Gallimard, 1985), 288.

2 Andrew Lees and Lynn Hollen Lees, *Cities and the Making of Modern Europe, 1750-1914* (Cambridge: Cambridge University Press, 2007), 41-59.

3 J. R. Kellett, *The Impact of Railways on Victorian Cities* (London: Routledge, 1969).

4 Lynn Hollen Lees, *Exiles of Erin: Irish Migrants in Victorian London* (Ithaca: Cornell University Press, 1979).

5 James H. Jackson, *Migration and Urbanization in the Ruhr Valley, 1821-1914* (Atlantic Highlands: Humanities Press, 1997).

6 Leslie Page Moch, *Moving Europeans: Migration in Western Europe since 1650*, 2nd edn. (Bloomington: Indiana University Press, 2003).

7 Brian J. L. Berry, "Cities as Systems within Systems of Cities", *Papers and Proceedings of the Regional Science Association*, 19 (1961), 147-163.

8 Andrew Lees, *Cities Perceived: Urban Society in European and American Thought, 1820-1940* (New York: Columbia University, 1985), 37-38, 83-84.

9 Anthony Wohl, *Endangered Lives: Public Health in Victorian Britain* (Cambridge, Mass.: Harvard University Press, 1983).

10 Adna Ferrin Weber, *The Growth of Cities in the Nineteenth Century: A Study in Statistics* (Ithaca: Cornell University Press, 1899), 343-367.

11 Lees, *Cities Perceived*, 154-155, 158-159.

12 Leo Lucassen, *The Immigrant Threat: The Integration of Old and New Migrants in Western Europe since 1850* (Urbana: University of Illinois Press, 2005).

13 Mark Traugott, "Capital Cities and Revolution", *Social Science History*, 19 (1995), 147-168.

14 Lees and Lees, Cities, 170-179.

15 Adele Lindenmeyr, *Poverty Is Not a Vice: Charity, Society, and the State in Imperial Russia* (Princeton: Princeton University Press, 1996).

16 David Pinkney, *Napoleon III and the Rebuilding of Paris* (Princeton: Princeton

University Press, 1958).

17 Robert Hughes, *Barcelona* (New York: Knopf, 1992), 278–279.

18 John McKay, *Tramways and Trolleys: The Rise of Urban Mass Transport in Europe* (Princeton: Princeton University Press, 1976).

19 Marjatta Hietala, *Services and Urbanization at the Turn of the Century: The Diffusion of Innovations* (Helsinki: SHS, 1987).

20 William Harbutt Dawson, *Municipal Life and Government in Germany* (London: Longmans, 1914).

21 Peter Clark, *European Cities and Towns, 400–2000* (Oxford: Oxford University Press, 2009), 342–343.

22 Eric Paul Mumford, *The CIAM Discourse on Modernism, 1928–1960* (Cambridge, Mass.: MIT Press, 2000).

23 Jeffry M. Diefendorf, *In the Wake of War: The Reconstruction of German Cities after World War II* (New York and Oxford: Oxford University Press, 1993), 13–17.

24 R. A. French and F. E. Ian Hamilton, eds., *The Socialist City: Spatial Structure and Urban Policy* (Chichester: Wiley, 1979).

25 Clark, *European Cities*, 305–330.

26 Tristram Hunt, *Building Jerusalem: The Rise and Fall of the Victorian City* (New York: Holt, 2005), 227–258.

27 Jennifer Jenkins, *Provincial Modernity: Local Culture and Liberal Politics in Fin-de Siècle Hamburg* (Ithaca: Cornell University Press, 2002).

28 W. Scott Haine, *The World of the Paris Café: Sociability among the French Working Class* (Baltimore: The Johns Hopkins University Press, 1996).

29 Geoffrey Crossick and Serge Jaumain, eds., *Cathedrals of Consumption: The European Department Store, 1850–1939* (Aldershot: Ashgate, 2009).

30 Peter Jelavich, *Berlin Cabaret* (Cambridge, Mass.: Harvard University Press, 1993).

31 Hartmut Kaelble, "Die Besonderheiten der europaischen Stadt im 20. Jahrhundert", *Leviathan: Zeitschrift für Sozialwissenschaft*, 29 (2001), 256–294.

참고문헌

Cohen, William B., *Urban Government and the Rise of the French City: Five Municipalities in the Nineteenth Century* (New York: St Martin's, 1998).

Daunton, Martin, ed., *The Cambridge Urban History of Britain*, vol. 3: 1840-1950 (New York: Cambridge University Press, 2000).

Diefendorf, Jeffry, ed., *Rebuilding Europe's Bombed Cities* (New York: St. Martin's, 1990).

Hamm, Michael F., ed., *The City in Russian History* (Lexington: University Press of Kentucky, 1976).

Hard, Michael, and Misa, Thomas J., eds., *Urban Machinery: Inside Modern European Cities* (Cambridge, Mass.: MIT Press, 2008).

Hohenberg, Paul M., and, Hollen Lees, Lynn, *The Making of Urban Europe, 1000-1994* (Cambridge, Mass.: Harvard University Press, 1995).

Jerram, Leif, *Street Life: The Untold History of Europe's Twentieth Century* (Oxford: Oxford University Press, 2011).

Lees, Andrew, *Cities Perceived: Urban Society in European and American Thought, 1820-1940* (New York: Columbia University, 1985).

Lees, Andrew, and, Hollen Lees, Lynn, *Cities and the Making of Modern Europe, 1750-1914* (Cambridge: Cambridge University Press, 2007).

Olsen, Donald, *The City as a Work of Art: London, Paris, Vienna* (New Haven: Yale University Press, 1986).

Sutcliffe, Anthony, *Towards the Planned City: Germany, Britain, the United States, and France, 1780-1914* (Oxford: Blackwell, 1981).

Weber, Adna Ferrin, *The Growth of Cities in the Nineteenth Century: A Study in Statistics* (Ithaca: Cornell University Press, 1899).

Winter, Jay, and Robert, Jean-Louis, eds., *Capital Cities at War: Paris, London, Berlin, 1914-1919*, 2 vols. (New York: Cambridge University Press, 1997-2007).

제26장

라틴아메리카
Latin America

앨런 길버트
Alan Gilbert

라틴아메리카는, 20장에서도 알 수 있듯, 오랜 도시 전통을 가지고 있다.[1] 아스테카, 잉카, 마야 문명은 제국의 중심지로 쿠스코Cuzco, 찬찬 Chan Chan, 촐룰라Cholula, 테오티우아칸Teotihuacán, 테노치티틀란Tenochtitlán 등의 주요 도시를 건설했다. 스페인[에스파냐]인들은 콜럼버스 도착 이전pre-Columbian의 상징들을 파괴했고, 폐허 위에 자신들만의 제국의 성소를 건설했다. 이 지역의 대부분이 독립을 맞이한 19세기 초반에 독립 자체는 실제 대다수 사람의 삶에 거의 영향을 주지 않았다.[2] 대다수는 계속 시골에서 살았고, 이 지역 도시들 대부분이 일시적으로 쇠퇴했다.[3] 라틴아메리카에서 근대 도시화의 진정한 시작은 1880년 이후 남부의 몇몇 지역이 성공적 수출 체제를 개발하고 산업화를 시작하고 나서야 이루어졌다.

이 장에서는 먼저 2010년까지 도시화의 경향을 살펴보고, 두 번째로 라틴아메리카 도시체계의 변화 형태, 세 번째로 라틴아메리카 도시 생활의 질을 검토하며 세계화가 도시에 끼친 영향을 논의하면서 결론을 내리려 한다.

독립 이후

독립부터 제1차 세계대전까지 라틴아메리카 경제성장의 속도는 수출용 생산에 크게 의존했다. 사실상 영국과 직접 무역하고 싶은 열망이 라틴아메리카 독립 투쟁의 주된 배후 동기의 하나였다. 그러나 19세기 내내 대부분의 라틴아메리카 국가는 수출시장을 발전시키려 애썼다.[4] 앙고스투라angostura 나무 진액이 한때 베네수엘라의 주요 외화벌이 수단이었다는 사실은 1920년대까지 이 나라가 얼마나 낙후되어 있었는지를 잘 예시해준다. 심지어 수익성 좋은 제품이 발견되었을 때조차도 성공은 곧 실패로 바뀔 수 있었다. 브라질 고무 붐의 역사, 콜롬비아와 페루의 인디고indigo와 구아노guano 산업의 흥망성쇠가 이를 분명하게 보여주었다.

성공적 수출상품이 없는 경우, 경제발전은 제한적이었고 도시들은 느리게 성장했다. 그 결과 "전형적인 라틴아메리카 도시는 식민시기가 끝나던 때에도 규모가 작았고 19세기 말에도 여전히 그러했다. 1880년에 가장 큰 규모의 40개 도시의 평균 인구는 약 3만 5000명이었고,

라틴아메리카의 8개 도시만이 10만 명을 넘어섰다."[5] 베네수엘라의 카라카스Caracas는 독립 당시인 1810년부터 1880년까지 거의 성장하지 못했다.

　라틴아메리카 대부분의 타운town들과 도시city들에서의 도시 생활은 19세기 내내 비교적 거의 변하지 않았다. 대부분은 행정적, 상업적, 종교적 중심지로 각각의 농업 배후지agricultural hinterland와 통합되어 있었다. 불평등한 토지 소유 체계와 부실 경영으로 농업 활동이 위축되면서 빠르게 성장할 수 있는 도시는 거의 없었다. 대부분의 도시 역시 물리적으로 거의 변하지 않았고, 중앙광장과 격자형 도로 배치를 유지했다. 엘리트들은 정부와 교회 권력의 결합 지점과 가까운 중앙광장 근처에서 살았다. 이들보다 덜 혜택 받은 사람들은 더 멀리 떨어져 살았고, 빈곤층은 주로 과밀한 임대주택에 집중되었다. 저렴한 교통수단 없이는 노동자들이 일터 가까이에 살 수밖에 없었기 때문에 〔변두리〕 판자촌shanty town은 거의 없었다. 장인의 생산 수준을 넘어서는 제조업은 거의 없었다. 지역 엘리트 대부분은 그들이 가진 농촌의 토지에서 나오는 수입으로 생활했지만, 일부는 점차 대지와 상업에 투자했다. 많은 엘리트가, 가톨릭교회와 마찬가지로, 인구의 압도적 다수가 주거지로 찾은 임대지賃貸地를 소유하고 있었다. 도시 서비스는 초보적 수준이었고 외국계 기업들이 제한적으로나마 전기·수도·운송 체계를 도입하기 시작했을 때에야 개선되었다. 라틴아메리카 최초의 실질적 도시 형태 변화는 1870년 무렵 전차electric tram의 도입과 함께 이루어졌으나, 이때도 새롭게 형성된 교외로 이사할 수 있었던 것은 엘리트뿐이었다.[6]

남아메리카 원뿔꼴 지역의 도시화(1880~1914)

남아메리카 원뿔꼴 지역Southern Cone 대부분에서 수출 생산이 천천히 증가했지만, 아르헨티나, 우루과이, 브라질 남부의 상황은 매우 달랐다.* 아르헨티나에서 1870년부터 1900년 사이에 수출에 따른 소득이 5배 증가했는데, 곡물 수출이 전체의 5퍼센트에서 50퍼센트로 증가했고, 양모와 육류 수출이 나머지 대부분을 차지했다.[7] 팜파스Pampas의 농경지는 1872년과 1895년 사이에 15배 성장했고, 철로는 비슷한 기간에 460마일〔740킬로미터〕에서 1만 마일〔1만 6000킬로미터〕로 연장되었다. 브라질에서는 커피 생산이 폭발적으로 증가해 연간 커피 수출량이 1850년대에 10만 톤에서 1900년에 84만 톤으로 늘어났다.

1800년대 후반에 수출업자들은 새로운 기술의 출현으로 큰 도움을 받았다. 증기선과 전신은 유럽과의 통신을 개선했고, 철도는 생산지와 항구를 연결했다. 양모·고기·곡물의 수출로 아르헨티나는 폭발적으로 성장하는 대서양 무역의 최대 수혜자가 되었고, 비공식informal 영국제국의 비공인unofficial 수도라고 여겨질 정도였다. 1914년 무렵 아르헨티나의 1인당 국민소득은 독일 및 네덜란드의 그것과 맞먹었다. 1895년에서 1914년 사이 아르헨티나의 인구는 2배가 되었고, 제1차 세계대전이 발발했을 때 아르헨티나인 4명 중 3명이 이민 1세대 또는 2세대였다. 우루과이, 브라질 남부, 칠레에도 이민자들이 넘쳐났는데,

---

* '원뿔꼴 지역' 곧 '서던콘'은 원뿔cone 모양을 한 남아메리카의 남쪽Southern 제일 아래 지역을 뜻하는 말로, 보통 파라과이, 칠레, 아르헨티나, 우루과이, 브라질 서남부 지역을 지칭한다. 스페인어로는 '코노수르Cono Sur', 포르투갈어로는 '코니술Cone Sul'이라고 한다.

그 나라들에 사는 수많은 성씨가 여전히 이를 증언하고 있다.

이들 지역의 주요 항구, 교통 중심지, 광산타운mining town은 빠르게 확장했다. 1880년 부에노스아이레스Buenos Aires는 여전히 소규모의 콜로니얼 양식colonial-style[식민지에서 식민 모국의 건축 양식을 모방하는 경향]의 도시였다. 그러나 1880년 29만 명에서 1905년 120만 명으로 인구가 늘었고, 이는 주로 이탈리아와 스페인에서 온 이민자들이 1895년에 인구의 절반을 차지한 데 힘입은 것이었다.[8] 부에노스아이레스는 날로 번창해가면서 라틴아메리카 최초의 유럽형 도시로 변모하기 시작했다. 전기와 수도 체계가 개선되었고 주요 항만 공사가 시작되었다. 도시 미화에는 넓은 대로의 건설이 포함되었으며, 특히 샹젤리제Champs Elysées에 필적할 5월대로Avenida de Mayo가 대표적이었다. 1897년에 전차가, 1913년에 이 지역 최초의 지하철 '수브테Subte'가 개통되었다. 이 도시의 엘리트들은 부에노스아이레스를 세계 주요 문화 중심지의 하나로 만들고자 열망했고, 1908년 문을 연 콜론Colón극장은 정상급 오페라 가수들의 단골 무대가 되었다.[9] "이곳은 1910년 무렵 파리 사람들까지도 남아메리카의 파리, […] 라플라타강Rio de la Plata의 아름답고 부유한 여왕이라 부르는 도시였다."[10]

더욱 북쪽으로 가보면, 수출의 급격한 증가가 도시개발urban development의 몇 가지 극적 사례를 추동했다. 1879~1912년 사이 아마조니아Amazonia[남아메리카 대륙에서 열대우림에 뒤덮인 아마존강 유역으로 브라질, 페루, 콜롬비아, 베네수엘라, 에콰도르, 볼리비아 등지에 걸쳐 있는 지역]의 고무 붐rubber boom은 강도남작rubber baron[강도귀족. 자신들의 부를 축적하려 착취적 관행을 사용하는 사업가들을 경멸적으로 이르는 말]들이 자신들의 부를 과시하려 열심히 경쟁하던 마나우스Manaus의 급속한 성장을 이끌었다. 강도남작들은 도시를 장식했고 700석 규모의 오페라하우스 건설을 의뢰했다. 이 오페라하우스는 오랜 지연 끝에 1896년에 마침내 개장했다. 이보다는 덜 화려하지만, 볼리비아로 가는 철도의 완공과 칠레 북부의 질산염에 대한 수요 증가는 안토파가스타Antofagasta가 칠레 4위의 도시로 빠르게 발전하도록 이끌었다.

도시성장urban growth의 다른 요인은 남아메리카 원뿔꼴 지역 국가들의 수도의 위상이 높아진 것과 관련이 있다. 1880년과 1905년 사이에 보고타Bogotá, 몬테비데오Montevideo, 산티아고Santiago, 리우데자네이루Rio de Janeiro의 인구는 최소한 두 배 이상 증가했다. 국가적 결속력의 성장과 주로 외국무역〔대외무역〕에 대한 세금에서 비롯한 도시의 소득 증가가 그 확장을 촉진했다.

이와 같은 눈부신 도시성장 사례들에도, 라틴아메리카 도시 대부분은 여전히 그 규모가 매우 작았다. 1905년에는, 2개 도시(부에노스아이레스, 리우데자네이루)만이 인구가 50만 명 이상이었고, 4개 도시(아바나, 산티아고, 몬테비데오, 상파울루São Paulo)만이 인구가 25만 명을 넘어섰다. 급격한 확장이 일어난 곳에서도 도시 생활의 본질은 거의 변하지 않았다. 호황기의 팜파스 지역을 사례로 들면 "1880년과 1910년 사이에 로사리오Rosario의 급속한 성장은 역동적이고 점점 더 복잡해지는 경제를 함축하지 않았다. 그 도시는 단지 비옥한 배후지에서 나오는 지대地代를 소비했고, 배후지에서 창출되는 가치를 수출했을 뿐이었다."[11]

1930년대 이후의 급속한 도시화

라틴아메리카의 도시들은 1930년 이후 크게 변모했다. 국가별로 인구 성장률의 급격한 상승이 이러한 변화에 크게 작용했다. 1930년 이후 주요 전염병들이 사라지기 시작하자 평균 기대수명은 1930년 34세에서 1980년대 초에 65세까지 늘어났다. 그러나 출산율은 전반적으로 높은 수준을 유지했고, 그 결과 라틴아메리카의 인구는 1930년 1억 명에서 1980년 4억 2500만 명으로 증가했다. 인구 대부분은 식민시대와 거의 변한 게 없는 시골countryside에서 계속 살았다. 인구성장에 따라 이미 매우 가난한 사람들에 대한 경제적 압력은 가중되었다.

다행히, 세계적 불황에도 라틴아메리카의 경제성장은 가속하기 시작했다. 부에노스아이레스, 메데인Medellín, 멕시코시티Mexico City, 몬테레이Monterrey, 상파울루 등지에서 제조업 성장의 초기 징후가 나타났다. 세계적 경기후퇴recession가 1930년대의 라틴아메리카 수출업자들에게 큰 문제를 일으켰으나, 이는 또한 국내 제조업자들에게는 점점 더 부족해지는 수입품을 대체할 기회가 되었다.[12] 제조업과 느릴지라도 대체로 꾸준했던 경제성장의 과정은 농민들에게 도시에서의 기회를 제공했다. 정식 일자리 수보다 더 많은 사람이 도시로 이주했지만, 이주민 대부분이 다른 사람들이 자신들을 따라오게끔 고무하기에 충분할 만큼 잘 생활한 때문이었다. 도시환경은 삶을 힘들게 하기도 했으나 이주민들에게 시골의 삶과 비교해 대부분 진정한 개선을 제공했다. 도시에서 교육·전기·식수 같은 공공서비스에 접근하는 것에는 문제가 있었을지라도 시골에서보다는 훨씬 더 쉬웠다. 도시 엘리트들의 두려움에도 불구하고, 도시화urbanization는 진정한 성공 이야기를 증명하는 것이었다. 최소한 도시화는 매우 불평등하고 불공정한 사회의 농촌 빈곤층에게 효과적인 안전판을 제공했다.

이주가 라틴아메리카에 끼친 영향은 지대했다. 1940년에는 인구의 3분의 1이 도시에 살았고, 20년 뒤에는 2분의 1이, 1980년 무렵에는 3분의 2가 도시에 살았다. 절대적 수치로 표시하면 훨씬 더 놀랍다. 1950년에서 1990년 사이에 라틴아메리카의 타운 및 도시의 인구는 약 6900만 명에서 약 3억 13만 명으로 증가했다. 1940년 이후 더 큰 규모의 도시 대부분은 빠르게 성장했고, 몇몇 도시는 20년 만에 인구가 두 배, 이에 더해 세 배까지도 증가했다. 1940년대에 칼리Cali(콜롬비아), 카라카스(베네수엘라), 상파울루 모두 인구가 매년 7퍼센트 이상씩 성장했다. [표 26.1]은 1930년 이후 라틴아메리카 대부분이 얼마나 빠르게 도시화했는지와, 1980년경 이 지역에서 얼마나 많은 인구가 도시에 거주하게 되었는지를 보여준다. 국가 간 도시화 수준의 차이는 경제발전 속도의 차이를 통해 폭넓게 설명할 수 있다. 가장 부유한 나라들은 가장 도시화되었고, 가장 가난한 나라들은 농촌 인구 비율이 가장 높았다.

급속한 성장 속도는 변화하는 기술과 결합해 도시 대부분의 특성과 형태를 근본적으로 변화시켰다. 특히 전차와 버스 같은 개선된 형태의 교통수단을 이용해, 엘리트 집단들은 시 중심지city centre를 떠나 환경적으로 가장 바람직한 지역에 위치하는 새 교외suburb로 이주하기 시작했다. 그들은 리우데자네이루의 코파카바나Copacabana나 리마Lima의 미라플로레스Miraflores 같은 해변 지역, 보고타와 키토Quito 북부의 녹지 언덕을 따라, 고도가 가장 높은 수도인 라파스La Paz에서 더 낮고 살기 좋은 경사면들에 엘리트 동네를 조성했다. 버스는 가난한 사람들의 삶의 특성을 점차 바꾸어놓았다. 이제 더 먼 거리를 통근할 수 있게 되면서 점점 더 많은 사람이 내부도시inner city의 공동주택을 떠나 [변두리의] 새로운 판자촌으로 이주했다. 1930년에서 1980년 사이에 무허가 자조自助 건축self-help construction 주택들이 새 주택의 주요 공급원이 되었고, 비공식 주택 소유는 숙소의 주요 형태였던 임대 방을 점차 대체해 나갔다.

[표 26.1] 라틴아메리카 국가 인구의 도시 거주 비율, 1930~2010년

국가	1930	1950	1970	1990	2010
아르헨티나	(38)	(52) 65	79	87	90
볼리비아	(14)	(20) 34	40	56	62
브라질	(14)	(21) 36	56	75	87
칠레	(32)	(45) 58	75	83	89
콜롬비아	(10)	(22) 33	55	68	75
에콰도르	(14)	(18) 28	39	55	67
과테말라	(11)	(13) 25	36	41	50
멕시코	(14)	(26) 43	59	71	78
페루	(11)	(20) 41	57	69	72
베네수엘라	(14)	(35) 47	72	84	94
라틴아메리카*	(14)	(26) 41	57	71	79

출처: 1950년에서 2010년까지 수치는 UNDESA (United Nations Department of Economic and Social Affairs) (2007), *World Urbanization Prospects: The 2007 Revision Population Database*, http://esa.un.org/unup/index.asp; 1930년과 1950년 괄호 수치는 T. W. Merrick, *Population Pressures in Latin America, Population Bulletin*, 41:3 (1986), 23. 더 보수적인 개념 정의를 활용하며 여기에서 의미하는 도시민은 인구 2만 명 이상의 정주지에 거주하는 사람들을 의미한다.

*1950~2010년 수치에는 카리브해와 인근 영국령, 프랑스령, 네덜란드령을 포함

1980년 이후 느려지는 도시화

[표 26.2]는 1980년 이후 라틴아메리카 도시의 성장 속도가 점점 느려지는 현상의 주요 요인이 출산율 하락임을 말해준다. 1970년에 니카라과 여성은 생애 평균 7.2명을 출산한 반면, 오늘날에는 2.8명을 출산하고 있다. 출산율 감소는 연간 인구성장률을 1950년대 2.8퍼센트에서 오늘날 약 1.2퍼센트로 둔화시키는 요인이 되었다. 국가적으로 인구성장이 느려지면 도시로의 이주와 도시 인구의 자연 증가 모두가 줄어들었다. 오늘날 도시 대부분은 인구가 훨씬 더 느리게 성장하고 있다.

　국외이민emigration은 때때로 라틴아메리카 도시의 성장을 둔화시켰다. 2000년 무렵 미국에는 약 3530만 명의 히스패닉이 살았는데, 이것이 몇몇 라틴아메리카 국가들에 끼치는 영향은 지대했다.[13] 2000년에 전체 멕시코인의 약 19퍼센트, 전체 엘살바도르인의 약 16퍼센트,

[표 26.2] 라틴아메리카 도시 인구 및 총인구 성장률, 1950~2010년

기간	연간 도시 인구 성장률(%)	연간 총인구 성장률(%)
1950~1955	4.4	2.7
1960~1965	4.4	2.8
1970~1975	3.8	2.4
1980~1985	3.0	2.1
1990~1995	2.4	1.7
2000~2005	1.9	1.3
2005~2010	1.7	1.2

출처: UNDESA (United Nations Department of Economic and Social Affairs) (2007), *World Urbanization Prospects: The 2007 Revision Population Database*, http://esa.un.org/unup/index. asp

전체 쿠바인 및 전체 도미니카인의 약 11퍼센트가 미국에 거주했다. 이들이 해외로 이주하지 않았다면 그들 나라의 많은 도시 인구가 훨씬 더 빨리 성장했을 것이다.

1980년대 외채 위기 또한 라틴아메리카 도시의 성장을 둔화시켰다. 도시권urban area의 여건이 악화하면서, 이주를 희망했던 사람들은 도시에 거주하는 그들의 친구들이나 친척들로부터 그냥 그곳에 있으라는 조언을 받았다. 적어도 시골에서는 일반적으로 식량을 구할 수는 있었기 때문이다. 많은 도시민에게 그 영향은 심각했다. 민간 기업들이 폐업하고 정부 일자리가 감축되면서 실업률은 상승했다. 긴축 정책들은 정부 예산의 삭감을 요구했고 많은 항목에 대한 보조금이 삭감되거나 아예 끊겼다. [통화의] 평가절하devaluation는, 구조조정 계획의 또 다른 요소로, 수입품 가격을 인상시켰다. 해외의 은행 계좌에 돈을 안전하게 예치할 만큼 부유한 사람들을 제외한 모두가 고통을 겪었다. 중산층은 자신들의 저축을 소진하면서 살아남았고, 빈곤층은 더 많은 가족 구성원을 노동에 투입하는 방식을 통해 살아남았다([표 26.5] 참조). 도시 빈곤율은 급증했고, 도시 빈민 수는 두 배로 증가했다([표 26.7] 참조).

도시체계 형태

1930년대까지 라틴아메리카의 경제는 수출시장 지향성이 강했다. 외국무역[대외무역]이 확장되면서 주요 항구와 운송 중심지가 분명하게 성장했다. 일부 국가의 수도들, 예컨대 부에노스아이레스·몬테비데오·리마는 주요 교역 통로여서 혜택을 입었다. 그러나 수출항이나 수출 화물집산지entrepôt가 아니어도 수도capital city들은 항상 혜택을 받았는바, 중앙정부가 외국무역[대외무역]에 세금을 부과했고, 그 세입의 상당 부분을 수도에서 소비했기 때문이다. 그 결과, 도시 종주성이 증가하는 경향이 있었다. 메데인과 상파울루가 제조업 부문의 괄목할 성장을 이끌었던 콜롬비아와 브라질 같은 예외도 있었지만, 대개의 국가에서 국가경제를 점점 더 지배하는 것은 수도였다.[14]

라틴아메리카의 대외적 초점은 완전히 바뀐 것은 아니었으나 1930년 이후 그 정도가 약해졌고, 새 개발 전략에 따라서 1950년대와 1960년대 내내 둔화했다. 라틴아메리카 국가들은 외부 경쟁으로부터 자국 시장을 부분적으로 보호하며 산업화를 추진했다. 수입대체산업화Import-substituting industrialization, ISI는 외부 세계에 덜 의존하게 함으로써 해당 지역을 변화시켰다. 그것은 더 큰 규모의 국가들에서 대부분 성공적이었지만, 수입대체산업화 자체를 통해 실업을 해소하거나 국제수지를 개선하는 데에는 실패했다. 게다가 이는 제조업 회사들이 주요 도시에 자리 잡도록 장려해 이후의 도시체계urban system를 더욱 왜곡시켰다.

수입대체산업화의 소멸은 1973년 국제유가가 상승하면서 시작되었다. 대개의 국가가 석유를 외국 공급자에게 의존하고 있었던 만큼, 네 배나 뛴 가격이 라틴아메리카 전역에서 국제수지에 심각한 문제들을 초래했다. 문제는 1982년 8월 멕시코 정부가 부채를 상환하기에는 정부가 보유한 외환자금이 너무 적다는 사실을 인정하면서 정점에 이르렀다. 멕시코의 뒤를 이어 라틴아메리카의 여러 국가가 자국도 비숫한 상황에 놓여 있음을 알아차렸다. 수입 대체, 적자 재정, 보조금의 세 가지 결합은 유지될 수가 없었다. 잃어버린 10년이 시작되었다.

라틴아메리카에서 구조조정은 정부 예산 및 소비자 수요의 감소를 요구했고, 경제를 외부 경쟁에 개방하고 수출업체에 많은 지원을 제공했다. 그러나 그 처방이 전적으로 성공적이었던 경우는 거의 없었고, 더 큰 도시권에 특히나 큰 타격을 주었다. 정부가 자국 통화를 평가절하하고 수입 보호 장벽을 제거하고 보조금을 삭감하면서 많은 기업이 도산했다. 1980년에서 1988년 사이에 멕시코시티에서는 12만 개 이상의 제조업 일자리가 사라졌는바, 이는 14퍼센트가 감소한 것이었다.

그러나 새 경제 모델은 전통적 제조업 중심지에서 고용을 줄였을지라도, 다른 한편으로 이전에 산업적으로 낙후했던 라틴아메리카 도시들에 기회를 만들어주었다. 멕시코의 북쪽 국경을 따라 이어지는 지역보다 이러한 점이 더 잘 입증된 곳은 없을 것이다. 페소peso화 가치의 급락으로 멕시코에서 생산비용이 낮아지면서 북아메리카 및 일본의 기업들은 새로운 마킬라도라maquiladora에 집중적으로 투자했다〔'마킬라도라'는 1965년부터 미국과 멕시코 접경 지역의 국경 인근에서 내·외국인 기업에 보세 가공 형태의 무역을 허용하는 형태로 출발한 산업단지를 일컫는다〕. 1980년부터 2006년 사이 시우다드후아레스Ciudad Juárez, 멕시칼리Mexicali, 티후아나Tijuana 등의 국경도시frontier city에 대한 외국인 투자가 증가했고, 이 국경 지역에서 산업 고용은 11만 7000명에서 90만 5000명으로 늘어났다. 오늘날 일부가 국경을 넘어서기도 한 이들 공단은 100만 명이 훨씬 넘는 사람들을 고용하고 있다. 멕시코의 제조업 구조는 경제적 흡인력의 중심지가 북쪽으로 이동하면서 변형되었다.

[표 26.3] 인구 400만 명 이상 라틴아메리카 도시, 1950~2010년 (단위: 천 명)

도시명	1950	1980	2010
상파울루	2,334	12,089	19,582
멕시코시티	2,883	13,010	19,485
부에노스아이레스	5,098	9,422	13,089
리우데자네이루	2,950	8,583	12,171
리마	1,066	4,438	8,375
보고타	630	3,525	8,320
벨루오리존치	412	2,441	5,941
산티아고	1,322	3,721	5,879
과달라하라Guadalajara	403	2,269	4,408
포르투알레그리	488	2,133	4,096

출처: UNDESA (United Nations Department of Economic and Social Affairs (2007), *World Urbanization Prospects: The 2007 Revision Population Database*, http://esa.un.org/unup/index.asp

[표 26.4] 라틴아메리카 국가 총인구의 대규모 도시 집중도, 1950~2010년 (단위: %)

도시명	1950	1980	2010
몬테비데오	54.1	49.9	44.6
파나마시티	19.9	31.5	39.3
산티아고	21.7	33.3	34.3
부에노스아이레스	29.7	33.5	32.1
아순시온	17.5	24.1	31.4
산호세	15.3	22.4	29.5
리마	14.0	25.6	29.0
산티아고도밍고Santiago Domingo	9.0	20.9	22.5

출처: UNDESA (United Nations Department of Economic and Social Affairs) (2007), *World Urbanization Prospects: The 2007 Revision Population Database*, http://esa.un.org/unup/index.asp

도시 종주성, 초거대도시, '왜곡된' 도시체계

라틴아메리카에는 세계에서 가장 큰 규모의 몇몇 도시가 있다. [표 26.3]은 주요 도시 중심지urban centre들과 1950년 이후 도시들이 얼마나 빠르게 성장했는지를 보여준다.[15] 그러나 라틴아메리카의 도시들을 다른 대륙의 도시들과 가장 잘 구별 짓는 것은 단순한 규모가 아니라 해당 지역 국가들의 도시체계 구조다. 수많은 국가에서 주요 도시는 전체 인구의 4분의 1 이상을 포함한다([표 26.4]). 우루과이는 인구의 거의 절반이 〔수도〕 몬테비데오에 거주하고 있을 정도로 이런 측면에서 독보적이지만 아르헨티나·칠레·페루 인구의 약 3분의 1이 각각의 수도에 살고 있다는 것은 이 국가들의 훨씬 더 큰 인구 규모를 고려하면 놀라운 일이다.

　이렇게 높은 집중도는 수도가 해당 국가에서 그 다음으로 큰 도시보다 훨씬 규모가 크다는 것을 의미한다. '도시 종주성宗主性, urban primacy'은 다른 대륙에서도, 예컨대 유럽의 런던·파리·빈에서도 꽤 흔하지만, 라틴아메리카는 흔히 매우 높은 도시 종주성을 보인다. 일례로 리마에는 페루 제2의 도시인 아레키파Arequipa보다 10배, 부에노스아이레스에는 코르도바Córdoba보다 9배 더 많은 인구가 산다. 물론 예외도 있다. 브라질에는 두 거대한 도시가 있는데 모두 수도가 아니며, 에콰도르에는 수도인 키토를 능가하는 항구도시port city 과야킬Guayaquil 등 두 주요 도시가 있다.[16]

　비록 비평가들이 '왜곡된distorted' 도시 분포에서 기인하는 것으로 추정하는 문제들과 '과도한excessive' 도시 규모에서 기인하는 것으로 추정하는 문제를 종종 혼동할지라도, 도시 종주성과 인구 규모는 같은 뜻이 아니다. 엄청난 종주성 도시인 아순시온Asunción, 몬테비데오, 파나마시티Panama City는 모두 인구가 200만 명 미만이며, 멕시코시티와 같은 일부 '종주'도시'primate' city는 거대하며, 종주도시가 아닌 상파울루도 마찬가지다!

수년간 라틴아메리카의 많은 정부는 도시성장의 속도와 양상에 대해 우려해왔다. 여러 해 동안 많은 정부는 가장 큰 규모의 도시로의 이주를 늦추고 더 가난한 지역들의 개발을 장려하는 계획을 고안했다. 하천 유역 및 지역의 개발 프로그램들은 특히 브라질, 콜롬비아, 멕시코, 베네수엘라 등 많은 국가에서 시작되었다. 몇몇 정부는 수도를 새로 건설하기도 했는데, 브라질리아Brasília, 벨리즈의 벨모판Belmopán, 구상에서 머문 아르헨티나의 비에드마Viedma 등이 그러하다. 이들 프로젝트 가운데 매우 효과적이었던 것은 거의 없었고, 거의 틀림없이, 브라질리아와 시우다드과야나Ciudad Guayana의 건설, 멕시코의 하천 유역 프로젝트 가운데 일부만이 성공적이었음을 입증했다. 확실히 극소수의 프로그램만이 표면적으로 주요 목표의 하나였던 가난한 사람들에게 도움을 주었을 뿐이다.

어쩌면 역설적인 것은 대개의 라틴아메리카 국가 정부가 국토 균형 계획에 흥미를 잃었을 때, 가장 큰 규모의 도시들의 성장 속도가 느려졌다는 사실이다. '1980년대의 잃어버린 10년' 동안 멕시코시티, 산티아고, 상파울루의 인구는 거의 증가하지 않았다.

그 이후로 몇몇 다른 과정이 초거대도시mega-city들의 성장을 늦추는 요소가 되었다. 대기오염, 교통 혼잡, 비싼 땅값, 높은 사무실 비용은 일부 회사가 근처의 더 작은 규모의 도시로 이전하거나 자회사 공장을 설립하도록 장려했다. 다른 회사들은 정부의 보호 없이 수입품, 특히 중국산 수입품들과 경쟁할 수 없어서 그저 폐업할 뿐이었다.

물론 세계화globalization와 신자유주의적 구조조정이 라틴아메리카 도시성장에 영향을 끼친 방식에는 큰 차이가 있다. 멕시코의 많은 중간 규모 도시들이 좋은 성과를 거두었으나 다른 곳에서는 몇몇 가장 큰 규모의 도시들이 번창했다. 일례로, 산티아고·보고타·부에노스아이레스는 모두 자신의 국가에서 우위를 높였다.

돌이켜보면, 라틴아메리카에서 정부는 도시 종주성에 대해 그렇게 걱정하지 않아도 되었을 것이다. 그 도시들에서 인구의 성장 속도는 급격히 떨어졌고, 더욱 효율적인 정부는 최악의 도시 비경제성의 일부를 제거했다. 그러나 노골적인 지방분권화[분권화]decentralization 전략에 반대하는 주요 주장은 아마도 그 전략들이 매우 자주 비효율적이라는 점 때문에 비롯했을 것이다. 거대도시metropolitan의 성장이 둔화하자 그 설명은 지역개발 정책과는 거의 관계가 없는 것이 되었다.

도시 생활의 질: 이주

1940년 이후 라틴아메리카 도시의 성장 속도를 고려하면 이주migration 과정은 놀라울 정도로 조화로운 것으로 밝혀졌다. 사람들이 도시로 이주한 것은, 모든 두려움에도 불구하고, 도시환경이 농촌권rural area의 그것보다 더 좋아서였다. 이주해온 사람들은 도시에서 자신들의 진로를 만들기에 적합한 기회가 있다고 느꼈다. 15~35세 사이 사람들, 읽고 쓸 수 있는 사람들, 운전사나 벽돌공처럼 시장성이 있는 기술을 가진 사람들이 거기에 속했다. 젊은 여성들은 남성들보다 더 이주 가능성이 컸는데, 여성들의 손을 덜 필요로 했던 농지에서와 달리, 여성들이 도시에서 가정부, 청소부, 점원, 심지어 성﹡노동자 등으로 고용될 수 있는 여지가 더 많았다는 점에서다. 이주의 흐름은 여성이 수적 우위에 있는 도시들을 만들어냈다. 일례로, 1951년 보고타는 20~24세 사이 여성 100명당 남성 77명이 존재했다.

도시로 이주하는 것은 진정한 도전이었으나 라틴아메리카에서 대부분의 가난한 새로운 이주민들은 매우 잘 대처했다. '주변성marginality' '비합리성irrationality' '절망despair' '빈곤의 문화culture of poverty'의 흔적들은 거의 없었다. 매우 이질적인 사회에서 이주해온 사람들조차 도시에서의 새로운 삶에 적응하고자 자신들의 생활방식, 복장, 자신들의 언어까지도 고쳤다. 라틴아메리카에서 이주민들의 대부분은 자신들의 고향으로 돌아가지 않았는바, 이는 아프리카 많은 지역에서의 경험과는 중요한 차이가 있다.

라틴아메리카의 도시들은 한때 이주민들의 도시였고, 가끔은 농민들의 도시들로 규정되기도 했다.[17] 그러나 점차 인구의 자연적 증가가 나타났다. 이주민들이 대체로 젊었던 터라 그들은 도시에서 아이들을 낳고 키웠다. 출산율이 시골보다 도시권에서 더 빠르게 떨어졌음에도 도시에서 태어난 인구의 비율은 증가했다. 1980년대에 라틴아메리카에서 가장 도시화한 국가들의 도시 인구성장분 가운데 3분의 1이 이주민이었지만, 도시화가 늦게 시작된 국가에서는 도시 인구성장분에서 이주민이 차지하는 비율이 훨씬 더 높았다—일례로, 볼리비아 64퍼센트, 엘살바도르 55퍼센트, 파라과이 56퍼센트였다.

비공식 부문: 가정과 노동

대부분의 라틴아메리카 도시에서 변함없는 문제는 충분한 보수의 안정적인 일자리가 부족하다는 것이다. 노동력 공급은 급증했는데, 일자리를 찾는 젊은 사람들의 수가 증가한 때문이기도 했고 여성들이 점점 유급의 일자리를 찾는 경우가 많아진 때문이기도 했다.[18] 놀랍게도 실업unemployment은, 경제위기 시에 때때로 매우 높은 수준까지 올라갔음에도, 라틴아메리카 지역의 주요 문제가 아니었다. 사람들이 '비공식 부문'에서 소득을 창출하는 방법을 발견해서 실업률은 일반적으로 낮은 수준을 유지해왔다. [표 26.5]는 어떻게 도시노동의 4분의 1에서 2분의 1 정도가 무급의 형태였는지, 시간이 지남에 따라 비공식 부문의 노동자 비율이 어떻게 증가했는지를 보여준다.

라틴아메리카에서 비공식 부문의 노동은 택시 운전, 가사 고용, 구두닦이, 노점상, 매춘, 범죄 등 그 유형이 매우 다양하다. 비공식 노동은 남성과 여성 모두를 고용하지만, 여성이 특히 가사 서비스와 점원 일에서 높은 수치를 점하는 경향이 있다. 이 부문에서 대다수 노동자가 적게 버는 반면, 몇몇은 잘 벌었다. 그러나 수익성이 더 높은 활동을 위해서는 경험과 접촉이 필요하다.[19] 비공식 부문의 규모 또한 경제 상태에 따라 성장하기도 했고 쇠퇴하기도 했다. 급속한 인플레이션 또는 경기침체 동안, 공식 부문 노동자들은 종종 비공식 부문 활동을 통해 수입을 보충했고, 극빈층 가정들은 나이 든 아이들을 일터로 내보낼 수밖에 없었다.[20]

적절한 급여를 받는 일자리의 부족은 라틴아메리카에서 많은 사회적 문제를 만들었는데, 가난한 사람들은 그것에 혁신적이고 의연하

[표 26.5] 라틴아메리카 도시권 '공식' 및 '비공식' 부문 고용률, 1990~2008년 (단위: %)

국가명	연도	고용주	임금 노동자		무임금 노동자
			공공영역	사기업과 전문직종	가사와 자체 노동
볼리비아	1989	2	18	30	49
	2007	7	12	37	44
브라질	1993	4	14	45	36
	2008	5	13	49	31
칠레	1990	3	정보 없음	정보 없음	30
	2006	3	11	60	26
콜롬비아	1991	4	12	49	35
	2005	5	8	42	46
멕시코	1994	4	16	54	25
	2008	4	13	61	21
페루	1997	6	13	38	44
	2008	6	12	38	44
우루과이	1990	5	22	46	28
	2008	5	15	48	32
베네수엘라	1990	8	21	42	28
	2005	4	18	39	40

출처: UNECLAC, *Social Panorama of Latin America 2010* (Santiago: UNECLAC, 2010)

게 대응해왔다. 그들이 자신의 집을 짓는 데 들인 엄청난 노력만큼 이를 잘 예시해주는 것은 없다. 집을 짓는 데 필요한 벽돌, 시멘트, 유리, 창문틀 등을 사려고 한정된 자원을 모으려는 가난한 사람들의 의지 때문에 라틴아메리카 도시들에는 노숙자homelessness가 거의 없다. 이 지역 대개의 도시에서는 주택의 절반 이상이 무허가로 건설되었다. 사람들은 무단점유를 통해서나 암시장에서의 부지 거래를 통해 토지를 얻는다. 당국은 인구를 수용하려는 대안적 정책이 없기에 일반적으로 이 과정을 용인한다.

물론 자조自助주택self-help housing은 외부 관찰자들에 의해 대단히 낮게 평가된다. "집단으로서 빈민가 인구는 문명, 영양 결핍, 질병, 고용 불안정, 무분별한 성적 결합, 알코올중독〔알코올의존〕, 범죄적 폭력, 기타 등등 모든 사회적 무질서의 표준적 지표에서 부정적 측면에 놓여 있다."[21] 실제로는 자조주택이 대부분의 라틴아메리카 도시들을 재난으로부터 구했다. 간혹 하룻밤 사이에 나타나는 허술한 오두막집들은 훨씬 더 실질적인 동네로 서서히 발전해간다. 10년 이상 된 주거지들에는 일반적으로 여러 층으로 된 벽돌 건물이 많이 들어설 것이다. 점진적으로 당국은 그 구역에 서비스를 제공하고, 한때 무허가였던 주거지에 사는 주민들은 점점 소유권을 부여받게 된다. 이전의 판자촌은 평범한 노동자계급의 교외 지역이 된다.

물론 자조 과정은 매우 결함이 많다. 점유된 땅은 매우 빈번하게 홍수나 산사태의 우려가 있다. 전기와 수도 공급이 비교적 빠르게 실행될지라도, 하수도, 학교, 보건시설이 갖추어지는 데는 몇 년이 걸릴 수 있다. 그리고 당연히 주민들은 집을 설계하고 짓는 데 엄청난 노력을 들여야 하며, 몇 년 동안 미완성의 건물에서 살아야 한다. 자조주택은 사용되는 건축물이긴 해도 더 나은 세상에서는 필요하지 않을 것이다.[22]

서비스, 교통, 사회적 기반설비 제공하기

라틴아메리카 국가들의 정부는 도시 인구에 필수적 서비스를 제공하는 일을 비교적 잘 해왔다.[23] 라틴아메리카 도시 거주민의 대다수는, 아프리카와 인도 아대륙 대부분의 도시 상황과 비교했을 때, 기본적 서비스와 사회적 기반설비에 접근할 수 있다([표 26.6] 참조). 도시 서비스는 19세기 후반에 일반적으로 외국계 민간 기업들에 의해 처음으로 제공되었다. 점차 국가가 전기, 수도, 하수도 제공을 맡게 되었다. 최근 들어서 이러한 경향이 역전되었고, 민간기업들은 비효율적 공기업들이 설치하지 못한 서비스를 제공하기로 계약을 맺었다. 그러나 논란이 많았던 수도 공급의 민영화privatization가 지연되면서 민영화 자체가 순탄치 못했고 대부분의 좌파 정부에 호응을 얻지 못했다.

광대한 띠 모양의 공식 및 비공식 교외는 확장적 교통체계가 없었다면 결코 발전하지 못했을 것이며, 수년 동안 지역의 더 큰 규모의 도시들 대부분은 자동차 도로, 버스 터미널, 철도망, 게다가 지하철까지 개발했다. 불행히도 대부분은 교통 혼잡, 긴 출근길, 교통사고, 대기오염이라는 현대성modernity의 단점 또한 있다. 이러한 문제들의 주요 원인은 물론 자가용이다. 라틴아메리카에는 현재 약 6000만 대의 자동차가 있으며 그 대부분이 도시에 집중되어 있다. 모든 도시에서 자

[표 26.6] 전기, 수도, 하수가 공급되는 라틴아메리카 도시 가구 비율, 1990~2006년 (단위: %)

국가명	연도	수도	하수	전기
아르헨티나	1990	97	58 (1995년)	100
	2006	99	62	100
볼리비아	1990	90	52	97
	2006	93	56	100
칠레	1990	97	84	99
	2006	99	93	100
콜롬비아	1990	98	95	99
	2006	98	94	100
과테말라	1990	87	70	87
	2006	94	66	96
멕시코	1990	94	79	99
	2006	97	90	100
우루과이	1990	95	57	98
	2006	98	66	99

출처: UNECLAC, *Statistical Yearbook for Latin America and the Carribbean*, (Santiago, 2007), 71

동차 수는 증가하고 있다. 예를 들어, 멕시코시티의 자동차 보유량은 1980년과 2006년 사이에 230만대에서 520만대로 증가했다.

빈곤의 도시화

지난 50년 동안 라틴아메리카 지역의 빈곤은 농촌문제에서 도시문제로 압도적으로 바뀌었다([표 26.7] 참조).

[표 26.7] 라틴아메리카 도시들의 빈곤 정도, 1970~2009년

연도	전체		도시		농촌	
	수 (백만)	비율 (%)	수 (백만)	비율 (%)	수 (백만)	비율 (%)
1970	115	40	41	25	74	62
1980	149	41	71	30	78	60
1990	213	48	129	41	84	65
1994	222	46	138	39	84	65
1999	230	44	146	37	84	64
2005	209	40	147	34	62	59
2009	196	33	132	28	64	30

출처: UNECLAC, *Social Panorama of Latin America 2010* (Santiago, 2010)

[표 26.8] 라틴아메리카 국가별 빈곤, 2007~2009년

국가	연도	빈곤선 이하 인구(%)			
		국가 전체	거대대도시권	기타 도시권	농촌권
볼리비아	2007	54.0	40.6	44.9	75.8
칠레	2009	11.5	8.3	13.8	10.4
콜롬비아	2009	45.7	22.1	44.7	64.5
코스타리카	2009	18.9	16.7	25.4	19.5
엘살바도르	2009	47.9	32.6	49.5	57.6
온두라스	2007	68.9	47.8	64.0	78.8
니카라과	2005	61.9	48.7	58.1	71.5
파라과이	2008	58.2	48.8	58.2	66.1
우루과이	2009	10.4	12.8	9.1	5.9

아르헨티나, 브라질, 에콰도르, 과테말라, 멕시코, 파나마, 페루, 도미니카공화국, 베네수엘라에 대해서는 이용 가능 데이터가 없음. 출처: UNECLAC, *Social Panorama of Latin America 2010* (Santiago, 2010)

이러한 변화를 설명하는 몇 가지 요인은 다음과 같다. 첫째, 빈곤 발생률이 시골에서 훨씬 높았고 계속 그러했기 때문에 많은 농촌 빈곤층이 도시로 이주했다는 점이다. 둘째, 1980년대의 외채 위기가 도시들을 강타해 도시 빈곤층 비율이 1980년 30퍼센트에서 1990년 41퍼센트로 증가했다는 점이다. 셋째, 1990년 이후 경제 상황이 전반적으로 개선되어 도시 빈곤 발생률을 줄였으나, 도시 인구가 증가해 도시 빈곤층의 절대적 수가 증가했다는 점이다.

빈곤의 도시화urbanization of poverty에도, 절망적 수준의 빈곤층 대부분은 여전히 시골에서 살고 있다([표 26.8] 참조). 콜롬비아의 통계는 2000년대 초반 수도의 여성들이 이 나라에서 가장 가난하고 가장 낙후된 주 가운데 하나인 초코Chocó의 여성보다 12년 더 오래 살 것으로 전망되었음을 보여준다. [표 26.8]의 지표는 도시화가 빈곤을 줄이는 데 도움이 된다는 점을 시사한다. 그것은 또한 거대도시권metropolitan area의 생활 여건이 더 작은 규모의 도시보다 전반적으로 더 낫다는 것을 말해준다.

불평등과 도시의 분리

라틴아메리카에서 도시의 성장이 그 지역의 많은 사람을 가난에서 벗어나도록 도움을 주었을지라도, 도시개발의 형태는 소득 불평등을 줄이는 데 거의 도움이 되지 않았다. 라틴아메리카의 도시들은 그 지역의 소득과 부의 분배가 매우 고르지 못하다는 슬픈 현실을 반영한다.

실제로 브라질의 고이아나Goiana, 포르탈레자Fortaleza, 벨루오리존치Belo Horizonte, 브라질리아가 세계에서 가장 불평등한 도시 가운데 하나로 꼽혔으며, 보고타, 부에노스아이레스, 산티아고, 키토, 멕시코시티가 그 뒤를 바짝 따르고 있다.[24]

라틴아메리카와 카리브해 지역의 불평등inequility은 식민주의colonialism의 유산이자 그 문제에 신중히 맞서지 못한 대다수 공화주의 정부의 실패 탓이다. 전통적 형태의 토지 소유, 인종차별, 열악한 교육 및 보건 시설, 비교적 최근까지의 권위주의적이고 비민주적인 정치권력은 모두 불평등을 항구화하는 요소로 작용했다. 과거에는 국가들이 부유해지면 불평등이 줄어들 것으로 생각했으나(36장 참조), 라틴아메리카에서는 실제로 그런 일이 일어날 기미가 거의 없다.[25]

소득 불평등은 항상 사회적 분리와 주거의 분리를 악화시킨다. 라틴아메리카에서 도시의 부유층은 잘 정비된 동네의 우아한 저택에 살고, 가난한 사람들은 어느 정도만 정비된 그들만의 공동체를 형성한다. 우아한 레스토랑, 영화관, 클럽들이 있는 부유한 동네들은 유럽이나 미국에 있는 부유층의 주거지와 비슷하다. 반면, 라틴아메리카의 가장 가난한 구역들은 선진국의 도시들과 유사점이 거의 없다.

라틴아메리카 지역 대부분에서 불평등이 심화하면서, 많은 사람이 사회적 양극화가 심화하는 것을 걱정한다. 특히 우려되는 것은 새로운 형태의 주거 분리가 빠르게 확산하고 있다는 점이다. 외부인 출입 통제 공동체[빗장 공동체]gated community들은 현재 라틴아메리카 대부분의 도시에서 흔하게 나타난다. 걱정스러운 점은 다양한 사무실, 슈퍼마켓, 오락시설이 있는 그러한 동네들이 사실상 자치적이라는 것이다.

리우데자네이루에 새롭게 개발된 쇼핑몰과 외부인 출입통제 공동체인 바하다티주카Barra da Tijuca에는 사실상 가난한 주민이 전혀 없다. 바하다티주카는 예외적인 곳으로 가난한 도시 안에서 단일 계급으로 구성된 매우 큰 동네다.

외부인 출입통제 공동체들의 발달에도 불구하고, 라틴아메리카에서 주거 분리가 증가하지 않고 있다는 점을 암시하는 증거들이 있다. "일반적으로 라틴아메리카의 도시들에서 엘리트들은 고소득 지역 인구의 3분의 1만을 대표한다. 블록block 수준에서도 2002년 산티아고 엘리트들의 격리지수isolation index는 40퍼센트를 넘지 못했다〔'격리지수'는 특정 지역에서 인종, 민족, 사회경제적 계층 등 특정 기준에 부합하는 행위자들의 주거지 차지 비율이다〕. 반대로 미국의 교외 지역은 인종과 소득 구성 모두에서 사회적으로 더욱 동질적이며, 이러한 동질성은 시간이 지남에 따라 더욱 고착된다"(27장 참조).[26]

게다가, 라틴아메리카의 경우 부자와 빈민의 주택이 종종 도시의 서로 다른 끝에 위치하지만, 항상 그렇지만은 않다. 지형이 다양한 도시들에서는 서로 다른 사회계급의 주거 구역이 종종 나란히 자리하기도 한다. 리우데자네이루에서는 많은 부유층 지역의 바로 옆 산자락에 파벨라favelas〔브라질의 빈민가, 판자촌〕가 자리한다. 카라카스에 있는 특권층의 컨트리클럽 역시 달갑지 않은 이웃 구역neighbouring barrio들이 있다.

세계화와 그 영향

오랫동안 외부의 많은 경제적, 사회적, 문화적 영향이 라틴아메리카를 변화시켜왔다. 유럽의 라틴아메리카 정복은 분명 인구, 문화, 경제, 무역 측면에서 그 지역을 변화시켰다. 라틴아메리카의 독립운동은 미국과 프랑스의 〔혁명〕 경험으로부터 강하게 영향을 받았고, 독립 이후 아르헨티나와 우루과이는 비공식 영국 제국의 중심에 자리했다. 이후, 미국이 라틴아메리카의 경제 및 정치 생활의 많은 부분을 지배하게 되었다. 건축에서도 외부 영향력의 물결이 라틴아메리카 지역 전역을 휩쓸고 있다. 포르투갈과 스페인의 식민지 디자인, 유럽의 기념(비)적 건축물, 영국식 및 뒤이은 캘리포니아식 주거의 유행, 르코르뷔지에Le Corbusier식의 모더니즘modernism, 가장 최근에는 포스트모더니즘post-modernism이 그 예다. 그리고 1970년 이래 라틴아메리카는 글로벌화되는 세계경제로의 점점 더 전면적인 참여를 모색해 왔다.

도시 엘리트들은 세계경제 질서 속에서 자신들의 입지를 향상하려 도시들을 현대화했다. 새 국제공항, 초고층 빌딩, 쇼핑몰 및 현대식 호텔의 확산, '세계무역 센터들'의 개장은 적어도 좀 더 큰 규모의 도시 수준에서 노력이 진행되고 있다는 증거다. 사회적으로나 문화적으로나 라틴아메리카는 세계화를 받아들였다. 외국 영화와 텔레비전 프로그램, 휴대전화, 비디오게임 등이 라틴아메리카 전역을 휩쓸었다. 유감스럽게도 대개의 도시에는 맥도날드Mcdonalds, 버거킹Burger King, 데니스Denny's, 여타의 국제적 체인점이 존재한다.

다행인 점은 라틴아메리카의 도시들 역시 글로벌 문화에 크게 이바지해왔다는 것이다. 삼바samba, 살사salsa, 보사노바bossa nova와, 세르 지우 멘지스Sérgio Mendes, 샤키라Shakira, 부에나비스타소셜클럽Buena Vista Social Club 같은 슈퍼스타들 없이도 음악계가 존재했을까? 라틴아메리 카의 작가들에는 다수의 노벨문학상 수상자들이 포함되어 있고, 펠레 Pelé, 디에고 마라도나Diego Maradona, 호나우두Ronaldo, 리오넬 메시Lione Messi가 없다면 축구의 역사는 훨씬 줄어들었을 것이다.

'경쟁력 있는' 도시

경제의 세계화가 라틴아메리카에 끼친 영향은 매우 다양했다. 일례로 멕시코시티, 상파울루, 산티아고, 부에노스아이레스 등은 글로벌 무역 과 금융에서 중요한 중개지며, 점점 더 많아지는 사업 구역과 부유한 교외 지역이 그 역할을 반영하고 있다. 광업, 구리, 주석, 금, 은, 석유 에 의존하는 도시들 또한 훨씬 덜 과시적이고 덜 풍요로운 방식임에 도 세계경제에서 자신들에게 꼭 맞는 자리를 찾아냈다. 국제 관광은 멕시코의 칸쿤Cancún이나 쿠바의 바라데로Varadero 같은 글로벌화한 새 휴양지resort를 만들어냈고, 쿠스코나 카르타헤나 같은 문화적 보배들 을 긍정적으로든 부정적으로든 변화시키는 등 큰 영향을 끼쳤다.

　라틴아메리카 대개의 도시는 외국인 투자와 외국계 기업 본사를 자신의 도시로 유치하고자 노력하고 있다. 세계적 역할을 차지하려는 경쟁 속에서, 그들은 도심을 아름답게 꾸미고 새 박물관과 문화센터를 설립하며 호텔단지를 건설하고 있다. 국제회의와 스포츠 행사를 주최하려는 경쟁은 치열하다. 국제무대에서 라틴아메리카의 도시경쟁력city competitiveness은 이제 정기적으로 발표된다. 지난 몇 년 동안 산티아고, 상파울루, 마이애미Miami가 돌아가며 1위를 차지했다.[27] 〔스페인어 사용 거주민이 다수일지라도 미국 도시〕 마이애미가 라틴아메리카의 목록에 있는 것은 이 지역이 얼마나 '글로벌화'했는지를 예증해준다.

국제 경쟁의 문제는 승자의 수가 경쟁에 참여하는 도시의 수에 비해 매우 제한적일 수밖에 없다는 것이다. 국제경쟁력 상위 20위권 밖에 위치하는 대부분의 라틴아메리카 도시들에 대한 전망은 관광이나 마약과 같은 특별한 전문성을 포함하지 않는 한 제한적이다. 세계화가 더 작은 도시 중심지들에서 많은 승자를 배출할 개연성은 낮다. 그곳들은 주변의 농촌경제에 봉사하는 행정 중심지 및 상업 중심지로 남을 것이다. 〔하지만〕 라틴아메리카의 주변부를 벗어날 수 있는 더 작은 도시 중심지들은 거의 없을 것이다.

도시 거버넌스, 지방분권화, 실정失政

오랫동안 도시 거버넌스urban governance는 대체로 미약했으며 라틴아메리카의 문제 대부분에 적절하게 대처하지 못했다. 동시에 많은 도시 행정부는 평론가 대부분이 주장하는 것보다는 더 일 처리에 능숙해져 갔다. 서비스 제공의 전반적 개선은 국가 및 현지 당국이 하나같이 끔찍한 것만은 아니었음을 암시한다. 그리고 최근 몇몇 시 정부는 그들의 활동을 명백하게 강화했다.

오늘날 중앙과 지방을 아우르는 정부 대부분이 민주적으로 선출되고 있다. 이는 권위주의적이던 1970년대와 현저히 대비된다. 선출된 지방 공무원들은 종종 실질적 차이를 만들어냈다. 부패가 줄어들었고, 조세 수입은 증가했으며, 공공투자는 증가하고, 공공생활의 질은 점차 향상되었다. 쿠리치바Curitiba, 포르투알레그리Porto Alegre, 보고타보다 이를 더 잘 증명해주는 도시는 없다―많은 다른 국가에서 지방행정의 본보기로 꼽히는 도시들이다.

도시 거버넌스의 개선은 꾸준한 경제성장과 정치안정이라는 국가적 맥락에서 더욱 쉽다. 온두라스나 볼리비아보다 브라질이나 칠레에서 효과적으로 도시를 운영하는 게 훨씬 더 쉽다. 시장市長들이 중앙정부로부터 적절한 재정적, 정치적 지원을 받는다면 그 또한 도움이 된다. 지방분권화〔분권화〕는 라틴아메리카 전역에 유행처럼 퍼졌음에도, 지방정부가 정부의 임무를 수행할 충분한 자원을 보유할 때에만 도움이 된다.[28] 불행하게도, 지나치게 많은 자치체가 이러한 최소한의 요구조건을 충족시키지 못하고 있다. 브라질에서는 5500개 자치체 가운데 많아야 500개의 자치체가, 콜롬비아에서는 1000개 가운데 많아야 100개의 자치체가 그 기준을 충족한다. 결과적으로, 매우 많은 소규모 도시는 여전히 매우 형편이 없고 심지어 부패하게 운영되고 있다.

특정 종류의 라틴아메리카 도시들에서는 거버넌스를 개선하는 것이 확실히 복잡하다. 번성하는 타운에서 증가하는 사회적, 환경적 문제를 예방하기는 항상 어려웠다. 어떤 의미에서든지 지속가능성은 1950년대와 1960년대 내내 미국-멕시코 국경을 따라 폭증한 도시개발, 아카풀코Acapulco 같은 관광 휴양지의 성장, 베네수엘라의 석유 중심지들에

[도형 26.1] 자치체를 넘어선 상파울루의 도시성장

서 분명히 부족했다. 현재 아마존의 많은 국경타운frontier town도 비슷한 종류의 문제를 겪고 있다.[29]

훨씬 더 큰 규모의 도시권역urban agglomeration의 가장자리에 놓인 '도시들' 또한 급격한 성장에 대처하고자 고군분투하고 있다. 라파스 경계의 엘알토El Alto와 보고타에 붙어 있는 소아차Soacha가 그 사례다. 두 도시 모두 적절하게 계획되지도 않고 유능하게 관리되지도 않은 저소득층 자조 정주지self-help settlement가 지배하고 있다. 점점 더 많은 도시가 하나의 행정구역을 넘어 확장하고 있어서 미래에 이와 같은 종류의 문제는 늘어날 것이다. 라틴아메리카의 초거대도시 가운데 오직 보고타에서만 인구 대다수가 단일 행정구역 내에 살고 있다. 멕시코시티에서는 인구의 절반이 [도심인] 연방구역Distrito Federal에 살고 절반은

〔광역수도권인〕 멕시코주Estado de México에 산다. 상파울루는 "거대도시 거버넌스metropolitan governance라는 진정한 제도적 틀이 상대적으로 부재" 한 상황과 유사하다([도형 26.1] 참조).[30]

라틴아메리카 도시화: 평가

수년 동안 라틴아메리카의 도시화는 좋지 못한 세간의 평을 받아왔지만, 부정적 견해 가운데 많은 것은 단순히 잘못된 정보에 기초하는 것이었다. 라틴아메리카에서 도시의 성장은 거대한 도전이었고 대다수 사람의 삶을 변화시켰다. 도시의 성장은 노동의 장소를 농지에서 사무실, 상점, 공장, 도시의 거리로 옮겼다. 그것은 또한 주거를 관리되지 않은 전형적인 농촌의 판잣집에서 어느 정도 관리되는 주택과 자조주택으로 바꿨다. 그것은 사람들이 종교에 대해 혹은 자신의 사회적 위치에 대해 생각하는 방식을 바꾸는 데 도움을 주었다. 정치는 농촌의 지주들이 지시하던 문제에서 도시민이 투표하고 때때로 주요 결정에 영향을 끼치는 문제로 점차 바뀌어갔다. 이런 의미에서 도시화가 20세기 라틴아메리카의 삶에서 일어난 가장 혁명적인 변화임에는 거의 틀림없다.

경제성장의 속도가 대개 기대에 못 미쳐 불평등하고 빈곤한 전반적인 환경 속에서, 인구가 그렇게 빠르게 증가하는 동안에, 도시화가 현실적 재앙으로 나타나지 않았다는 것은 놀라운 일이다. 물론 라틴아메리카의 도시들이 여전히 거대한 문제에 직면해 있다는 것을 부정하기는 어리석은 일이다. 하지만 여러 사실은 도시화가 일반적으로 삶의 질을 향상하게 했다는 점을 암시한다. 오늘날 라틴아메리카 대개의 가구는 기본적인 서비스들을 이용할 수 있고, 대부분의 더 큰 규모의 도시에서는 사람들이 75세 이상 살 것으로 예상할 수 있다. 대다수는 텔레비전이나 휴대전화와 같은 내구 소비재를 구매할 수 있으며 대개의 도시에는 이전보다 더 많은 공원과 여가시설이 존재한다.

동시에 라틴아메리카는 훨씬 더 잘할 수 있었고 더 잘할 수 있어야만 했다! 라틴아메리카의 도시화에 대해 실망해왔던 이유는 이 지역에 빈곤이 여전히 만연해 있기 때문이다. 설상가상으로 도시 빈민 비율이 최근 40년간 조금씩 악화했고, 그 수는 1970년 4100만 명에서 2009년 1억 3200만 명까지 큰 폭으로 증가했다.

라틴아메리카에서 도시화는 더 나은 고용 기회, 기반설비 제공, 여가 기회 증가라는 측면에서 이익을 가져다주었으나, 한 무더기의 관련된 문제들도 유발했다. 대기오염과 수질오염이 점점 더 악화하고 있으며, 도시 스프롤urban sprawl은 이동 양상을 복잡하게 만들고 있다. 자동차는 증가하는 사고율과 교통 혼잡 측면에서 많은 도시에 큰 혼란을 주고 있다. 게다가 라틴아메리카의 도시 대부분에서 불평등이 심화했고, 사회적 양극화와 주거 양극화 징후가 확산하고 있다. 이러한 점은 범죄의 수위를 높이는 또 다른 사회문제에 영향을 끼칠 수도 있고 아닐 수도 있을 것이다.

라틴아메리카의 도시화와 관련된 과정은 종종 사람들을 나쁘게, 확실히 불공평하게, 때로는 잔인하게 위협했다. 그러나 아프리카와 아시아의 많은 지역에서 일어난 상황과 비교하면, 라틴아메리카의 도시 성장은 의심할 여지가 없이 진보적인 힘으로 간주되어야만 한다.

주

1 이 장에서 라틴아메리카는 인구 대부분이 스페인어와 포르투갈어를 사용하는 국가들로 규정한다. 따라서 영국, 프랑스, 네덜란드의 해외 영토들과 아마도 1950년대부터 다른 라틴아메리카에 비해 미국과의 공통점이 많아진 푸에르토리코는 제외한다.

2 사실 기본적 측면에서 수 세기 동안 변한 것은 거의 없었다. "예를 들어 라틴아메리카 대부분의 국가에서 출생 당시 기대수명(20∼35세)과 영아사망률(1000명당 300여 명)은 1900년까지 로마 제국과 비슷한 수준을 유지했으며, 대부분의 국가에서 문해율literacy rate도 아직 성인 인구의 30퍼센트에 도달하지 못했다." J. H. Coatsworth, "Structures, Endowments, and Institutions in the Economic History of Latin America", *Latin American Research Review*, 40 (2005), 129.

3 R. Morse, "The Development of Urban Systems in the Americas in the Nineteenth Century", *Journal of Interamerican Studies and World Affairs*, 17 (1975), 7.

4 포르피리오 디아스Porfirio Díaz(1876∼1911)의 통제하에서 멕시코 경제는 외국 투자에 개방되었고, 광산업과 제조업이 번성했으며 철도망은 약 750마일[약 1205킬로미터]에서 1900년에 1만 2000마일[약 19310킬로미터]로 확장되었다.

5 C. S. Sargent, "The Latin American City", in B. W. Blouet and O. Blouet, eds., *Latin America and the Caribbean: A Systematic and Regional Survey* (2nd edn., London: Wiley, 1993), 172-216.

6 Amato(1970)는 1970년에 도시 엘리트가 새로운 운송수단을 활용해 도시 변두리를 넘어 어떻게 쾌적한 곳으로 이동했는지 서술했다.

7 J. R. Scobie, *Argentina: A City and a Nation* (Oxford: Oxford University Press, 1964), 119.

8 G. Germani, "El proceso de urbanización en la Argentina", *Revista Interamericana de las Ciencias Sociales*, Unión Panamericana, 3 (1963). 심지어 1914년도 주민의 49퍼센트가 아르헨티나 밖에서 태어났다.

9 도시개발의 포괄적 역사에 대해서는 J. R. Scobie, *Buenos Aires: Plaza to Suburb 1870-1910* (Oxford: Oxford University Press, 1974).

10 Scobie, *Argentina*, 164.

11 M. Johns, "The Urbanisation of a Secondary City: The Case of Rosario, Argentina,

1870-1920", *Journal of Latin American Studies*, 23(1991), 489-513.

12 1930년대에 대부분의 라틴아메리카 국가는 영국·독일·미국의 수출품을 구입하는 데 필요한 외환이 없었으며 1940년 이후 유럽과 미국의 공장들은 무기 제조에 너무 바빠서 많은 수출을 할 수 없었다.

13 J. R. Logan, "The New *Latinos*: Who They Are, Where They Are", Lewis Mumford Center for Comparative Urban and Regional Research, New York University at Albany (2001), 1.

14 1920년대 베네수엘라에서 석유가 발견되면서 생산지가 서쪽 끝과 동쪽에 위치했음에도 석유 수입에서 가장 많은 혜택을 본 것은 카라카스였다.

15 초거대도시들은 인구 800만, 1000만 혹은 1200만 이상으로 다양하게 정의된다.

16 볼리비아와 베네수엘라는 더는 종주도시 국가가 아니며, 콜롬비아는, 전통적으로 도시 분포가 가장 균형 잡힌 나라로서, 보고타의 성장이 최근 주요 경쟁 도시인 메데인Medellín의 성장보다 앞섰음에도 그러한 균형성을 유지하고 있다.

17 예를 들어 W. Mangin, ed., *Peasants in Cities: Readings in the Anthropology of Urbanization* (Boston: Houghton Mifflin, 1970). B. Roberts, *Cities of Peasants* (London: Edward Arnold, 1978).

18 2010년에 15세 이상의 여성 중 약 절반이 도시권에서 유급으로 고용되었으며 이는 남성의 약 80퍼센트에 비교된다.

19 M. Hays-Mitchell, "The Ties That Bind. Informal and Formal Sector Linkages in Street Vending: The Case of Peru's Ambulantes", *Environment and Planning A*, 25 (1993), 1089.

20 그러나 다음 논문은 산업노동자나 공무원이 비공식 사업을 하는 게 항상 쉬운 것은 아니라고 지적한다. H. Hirata and J. Humphrey, "Workers' Response to Job Loss: Female and Male Industrial Workers in Brazil", *World Development*, 19 (1991), 671-82.

21 F. Bonilla, "Rio's Favelas: The Rural Slum within the City", repr. in Mangin, ed., *Peasants in Cities*, 74-75.

22 J. F. C. Turner, "The Squatter Settlement: An Architecture That Works", *Architectural Design*, 38 (1968), 357-360.

23 2010년 쿠바와 베네수엘라는 전기 공급 중단으로 큰 어려움을 겪었는데, 정부는 비가 오지 않았다고 변명했으나 반대자들은 전기 공급 중단을 투자 부족으로 돌렸다.

24 전 세계 109개 국가의 도시들에 대한 유엔-헤비타트UN-HABITAT의 조사를 기
반으로 한다. UN-HABITAT, *State of the World Cities 2010/2011: Bridging the
Urban Divide*. 조사된 도시는 모두 지니계수가 0.5를 넘었고 브라질의 4개 도시는
0.6을 넘었다. 다른 대부분의 불평등한 도시들은 아프리카나 동남아시아에 있었
다. http://www.unhabitat.org/documents/SOWC10/R8.pdf

25 S. Kuznets, *Modern Economic Growth: Rate, Structure and Spread* (London:
Yale University Press, 1968). A. G. Gilbert, "Inequality and Why It Matters",
Geography Compass, 1 (3) (2007), 422-447.

26 B. R. Roberts and R. H. Wilson, eds., *Urban Segregation and Governance in the
Americas* (Basingstoke: Palgrave, 2009), 133.

27 America Economía 연례 조사. http://rankings.americaeconomia.com/2010/
mejoresciudades/ranking.php

28 예를 들어, 멕시코·콜롬비아·페루처럼 대통령에 반대하는 정당 출신[소속] 시장
市長들의 있음에도 많은 수도가 번창하는 것으로 보인다.

29 J. O. Browder and B. J. Godfrey, *Rainforest Cities: Urbanization, Development
and Globalization of the Brazilian Amazon* (New York: Columbia University Press,
1997).

30 J. Klink, "Recent Perspectives on Metropolitan Organization, Functions and
Governance", in E. Rojas, J. R. Cuadrado-Roura, and J. M. Fernandez Guell,
eds., *Governing the Metropolis: Principles and Cases* (Washington, D.C.:
Interamerican Development Bank, 2008), 77-134.

참고문헌

Amato, P., "Elitism and Settlement Patterns in the Latin American City", *Journal of
the American Institute of Planners*, 36 (1970), 96-105.

Browder, J. O., and Godfrey, B. J. *Rainforest Cities: Urbanization, Development and
Globalization of the Brazilian Amazon* (New York: Columbia University Press,
1997).

Caldeira, T., *City of Walls: Crime, Segregation and Citizenship in São Paulo* (Berkeley:

University of California Press, 2000).

Chant, S., "Population, Migration, Employment and Gender", in R. Gwynne and C. Kay, eds., *Latin America Transformed: Globalization and Modernity* (London: Arnold, 2004), 226-269.

Davis, D. E., *Urban Leviathan: Mexico City in the Twentieth Century* (Philadelphia: Temple University Press, 1994).

Gilbert, A. G., *The Latin American City* (London: Latin America Bureau and Monthly Review Press, revised and expanded edn., 1998).

Gilbert, A. G., "Good Urban Governance: Evidence from a Model City?", *Bulletin for Latin American Research*, 25 (2006), 392-419.

Gilbert, A. G., Hardoy, J. E., and Ramirez, R., eds., *Urbanisation in Contemporary Latin America: Critical Approaches to the Analysis of Urban Issues* (Chichester: Wiley, 1962), 191-204.

Hardoy, J. E., ed, *Urbanization in Latin America: Approaches and Issues* (New York: Anchor Books, 1975).

Harris, W. D., *The Growth of Latin American Cities* (Athens: Ohio University Press, 1971).

Morse, R. M., *From Community to Metropolis: A Biography of São Paulo* (New Haven: Yale University Press, 1958).

Perlman, J., *The Myth of Marginality* (Berkeley: University of California Press, 1976).

Roberts, B. R., *The Making of Citizens: Cities of Peasants Revisited* (London: Edward Arnold, 1995).

Roberts, B. R., "Globalization and Latin American Cities", *International Journal of Urban and Regional Research*, 29 (2005), 110-123.

Scobie, J., *Buenos Aires: Plaza to Suburb 1870-1910* (Oxford: Oxford University Press, 1974).

제27장

북아메리카
North America

칼 애벗

Carl Abbott

캐나다와 미국의 도시체계urban system는 대서양 산업 세계에서 도시개발urban development의 폭넓은 양상을 따르는 세 가지의 중첩적인, 그러나 뚜렷하게 구분되는 단계를 거치며 발전했다. 첫째는, 1500년대 후반부터 1800년대 초반까지 프랑스, 잉글랜드, 스페인〔에스파냐〕, 러시아에 의해 이식된 유럽의 식민지 전초기지에서 유래한다([지역지도 II.7] 참조). 둘째는, 1900년경 유럽의 산업적 도시화industrial urbanization와 맞물려 미국과 캐나다에 실질적 도시화를 가져온 북아메리카 대륙의 팽창이 한 세기 동안 지속된 단계였다([표 27.1]). 셋째는, 지난 100년간 국가체계의 통합, 그리고 이것과 세계경제 사이 연계 확대다([지역지도 III.8] 참조). 각 단계는 지배적인 에너지/교통 체계로 특징지어진다.

범선의 동력인 바람, 증기선 및 철도의 동력인 석탄, 자동차와 항공기의 동력인 석유가 바로 그것이다. 도시city는 그 자체로 공간체계이자 공간 네트워크의 구성 요소인 만큼 사람·재화·정보를 이동시키는 능력은 토지의 이용 및 위치에 범위를 설정한다. 노동자들은 직장에서 얼마나 멀리 떨어져 살 수 있을까? 메갈로폴리스megalopolis는 얼마나 넓게 뻗어 나갈 수 있는가? 도시들이 말, 증기기관차, 혹은 보잉747 항공기로 연결될 때 새 도시들은 어디에서, 어떻게 성장할 수 있을까? 에너지와 교통의 기술은 각각에 대한 대답의 틀을 제공한다.

북아메리카의 도시들은 근대에 태동해 자유주의적 자본주의liberal capitalism의 햇빛을 받으며 성숙기에 들어섰다. 고대의 제도들이나 중세의 성벽 모두 19세기와 20세기의 왕성한 확장에 고삐를 죄지 못했다. 요한 볼프강 폰 괴테Johann Wolfgang von Goethe는 다음과 같이 쓰면서 그 기회를 언급했다. 쓸데없는 기억과 갈등에 얽매이지 않음으로써 "아메리카, 당신은 우리의 구대륙보다 더 나은 것을 가지고 있다."[1] 더 나은 결과가 보장된 것은 아니었지만 정치적 진보에 대한 장애물은 아메리카에서 적은 것처럼 보였다.

미국혁명American Revolution의 여파 속에서 대서양 경제에 통합된 항구도시port city들과 그 상업 배후지hinterland들은 〔1787년에 제정되어〕 1789년에 효력이 발생한 연방헌법과 경제성장을 뒷받침해줄 국민국가〔민족국가〕national state에 추동력과 지원을 제공했다. 한 세대 후인 1832년에 알렉시스 드 토크빌Alexis de Tocqueville은 뉴욕, 몬트리올Montreal, 피츠버그Pittsburgh('미국의 버밍엄'), 신시내티Cincinnati('모든 차원의 명백한 산업과 노동의 이미지'를 발견했던 곳)를 여행하면서 급성장하는 도시에서 신대

류 사회의 맥이 짚인다는 것을 깨달았다.[2] 이 새 타운들은 경제성장과 자발적 기구 및 결사체의 창조적 구성 현장이었다. 여기에서 토크빌은 프랑스와의 대단히 흥미로운 대조를 발견했다.

'근대'가 일련의 자유주의적 제도였던 곳에서는 '근대성modernity' 이 삶과 문화의 한 형태였다. 기술적·경제적 혁신을 가능케 한 근대의 제도들은 또한 일에서 여가, 예술적 관습에 이르기까지 삶의 모든 측면에서 빠르게 자리 잡았다. 파리·베를린·런던은 자신들이 근대성의 수도라 주장했지만, 1890년대에는 시카고Chicago도 1920년대에는 뉴욕도 마찬가지였다. 이 도시들은 유럽인들이 새로움의 첨단이라 생각한 도시들이었다. 때때로 이들 도시는 마치 러디어드 키플링Rudyard Kipling〔인도 태생의 영국 소설가·시인. 1865~1936〕이 시카고를 방문했을 때 "다시는 보지 않기를 절실히 바란다"라고 했던 것처럼 실망감을 안겨주기도 했다.[3] 때때로 이들 도시는 1917년에 레온 트로츠키Leon Trotsky〔러시아의 혁명가〕가 망명해 미국에 도착했을 때처럼 도시의 역동성으로 사람들을 크게 매혹하기도 했다. "나는 여기 산문시와 환상의 도시 뉴욕에 있다. 〔…〕 뉴욕은 세계의 어느 도시보다 우리 현대에 대한 완벽한 표현이다."[4]

북아메리카의 도시들은 근대에 시작되어 빠르게 발달했다. 지리학자들은 방콕이나 리마처럼 잠재적 경쟁 도시들을 훨씬 능가하는 단일한 종주宗主도시primate city가 지닌 도시체계와 많은 대규모 도시large city가 경쟁적 동료로서 상호작용하는 도시체계를 구분한다. 북아메리카는 두 번째 양상에 부합하고, 경쟁에서 승리한 도시(예컨대 애틀랜타Atlanta 등)는 점차 그 자체로 보조도시secondary city(예컨대 채터누가

Chatanooga, 찰스턴 등)와 분리되어 별개 지역으로 발전한다〔보조도시는 도시위계에서 종주도시 아래 단계에 위치하며 50~300만여 명의 인구에 국가적 맥락과 별도로 존재한다〕. 결과적으로, 북아메리카는 독일과 다소 유사한데, 독일은 정치 및 경제 중심지들―함부르크, 뮌헨, 프랑크푸르트, 라이프치히 등―이 '수도Hauptstadt'인 베를린과 균형을 이루기도 하고 베를린을 능가하기도 하는 독립된 정치적 단위들로 통합된 국가다.

　　이어지는 첫 번째 절에서는 전前산업pre-industrial 시기 북아메리카 도시들을 간략하게 소개한다. 다음으로 19세기의 경제팽창, 성장하는 산업 중심지들 및 상업 중심지들의 내부적 사회 역학, 자동차의 부각과 함께 변화한 성장의 양상을 논의한다. 마지막 절에서는 21세기 거대도시metropolis로 이어진 새로운 도시화의 역학에 대해 살펴본다.

제국의 전초기지들

16세기 후반부터 19세기 초반까지 제국적 유럽은 미국과 캐나다가 될 광대한 영토를 제국의 전초기지outpost들로 에워쌌다―이들 기지는 무역, 정주, 거창한 정치적 요구에 기반을 둔 도시 중심지urban centre였다. 첫 번째는 스페인의 산아구스틴(1565, 오늘날의 세인트오거스틴 St. Augustine)과 산타페(1608)였고, 마지막은 러시아의 노보아르한겔스크Novo-Arkhangelsk(1804, 오늘날의 알래스카 싯카Sitka)였다. 프랑스는 퀘벡 Québec(1608)과 누벨오를레앙(1718)〔오늘날의 뉴올리언스New Orleans〕을 건립하며 두 개의 커다란 강〔캐나다의 세인트로렌스St. Lawrence강/생로랑

Saint-Laurent강과 미국의 미시시피Mississippi강)의 영역으로 들어가는 입구를 차지했다. 네덜란드인들은 뉴암스테르담(1626)을 세웠다. 잉글랜드는 17세기와 18세기에 대륙의 동쪽 가장자리를 따라 무역도시trading city들을 하나로 연결했다.

변변찮은 요새나 작은 식민지 교역소까지 타운town으로 간주할 수는 없다. 그러나 일부는 주민들이 재산을 소유할 수 있고 민사재판을 청구할 수 있는 영속적 정주지settlement로 성장했으며, 이곳들의 현지 경제는 선교사나 군대를 직접 지원하는 이상의 무언가를 포함했다. 보스턴이 뉴잉글랜드의 지배적 중심지로 부상한 것이 그 한 사례다. 그 촉매제는 1640년대의 경제위기로, 청교도의 식민지 건설로부터 20년 정도 지난 이때 국왕과 의회 사이 전쟁이 잉글랜드 청교도들의 재원으로 치러졌다. 잉글랜드로부터의 이민과 투자가 줄어들자 뉴잉글랜드 사람들은 그들 자체의 시장과 교역 상대를 찾아야 했는바, 보스턴은 편리하고 필수적인 사업 중심지이자 항구로 부상했다. 정보는 선주들, 상인들, 선원들과 교류하는 거주민들이 있는 보스턴에 맨 처음으로 전해졌다. 비非청교도들은 집과 사업체를 건설했고 도시의 상인들은 부를 축적해 다른 청교도 식민지 지역들과 격차를 벌렸다.

1775년에 8000명에서 4만 명까지의 범위 내 인구를 가졌던 찰스턴, 퀘벡(1763년 이후 영국령), 보스턴, 뉴욕, 필라델피아는 규모 면에서 영국의 지방 중심지와 비슷했다.[5] 거대도시의 예의범절을 모방한 이 도시 상인들의 사회적 야망 역시 비견할 만했다. 이들 도시에서 삶은 수변을 중심으로 이루어졌다. 예를 들어 미국혁명 전에 뉴욕의 부두와 창고들은 맨해튼Manhattan의 끝에 있는 이스트East강 주변을 가득

메웠고, 이곳에는 선원과 부두 노동자들을 겨냥한 값싼 선술집〔주점〕 tavern들이 즐비했다. 두 블록 뒤쪽으로는 창고들이 더 많은 주택과, 상인들이 최신 정보를 주고받는 커피하우스들 사이에 뒤섞여 있었다. 수입 가구와 도자기로 가득 찬 우아한 타운하우스townhouse는 맨해튼 끝에 있는 요새와 인접한 브로드웨이Broadway의 아래 끝부분을 차지했다. 장인들과 소규모 점포 주인들은 공공시장과 가깝고 국교회에 반대하는 침례교 및 감리교 예배당과 가까운 중심지로부터 조금 더 멀리 떨어진 곳에 거주했다.

이 일련의 해안도시〔연안도시〕coastal city의 성숙은 팽창하는 글로벌 경제와 중첩되었다. 대규모 해항sea port의 성장과 번영은 더 작은 규모의 도시들과 농촌 타운들의 네트워크에 달려 있었다. 이 네트워크는 자원 수출의 통로였고 수입 식품과 공산품을 분배하는 역할을 했다. 뉴잉글랜드의 마을 상인들은 하트퍼드Hartford, 뉴헤이븐New Haven, 포츠머스Portsmouth의 중간상인들을 위해 현지 생산품들을 모았다. 더 북쪽으로 가면 수익성 좋은 모피 무역이 몬트리올과 퀘벡을 통해 운영되었다. 남쪽으로는 뉴욕이 허드슨Hudson계곡 지역의 상업을, 필라델피아가 비옥한 델라웨어Delaware계곡 지역의 상업을 지배했다. 연안 항해 선박들은 노스캐롤라이나North Carolina주 서배너Savannah와 윌밍턴Wilmington에서 찰스턴으로 상품을 운반했다. 1775년에 도시들과 대규모 타운들은 영국령 아메리카 인구에서 차지하는 비중이 5퍼센트에 불과했다. 그럼에도 그곳들은 정치적 혁명을 선동하는 이들의 신경중추이자 권력 중심이었고, 이후에는 영국의 전략적 목표였으며, 그다음엔 독립 정부의 소재지였다. 캐나다와 13개 식민지를 분리한 미국혁명은 또한 캐나다를 통해 내륙으로 들어가는 천혜의 세인트로렌스강의 경로를 선호하는 이들과 더 남쪽의 도시로부터 애팔래치아산맥을 가로지르는 경로를 선호하는 이들 사이 정치적 긴장을 조성했다.

중심부와 대륙

북아메리카 도시체계의 형태는 1815년부터 1870년 사이 기간에 기틀을 닦고, 다음 반세기 동안에 완성되었다. 19세기 교통혁명의 결과와 내부무역internal trade의 팽창이라는 두 과정 모두가 작용한 결과다. 첫 번째 과정은 남동쪽의 볼티모어Baltimore, 북동쪽의 몬트리올, 북서쪽의 미니애폴리스Minneapolis, 남서쪽의 세인트루이스가 위치하는 중심부 내에서의 제조업과 자금력의 성장이었다. 두 번째는 미국 남부 및 캐나다와 미국 서부에서 상업도시commercial city들이 형성된 것이었다. 이들 상업도시는 면화, 목재, 광물, 식자재를 생산하는 자원 배후지들을 개발하고 조직했다.

1820년대와 1830년대의 운하와 그 이후의 철도가 그러한 중심부를 가능하게 했다. 몬트리올, 보스턴, 뉴욕, 필라델피아는 오대호Great Lakes 연안과 오하이오Ohio계곡에서 성장하고 있던 도시들과 연결하고자 서로 경쟁했다. 지배적 서사는 뉴욕의 부상이었다. 1825년 오대호와 허드슨강을 연결한 이리Erie운하는 뉴욕시의 구상이었다. 그것은 동시에 운하 주변에 위치하는 일련의 도시(시러큐스Syracuse, 로체스터Rochester, 버펄로Buffalo)를 건설했고, 뉴욕의 상업을 확장했다. 배후지가 성장함에

따라 항구는 처음으로 정기적으로 편성된 대서양 횡단 해운 서비스를
유치했다. 상거래 자본과 전문 지식의 집중은 뉴욕을 남부산 면화의 무
역 중심지로 만들어 도시가 대서양 경제에서 중추적 위치를 강화하는
데 도움이 되었다. 1860년 무렵 뉴욕과 그 자매도시sister city 브루클린
Brooklyn의 인구는 필라델피아, 베를린, 맨체스터의 두 배인 100만 명을
넘어섰다.

　볼티모어의 성장은 밀 농경 배후지의 성장으로 도시가 체서피크
Chesapeake만 한쪽 수로의 변두리에서 1830년대와 1840년대에 미국에
서 두 번째로 큰 규모의 도시가 되기까지 매우 인상적으로 이루어졌
다. 볼티모어는 1812년전쟁War of 1812 당시 영국 침략군의 핵심 목표이
자 지적 생활의 중심지였으며, 언론인 헤지카이어 나일스Hezekiah Niles
에 따르면 "연방 모든 위대한 도시의 부러움과 질투"의 대상이었다.[6]
미래지향적 볼티모어의 주민들은 1828년에 뉴욕, 필라델피아, 워싱턴
DC, 리치먼드Richmond운하와 경쟁하려 최첨단 기술로 선택된 북아메
리카 최초의 상업용 철도 기공식을 열었다.

　애팔래치아산맥 너머로 가장 큰 규모의 3개 도시는 오하이오강의
신시내티, 미시시피강의 세인트루이스, 미시간Michigan호의 시카고였
다. 이 도시들은 농민들이 활엽수림과 대초원을 밀밭과 양돈농장으로
바꾸는 것을 가능하게 해줄 물자·서비스·마케팅 역량을 제공하면서,
역사학자 리처드 웨이드Richard Wade의 문장들 속에서 '프런티어의 선봉
spearheads of the frontier'으로 성장했다. 19세기의 첫 수십 년 동안 농민들
이 오하이오Ohio, 인디애나Indiana, 켄터키Kentucky 주들에 위치하는 강
들의 지류를 따라 정착하면서, 신시내티 상인들은 옥수수를 위스키로,

밀을 밀가루로, 돼지를 절인 고기와 가죽 및 비누로 만들고, 이러한 제조업 생산품들을 남부의 농장들과 동부의 도시들에 판매해 자산을 형성했다. 미주리Missouri, 일리노이Illinois, 아이오와Iowa, 위스콘신Wisconsin을 향해 서쪽으로 정주가 확산하면서 세인트루이스와 시카고는 1850년 이후 신시내티를 추월했다.

종합적으로 보면, 대서양 항구들과 새 중서부 도시들은 1860년 가장 큰 규모의 10개 도시 가운데 9개 도시를 차지하며 북아메리카의 심장부로 통합되었다(9개 도시는 뉴욕-브루클린, 필라델피아, 볼티모어, 보스턴, 신시내티, 세인트루이스, 시카고, 몬트리올, 버펄로였고, 10대 도시 가운데 뉴올리언스만이 중심부를 벗어나 위치했다). 대서양 도시들과 애팔래치아산맥 너머의 도시들을 연결한 새 철도는 미국남북전쟁US Civil War(1861~1865)에 결정적 영향을 끼쳤는바, 10년 전에 전쟁이 벌어졌다면 철도가 다른 방향으로 부설되었을지도 모른다. 뉴욕, 필라델피아, 볼티모어까지 가는 철도는 뉴올리언스를 향해 미시시피강을 따라 내려가는 오래된 교역소에 대한 대안을 내륙의 주들에 제공하고 오하이오계곡 지역을 북동쪽으로 묶어 북부를 강력한 전쟁 수행력을 갖춘 국민국가(민족국가)로 결합하게 했다. 1860년 미국에서 가장 큰 규모의 20개 도시 중 1개만이 곧 남부연합Confederacy(노예 폐지론에 반대해 1860~1861년 미합중국에서 탈퇴한 남부 11개 주, 혹은 이에 가담한 2개 주를 더한 13개 주 연합)에 속하게 될 것이고, 가장 큰 규모의 100개 도시 가운데에서는 9곳만이 남부연합에 속했다—이는 북부와 남부 사이 전쟁 수행 능력을 비교하기에 좋은 지표다.

그 후 두 세대에 걸쳐 이 중심부에 북아메리카의 제조업 역량이 집중되었다. 산업화는 유럽과 마찬가지로 단계적으로 진행되었다. 섬유의 생산과 농산물 가공이 먼저였고, 그다음으로 철강산업의 성장이, 19세기 후반과 20세기 초반에 전기·화학·석유화학 산업의 성장이 있었다. 철도 운송, 속달우편, 전신, 전화는 1880년대부터 기업들이 지역 및 전국의 제조업과 서비스 시장에 용역과 재화를 제공할 수 있게 해주었다. 산업은 뉴욕·토론토·필라델피아·세인트루이스·시카고의 다각화한 경제 속에서 번창했고, 피츠버그의 철강, 애크런Akron의 고무, 트렌턴Trenton의 도자기, 특히 디트로이트Detroit의 자동차 등 특정 제품에 특화된 중소규모의 도시에서도 번창했다. 싱클레어 루이스Sinclair Lewis의 1922년 소설 《배빗Babbitt》에서 연유condensed milk와 골판지 상자의 생산지이며 부동산 중개업자 조지 F. 배빗George F. Babbitt의 고향인 40만 인구의 '제니스Zenith'는 새 다운타운[도심 상업지구]downtown 고층 건물들, 철로 주변의 공장들, 새 교외의 단층주택 지역을 가진 이들 산업도시industrial city의 전형을 보여주었다.

1950년 후반까지만 해도 미국의 중심부는 국토 면적의 7퍼센트에 불과했으나 인구의 43퍼센트, 소득의 50퍼센트, 제조업 고용의 70퍼센트를 차지했다. 이 지역은 마찬가지로 특허권, 과학자, 기업 본사, 대통령 후보, 《후즈후Who's Who》 인명사전 등재 인물 등이 불균형적으로 몰린 정치적·문화적 영향력의 중심이기도 했다. 캐나다에서는 이리Erie 호−온타리오Ontario호−세인트로렌스강 회랑을 따라가는 좁은 띠 지역이 훨씬 더 지배적이었다.

대륙의 중심부를 보완하고 도움을 준 곳은 남부와 서부의 관문도시gate city들이었다. 그 가운데 일부는 위니펙Winnipeg, 캔자스시티

Kansas City, 댈러스Dallas, 애틀랜타 같은 내륙의 철도 중심지였다. 나머지는 갤버스턴-휴스턴Galveston-Houston, 샌프란시스코San Francisco, 밴쿠버Vancouver 같은 항구관문port gateway이었다(43장 참조). 1860년에는 오직 뉴올리언스와 샌프란시스코가 거주민이 1만 명 이상이었지만, 관문도시들은 농업, 광업, 임업 노동자들이 사용할 제조업 상품들을 수입하고, 원자재를 국내·국외 시장용 식품, 금속, 목재 생산품으로 가공함으로써 이후 60년 동안 폭발적으로 성장했다.

태평양 연안의 첫 번째 관문은 내륙 수로 네트워크의 접근을 제공하는 항구들이었다. 캘리포니아California의 골드러시Gold Rush로 대양을 항해하는 선박들이 캘리포니아 센트럴밸리Central Valley와 광산들의 출발지들을 향해 새크라멘토Sacramento강을 거슬러 올라가는 소형 선박들에 환적을 하려고 수백 척씩 샌프란시스코에 들렀다. 컬럼비아Columbia강 상류 80마일(약 130킬로미터) 지점에 위치하는 포틀랜드Portland의 기민한 사업가들은 다뉴브강 유역만큼이나 광활한 지역인 컬럼비아강 유역 전체의 무역을 이끌었다. 밴쿠버Vancouver섬 남쪽 끝에 있는 빅토리아Victoria에서 무역업자들은 동남아시아 해상무역계에서 싱가포르가 하는 역할의 축소판처럼 미국과 캐나다 국경 양안의 퓨젓사운드Puget Sound 해안과 조지아Georgia해협을 활용했다. 1869년과 1893년 사이의 대륙횡단철도 완성은 철도 종착지 도시들을 경쟁적 혼합체—빅토리아를 뛰어넘은 밴쿠버·샌프란시스코와 경쟁하는 오클랜드Oakland, 해안가 전역에 도전하는 로스앤젤레스Los Angeles—에 추가했다.

철도는 또한 북쪽의 위니펙에서 남쪽의 댈러스와 포트워스Fort Worth까지 대륙을 거의 이등분하는 일련의 내륙 관문을 규정했고 창조했다. 북쪽과 남쪽 사이에는 번잡하고 매력 없는 위치토Wichita, 캔자스시티, 오마하Omaha, 미니애폴리스-세인트폴Minneapolis-St. Paul 등이 있었다. 이들 도시는 창고의 도시이자 철로의 도시, 제분소, 축사, 통조림 공장의 도시였다. 이 도시들은 초원의 농민들과 그레이트플레인스Great Plains〔대평원〕의 목축업자들에게 쟁기, 건축 자재, 철물, 가구용품을 판매했고, 그들의 생산품을 집결시켜 가공하고 세계시장으로 운송했다 (나이로비Nairobi 신도시 개발에서 철도의 역할과 비교는 33장을 참조하라).

대륙적 도시화의 이면에는 시장과 산업자본주의industrial capitalism의 확대에 더해 정부의 개입도 놓여 있었다. 남북전쟁 이전의 운하들은 미국의 개별 주들과 캐나다 자치체들의 계획이었다. 유료도로와 철도 회사들은 자신들이 서비스를 제공한 도시들로부터 보조금을 기대했고 또 받아냈다. 1850년 이후 미국 연방정부는 막대한 토지보조금을 분배해 오마하와 타코마Tacoma 같은 곳을 중요한 도시로 만든 일리노이 센트럴Illinois Central, 유니온퍼시픽Union Pacific, 노던퍼시픽Northern Pacific, 여타 주요 철도의 건설을 원조했다. 마찬가지로 캐나다 정부는 현금과 토지보조금을 사용해 1867년 브리티시컬럼비아British Columbia주가 캐나다 연방에 통합되는 조건으로 밴쿠버까지 이어지는 대륙횡단 캐나디언퍼시픽철도Canadian Pacific Railway의 완공을 보증했다.

미국에서 1913년에 설립된 미국연방준비은행Federal Reserve Bank 제도는 확장된 도시-지역 지형도를 확인했다. 단일 중앙은행의 권력을 우려한 의회는 전국을 가장 두드러진 상업도시를 중심으로 한 12개 은행 구역으로 나누었다(도판 27.1). 도시들은 은행 구역을 지정하는 의사결정 위원회에 자신의 상업적 위상에 대해 정교한 설명을 쏟아냈고,

전국 수천 개 지방 은행들은 자신의 지역이 중심지로 선정되도록 지원했다. 선정된 도시 다수가 뻔한 곳이었다―보스턴, 뉴욕, 필라델피아, 시카고, 세인트루이스, 미니애폴리스, 샌프란시스코 등(로스앤젤레스는 인구 면에서는 샌프란시스코에 필적했으나 재정적 역량이 아직 부족해서 선택을 받지 못했다). 선정된 다른 곳들은 정체된 도시 대신 성장하는 도시로 분류되었다. 따라서 신시내티보다는 클리블랜드Cleveland가, 오마하보다는 캔자스시티가, 뉴올리언스가 아닌 애틀랜타와 댈러스가 선정되었다. 캐나다에서는 몬트리올이 1930년대에 토론토가 추월할 때까지 선도적 은행 중심지로 남아 있었다.

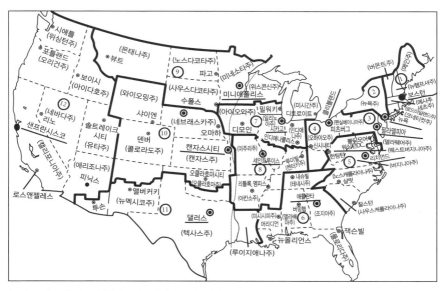

[도판 27.1] 12개 미국연방준비은행 소재지 및 연방준비제도이사회가 결정한 12개 연방준비구역 소재지 지도

대이주

이러한 도시를 가득 채운 사람들은 누구였는가? 토론토에서 샌프란시스코에 이르기까지 빠르게 성장하는 북아메리카 도시들의 거리와 주택들을 가득 채운 새 도시민들은 누구였는가? 그들은 어디에서 왔는가? 내부 이주민과 국경을 넘은 이주민의 균형은 어떠했는가?

가장 눈에 띄었던 부류는 바다를 건너온 신규 이민자들인 샌프란시스코의 중국인 노동자, 밀워키Milwaukee의 독일인, 보스턴과 토론토의 아일랜드인, 뉴욕의 이탈리아인이었다. 그 수는 1815년에서 1914년까지 늘어났다. 그 한 세기 동안 약 3000만 명의 유럽인들이 미국에 들어왔으며 그 수의 거의 절반이 20세기의 첫 20년 동안 몰려왔다. 캐나다로는 1850년부터 1914년 사이에 대략 300만 명의 이민자들이 들어왔다. 물론 그 수 전부가 정착한 것은 아니었고, 특히 대서양 횡단 이동이 점점 쉬워짐에 따라 노동자들은 북아메리카에서 수년 혹은 수십 년 후에 고향으로 돌아갈 수 있었다. 영구적 이주를 한 사람들 대부분은 서부 개척지보다는 도시를 선택했다. 1920년 미국의 외국 태생 백인 가운데 75퍼센트가 도시에서 살았으며, 이는 러시아 이민자의 88퍼센트와 이탈리아 이민자의 84퍼센트가 포함된 수치다.

북아메리카로의 이주migration는 지구적 인구학을 개편시킨 더 큰 인구 이동의 일부였다(35장 참조). 매우 많은 수의 유럽인은 북아메리카와 함께 오스트레일리아, 뉴질랜드, 남아프리카공화국, 칠레, 아르헨티나, 브라질로 향한 배에 올랐다. 중국과 일본 노동자들은 캘리포니아뿐만 아니라 멕시코와 남아메리카로까지 향했다. 19세기 말 부에노스아이레스와 시카고는 공통점이 많았다(26장 참조). 두 도시 모두 부유한 농업 배후지들에 보조를 맞춰 성장한 번창하는 도시였고, 이민자들과 그 자녀들이 이른바 토박이 거주민들보다 3 대 1의 비율로 더 많았다. 미국이 1870년 26퍼센트에서 1920년 51퍼센트로, 캐나다가 1871년 20퍼센트에서 1921년 50퍼센트로 도시화율이 변화한 것처럼, 아르헨티나도 1870년부터 1914년까지 25퍼센트에서 53퍼센트로 도시화율이 변화했다([표 27.1] 참조).

　자신들의 말씨, 민족별 교회, 모국어 신문, 식료품점, 동네 neighbourhood를 가진 국외 이민자들은 북아메리카 도시들에서 눈에 띄는 새 이주민들이었지만, 새 도시에 인구를 채우는 데서 마찬가지로 중요한 요소는 기계화로 농장 노동자의 필요성이 줄어듦에 따라 농장에서 도시로 유입된 〔국내〕 미국인과 캐나다인이었다. 훨씬 더 많은 젊은이가 서부의 광활한 공간보다는 밝은 도시의 불빛을 향해 가족의 농장을 떠났다. 중서부 사람들은 시카고를 비롯한 수십 개의 더 작은 규모의 도시로 이주했다. 프랑스계 캐나다인들은 퀘벡의 농촌에서 몬트

[표 27.1] 북아메리카의 도시화, 1850~2001년 (단위: %)

연도	미국		캐나다	
	도시	거대도시권	도시	거대도시권
1850/1851	12		13	
1990/1901	40		37	
1950/1951	64	56	62	43
2000/2001	79	80	80	64

주: 캐나다는 1000명 이상의 도시와 거대도시권 인구조사. 미국은 2500명 이상 도시와 다양한 정의의 거대도시권

리올과 뉴잉글랜드의 공장 도시mill city들로 이주했다. 아프리카계 미국인들은 남부 도시들로 이주했으나 그 후 1910년대부터는 북부 도시들로 많이 이주했다. 개척자들이 밀 재배 경계선을 그레이트플레인스로 확장했을 때 뉴잉글랜드의 농촌과 중서부의 농촌은 인구 감소를 겪고 있었다. 일리노이주에서는 타운십township〔군구郡區〕— 지방정부의 하위 단위로 대략 36제곱마일 정도— 전체의 5분의 3이 1880년대에 인구가 감소했다.

소규모 타운을 떠나 거대도시로 향하는 젊은 남녀들은 당대 소설가들에게 주요 캐릭터가 되었다. 윌리엄 딘 하우얼스William Dean Howells의 소설 《사일러스 라팜의 출세The Rise of Silas Lapham》(1885) 속 주인공은 성공한 기업을 메인Maine주의 소규모 타운에서 보스턴으로 이전한 야심이 가득한 사업가다. 윌라 캐더Willa Cather의 소설 《오, 개척자들이여!O Pioneers!》(1913)에 등장하는 칼 린스트럼Carl Linstrum은 상업적 예술가로 일하고자 네브래스카Nebraska주의 농촌을 떠나 시카고로 간다. 아마 그는 자신도 모르는 사이에 시어도어 드라이저Theodore Dreiser의 소설 《시스터 캐리Sister Carrie》(1900) 속에서 대도시big city로 떠난 위스콘신주 출신의 10대 청소년 캐럴라인 미버Caroline Meeber〔캐리〕와 같은 전차에 타고 있었을지도 모른다.

소설가들이 급격한 도시화의 사회적 비용을 고민하는 동안, 시민 지도자들은 자신들의 도시가 기능을 유지하도록 싸워나갔다. 많은 사람이 유럽으로 시선을 돌려 모범 사례를 찾았다—하수도 건설의 전문지식은 런던이, 도시계획이나 공립도서관 및 공립미술관 모델 관련 실험은 독일이 그 대상이었다(25장 참조). 미국의 국가 지도자들이

1903년에 워싱턴DC의 기념물이 될 중심부를 개선할 때라고 결정했을 때, 그들은 유럽의 위대한 수도에 시찰 전문가들을 파견했다. 오타와 Ottawa, 디트로이트, 포틀랜드의 계획을 수립했던 에드워드 베넷Edward Bennett 같은 도시설계자들은 반복적으로 유럽을 언급했다. 1911년에 그는 포틀랜드가 강변 개발 계획을 세울 때 부다페스트Budapest[헝가리어 발음 부더페슈트]를 모방해야 한다고 말했다.

19세기 전반기에, 도시들에는 사업 지역이 부유한 사람과 가난한 사람이 종종 서로 아주 가까이 거주하는 주거 구역들과 뒤섞여 있었다. 선로 기반 교통수단(1830년대와 1840년대의 [철도선로 위에 있는 차량을 말이 끄는] 철도마차horse-drawn streetcar, 1870년대의 케이블카, 1889년 이후의 노면전차electric trolley) 덕분에 도시들은 이전보다 10배 이상 더 넓은 영역으로 퍼져나갈 수 있게 되었다. 여유공간이 생긴 시 중심지는 산업 구역, 소매업 구역, 사무직 구역으로 분류되었으며, 특히 사무직 구역은 새 통신기술의 덕을 봤다.

수평적으로 확장한 북아메리카의 도시들은 상수도 공급, 폐기물 처리, 운송, 개방 공간에 대한 물리적 수요가 있었는데, 이러한 것들은 충분한 투입과 자본으로 해결할 수 있는 문제였고, 북아메리카의 도시들은 이 두 가지 모두가 충분했다. 그것들은 또한 대륙횡단 철도 건설업자든 자치체의 기술자든 북아메리카 사람들이 즐겨 해결했던 종류의 물리적 문제였다. 그보다 더 어려운 도전은 종교적, 민족적 경쟁과 노동시장의 개인주의를 극복하는 공통의 기반과 공통의 문화를 찾는 것이었다.

한 가지 방법은 정치의 공식적 과정을 통한 것이었다. 당대 사람들은 정치 조직과 관련된 부패를 비난했으나, 정당 지지 조직들은 이민자 공동체를 동화하는 데서 중요한 역할을 했다. 이 고전적 정치 조직은 영속적 운동 장치로 고안되었다. 한편에서는 구역과 선거구 정보원들의 네트워크가 선거구 주민(주로 이민자와 그 자녀)들을 보살폈고, 일자리와 원조 물자를 분배했으며, 모두가 확실히 투표에 참여하도록 했다. 다른 한편에서는 정치 지도자들이 합법적 사업체에 도시 계약을 제공하고 술집·사창업소·도박장을 보호해준 대가로 재정적 기부와 보상을 받았으며, 이것들은 자기 주머니를 챙기고, 정당 활동가들에게 보수를 지급하고, 유권자들이 필요로 하는 것들에 자금을 지원하는 데 쓰였다. 이러한 정치조직들—뉴욕과 보스턴의 민주당원이나 필라델피아와 포틀랜드의 공화당원들에 의해 운영될 수 있었던—은 이민자들과 가난한 사람들의 여러 실질적 요구를 충족시켰다. 동시에, 이들 정치조직은 사회적 서비스를 제공하는 비용이 많이 들고 비효율적인 방법이었으며, 또한 중요한 이해 당사자들이나 현지 정부와 거래하지 않는 기업가, 세금을 내지만 그 대가를 거의 받지 못하는 중산층 거주민들을 배제했다. 이러한 이해 당사자들은 19세기에 산발적으로 성공했던 개혁 성향의 시장市長들을 지지했던 유권자들이자, 시 정부의 진보적 구조 변화를 지지하고 —1940년대까지만 해도 일부 남부 및 서부 도시에 남아 있었던— 정당의 보스party boss 체계 및 〔주요 정치인이 좌지우지하는〕 하부 정당조직political machine 체계를 점차 사라지게 한 유권자들이었다.

문화적이고 정치적인 차이는 자치체 정부 권한의 점진적이고 마지못한 증대에서 촉발되었다. 지자체(도시들과 특구들)는 항상 권한이 궁극적으로 존재하는 주와 지방에 의해 만들어졌다. 일례로, 19세기에 주 의회들은 도시 경찰력이 부패하거나 중산층에 해를 끼친다고 여겨졌을 때 정기적으로 경찰력을 통제했다. 20세기에 주들은 '자치home rule' 헌장 등으로 도시들에 점점 자율성을 부여했으나, 때때로 도시들의 수익 증대 능력을 계속해서 제한했다. 캐나다의 주들은 도시와 주 사이 정당과 정책의 차이를 반영하면서 지방정부의 구조를 바꿀 수 있는 권한을 여전히 가지고 있고 때때로 이를 행사하기도 한다.

부패정치에 대한 중산층의 혐오는 도시의 위기를 고조시키는 요소로 작용했다. 1870년대와 1890년대의 경제 불황, 대기업 부상, 북유럽에서 남유럽 및 동유럽으로의 이민자 출신지 변화는 대도시들에 집중된 공포감을 부채질했다. 비평가들은 낯선 언어를 구사하는 신규 이주민들로 가득 찬 동네들만이 아니라 1863년 뉴욕시의 드래프트폭동draft riot〔남북전쟁 중에 빈곤층에 불리한 연방징병법에 반대해 발생한 폭동〕, 1877년 전국적 철도파업, 1886년 시카고의 헤이마켓Haymarket광장에서 무정부주의자의 폭탄 투척 등과 같은 무질서의 발생에 대해서도 지적했다. 파리코뮌의 유혈진압을 염두에 두고 출간된 찰스 로링 브레이스Charles Loring Brace의 《뉴욕의 위험한 계급들The Dangerous Classes of New York》(1872)은 영속적 하층계급에 대해 묘사했다. 조시아 스트롱Josiah Strong은 《우리나라: 가능한 미래와 현재의 위기Our Country: Its Possible Future and Its Present Crisis》(1885)에서 "우리의 문명에 대한 위험요소들이 도시에서 저마다 증가하고 있고 도시로 집중되고 있다"라고 주장한바, 그가 가리킨 것은 술집, 이민자, 사회주의자, 가톨릭교도들이었다.[7] 문명에 대한 가장 치명적인 위협이 도시라는 내용의 기사가 대중잡지들을 가득 채웠고, 봇물이 터진 유토피아소설 및 디스토피아소설들이 그 위기에 응답했다. 특히 에드워드 벨러미Edward Bellamy는 엄청난 인기를 얻은 〔유토피아소설〕《뒤돌아보며: 2000년에 1887년을Looking Backward: 2000-1887》(1888)에서 서기 2000년 민주적 사회주의로 구원받은 보스턴을 전망했다.

　사실, 역사학자들이 포괄적으로 혁신주의Progressivism라고 묶는 실용적 해결책들이 있었다—이것은 〔미국 도시들인〕디트로이트와 클리블랜드를 버밍엄과 글래스고 같은 영국 도시들과 동등하게 위치시킨 개혁적 사고방식이었고, 이들 도시는 지방정부가 시장에 개입해 사회정의와 번영을 촉진했다. 개혁가들은 건축 법규와 주택 규제를 통해 물리적 슬럼가에 맞섰다—이는 정부가 민간의 주택시장에 개입하는 첫 단계였다. 개신교 성직자들은 사회적 복음Social Gospel을 통해 기독교를 전파했다. 영국을 모방한 인보관隣保館, settlement-house〔사회복지관〕운동은 대학 교육을 받은 남녀들이 이민자 동네에 살면서 직업훈련, 놀이터, 소비자 협동조합을 조직하게 하는 한편, 아동 노동 제한법과 노동조합 조직화를 지지하게끔 했으며, 이러한 사례로는 1889년에 제인 애덤스Jane Addams가 설립한 인보관인 시카고의 헐하우스Hull House가 가장 잘 알려져 있다. 이곳의 거주 활동가들은 시카고대학교의 새로운 사회학 학풍과 연관된 사회조사를 주도했다.

　혁신주의자들은 지방정부의 구조 개혁을 목표로 삼았다. 정직한 시장을 선출하는 것이 단기적 해결책이었다. 정치조직들의 지원을 받지 못한 개혁 성향의 후보자들은 정치적 보스가 주저하던 사이에 나팔꽃처럼 빠르게 시들해졌다. 개혁가들은 좀 더 영속적 변화를 목표로 구 단위의 시의회 선거를 '대선거구at-large' 또는 지역사회 전체의 투표로 대체하고, 후보자 정당 추천을 정당 미추천으로 바꾸는 한편, 시 행정직에 대한 시장 임명 방식을 공식적 공무원 체계로 대체하고, 자치체 행정부를 전문 관리인들로 전환했다. 이와 같은 모든 변화는 노동자들보다는 중산층에, 이민자들보다는 교육을 잘 받은 원주민들에게 유리했다. 데이턴Dayton〔미국 오하이오주〕에 소재한 내셔널캐시레지스터National Cash Register 회사의 사장은 도시를 주민이 주주인 기업체로 비유하면서 진보적 사업 방식을 설명했으며 자치체의 업무는 숙련된 전문가들에 의해 효율적으로 관리되어야 한다고 주장했다. 산업도시 데이턴이 시의회–관리 정부council-manager government〔내각책임제처럼 시의회와 시의원이 조례 제정이라는 입법 기능과 이의 실행이라는 행정 기능을 함께 담당하는 형태〕와 대선거구제 선거를 채택하기 이전에는 사회주의자들이 25퍼센트의 득표율로 몇몇 의석을 확보했는데, 변화 이후로 사회주의자들은 44퍼센트의 득표율을 기록하고도 단 한 의석도 얻지 못했다. 중산층 혁신주의의 성공은 왜 미국에는 사회주의가 없는가에 대한 베르너 좀바르트Werner Sombart〔독일의 경제학자·사회학자〕의 유명한 수수께끼에 대한 부분적인 답이 될 수 있다.

　일상생활이라는 좀 더 비공식적 영역에서 역사학자들은 도시민이 길거리와 공원 같은 공공공간을 확보하고자 경쟁하고 그것을 나누는 방식을 탐구해왔다. 또한 역사학자들은 일간지와 프로스포츠 같은 새 제도들이 이민자들과 원주민들에게 경험을 서로서로 공유하도록 하는 공통의 기반을 제공했다고 주장했다. 역사학자 리자베스 코헨Lizabeth Cohen은 시카고가 1920년에 민족적으로 분열된 노동자계급에서 1930년대 무렵 통일된 노동자계급으로 전환된 것을 설명했다. 민족별 식료품점, 은행, 교회, 신문들이 쇠퇴함으로써 많은 변화가 일어났다. 시카고 시민들은 그 대신에 체인 점포들에서 쇼핑하고 새로운 전국 라디오 방송을 들으며 할리우드영화를 보는 경우가 점점 많아졌다. 이러한 주류 문화에의 참여를 통해 등장한 백인 노동자계급은 자신들의 민족적 정체성은 유지하면서도 대공황 시기에 강력한 노동조합 운동을 지지할 공통의 필요성을 인식했다.

정치적 혼란 속에서 경제성장과 대규모 도시의 공간적 분화는 여성들에게 새로운 기회였다. 타이핑된 편지들로 가득 찬 캐비닛들을 쌓아놓아야 할 정도로 사업에 소통의 중요성이 커지면서 사무직 여성이 늘어났다. 이런 경향은 남북전쟁 기간에 워싱턴DC에서 시작되었다. 당시 젊은 남성들이 군대에 징집되어 여성들이 사무 인력의 수요를 채웠다. 1870년대와 1880년대에 여성들은 사무원, 타자원, 전화교환원, 소매점 직원 등의 직업 세계에 점점 더 많이 진출했다. 19세기 후반에 불균형한 비율로 여성들이 취득한 고등학교 졸업장은 정보처리 분야에서 여성의 능력을 보장하도록 도왔다. 1900년에 여성들은 전국 속기사·타자원의 76퍼센트와 전국 출납원·경리·회계원의 29퍼센트를 차지했다. 빠르게 성장하는 도시 인구는 또한 음식점, 식료품 상점, 하숙집, 호텔, 세탁소, 봉제 상점 등의 소규모 사업체를 운영하는 여성 사업가들에게도 기회를 열어주었다. 1880년 샌프란시스코에서는 약 1500명의 여성이 사업체를 운영하고 있었으며 이는 전체 노동 여성 인구의 약 10분의 1에 해당했다.

19세기 후반과 20세기 초반의 여성들은 일터 밖에서도 점차 대중적 존재가 되었다. 소비구역의 확대와 백화점의 부상은 중산층 여성들에게 신체적으로나 문화적으로나 안전한 도시공간을 창출했다. 필라델피아에서 중산층 여성들은 스트로브릿지스Strawbridges나 워나메이커스Wanamakers에서 쇼핑을 하고, 꽤 잘나가는 레스토랑에서 점심을 먹고, 브로드스트리트Broad Street의 아카데미오브뮤직Academy of Music에서 콘서트를 즐길 수 있었다. 같은 도시에서 호텔이나 하숙집에서 혼자 사는 도시의 노동자계급 여성들은 더욱 저렴하고 꽤 괜찮은 취미에 참여할 수 있었다. 중산층 여성들은 인보관 활동을 주도했을 뿐만 아니라 도시 미화 및 이른바 시민적 가정 유지 같은 전통적 주제들을 넘어선 점점 더 많은 자치체 정책에 참여했다.

1870~1920년 사이의 다른 모든 개혁가 못지않게 전문직 여성들 덕에, 북아메리카 도시들은 우리가 '대륙 시대Continental Era'라고 부를 수 있는 시기가 끝날 무렵에 거버넌스governance와 공공서비스에 대한 기본적인 문제를 많이 해결했다. 역사학자 존 티퍼드Jon Teaford는 이것을 자치체 정부의 예상치 못한 승리라고 부른다. 주민들은 깨끗한 물, 공원, 새로운 다리, 전차를 이용할 수 있었고 전차는 중산층이 혼잡한 중심부에서 탈출해 전차 노선이 제공되는 가족 단독주택들로 구성된 새로운 동네에 정착할 수 있도록 해주었다.

20세기 시작 무렵에 북아메리카 도시들은 처음부터 끝까지 경제적 기계였지만, 그곳의 부유한 신흥 사업가 계층 내에서는 유럽의 문화적 제도들을 모방할 시간이 생겼다. 도시 공무원들은 뛰어난 조경사들과 설계자들의 감독 아래에서 공원 및 공원도로와 같은 정교한 체계들을 개발했다. 시민 지도자들은 국제 전람회와 세계 박람회를 개

최했다. 민간 후원자들은 민간기관에서 공공기관으로 발전한 도서관을 설립했다. 재계의 거물들은 신설 대학들에 기부했고, 외국에서 수집한 미술품들을 새 박물관에 대여하거나 기증했다. 일례로, 시카고는 1890년대 초반의 3년 사이에 시카고심포니오케스트라, 미시간 애비뉴Michigan Avenue에 〔자리잡은〕 거대한 시카고미술관, 시카고대학교를 갖게 되었다.

19세기 후반에 시민 지도자들은 또한 많은 도시가 좁은 물리적 경계를 넘어서고 있다는 것을 인식했다. 일부 도시는 대규모 자치체 합병으로 대응했다. 시카고는 60제곱마일에서 1889년에 185제곱마일〔약 480제곱킬로미터〕로 세 배가 되었고, 로스앤젤레스는 새로 확립한 상수도 공급이라는 당근을 제공하면서 1900년에서 1915년 사이에 28제곱마일에서 260제곱마일〔약 670제곱킬로미터〕로 커졌다. 미국의 다른 곳에서는 지방정부 독립체entity였던 시city와 군country — 역사적으로 다른 기능을 담당하며 서로 구분되었다 — 이 단일한 광역자치체로 통합되었다. 덴버Denver, 필라델피아, 세인트루이스가 대표적인 예였으나, 1898년에 뉴욕시와 브루클린시와 교외 3개 군이 하나의 뉴욕 슈퍼시티New York super-city로 통합되면서 주목도가 가려졌다.

기회, 혁신주의적 개혁, 중산층의 교외suburb 이주라는 새 도시문화는 많은 사람에게 큰 혜택을 주었지만, 그것은 또한 백인의 문화이기도 했다. 교외의 안락함은 새 이민자보다는 토박이 미국인에게, 아프리카계 미국인보다는 이탈리아인이나 폴란드인에게 더 많이 허락되었다. 20세기가 시작될 무렵 미국 북부 도시들에서 작지만 중요한 존재였던 아프리카계 미국인은 1910년대부터 1960년대까지 남부 농장들과 도

시들을 떠나 북부 및 서부 도시들로 점점 더 많이 이주했다. 이미 포화
상태였던 일자리는 다 찼고 주택은 이미 누군가 거주하고 있었던 도시
에 도착하자마자 아프리카계 미국인들은 이민 온 지 얼마 지나지 않은
유럽 이주민들이나 토박이 노동자계급과 경쟁하며 일자리와 동네에
자신들을 비집어 넣어야만 했다.

　　아프리카계 미국인의 도시화가 갖는 긍정적 측면은 흑인 관련 기
업들과 제도들에 중요한 고객들을 집중시킨 것이었다. 애틀랜타는 오
번애비뉴Auburn Avenue를 따라 번창한 상업지구와 애틀랜타대학교로 합
병되는 대학들 덕에 아프리카계 미국인의 생활이 융성한 중심지였다.
워싱턴DC는 흑인 생활 및 문화의 또 다른 중심지였으며, 흑인 중산층
은 연방정부의 일자리와 야심 있는 아프리카계 미국인들을 끌어들인
하워드대학교의 지원을 받았다. 뉴욕의 할렘Harlem은 1910년대에 백
인 거주 지역에서 흑인 거주 지역으로 변화했고, 비판적 문화 생산자
와 소비자가 같은 도시에 집중되었을 때의 문화적 가능성을 전형적으
로 보여주었으며, 1920년대 아프리카계 미국 문학 및 음악에서 할렘
르네상스Harem Renaissance를 촉진했다(창의도시 뉴욕에 관해서는 38장을 참
조하라). 노퍽Norfolk, 피츠버그, 밀워키 같은 소규모 도시들에서는 노동
자계급 흑인들이 정당한 임금과 적합한 동네를 획득하고자 투쟁해 소
기의 성과를 거두었다.

　　도시로의 이주가 갖는 부정적 측면은 흑인 게토black ghetto들〔흑인
집중 거주 지구〕이 만들어졌다는 것이다. 남부의 농촌에서 북부의 도시
로 향한 아프리카계 미국인들의 이주는 제1차 세계대전으로 유럽 노동
자들의 유입이 중단되었던 1910년대 중반에 가속되었다. 백인 공동체

들은 도시의 단지 작은 일부에 불과했던 아프리카계 미국인 인구를 수용하고 무시할 수 있었지만, 예를 들어 1930년 디트로이트의 12만 명이라는 흑인 거주민의 수치는 1910년 6000명일 때와는 다른 도전이었다. 백인들은 흑인 거주민들에게 적합한 일부 지역을 지정하고 일부 지역은 그렇게 하지 않으면서 인종적 경계를 설정하는 방식으로 대응했다. 백인들은 1 대 1 린치나 1917년 세인트루이스 동부, 1919년 워싱턴DC와 시카고, 1921년 털사Tulsa 인종폭동, 제2차 세계대전 동안의 디트로이트, 모빌Mobile, 뉴욕의 또 다른 폭동의 물결을 겪으며 〔흑인 게토와의〕 경계선을 강화했다.

　백인들은 흑인 게토들을 폭력과 아울러 부동산 관행과 지방정부의 행동을 통해 규정했다. 경찰국은 백인 동네를 보호하는 방법으로 흑인 동네 내의 범죄를 묵인했다. 흑인에게는 정치적 영향력이 거의 없었던 만큼 시 정부는 〔흑인 게토에〕 기본적 서비스 제공을 소홀히 했다. 한편 이중구조의 주택시장은 고정적 공급량에 비해 높은 수요로 인해 과도한 임대료, 과밀overcrowding, 집주인의 방치로 이어진 일련의 한정된 동네들로 흑인 구매자와 임차인을 제한했다. 기본적 과정은 더 큰 규모의 도시에서나 더 작은 규모의 도시에서나 비슷했다. 덴버에 거주한 7000명의 아프리카계 미국인은 디트로이트에 거주한 12만 명의 아프리카계 미국인이 처한 것과 동일한 차별에 직면했다. 이 흐름은 흑인 게토 또는 아프리카계 미국인들의 공동체 관습에 의해 따로 정해진 구역들을 슬럼으로 바꾸었다.

　1910년에서 1940년 사이 200만 명의 아프리카계 미국인이 남부로부터 이주해와 최초의 흑인 게토가 형성되었다. 또 다른 300만 명은

1940년대와 1950년대에 남부를 떠나 아널드 허시Arnold Hirsch가 제2의 게토the Second Ghetto라고 지칭하는 곳을 채웠다. 최초의 흑인 게토들은 대부분 사적 행동의 결과였고, 제2의 흑인 게토들은 정부의 지원으로 확장되었다. 연방정부의 재정 지원을 받은 다운타운의 도시재생urban renewal과 고속도로 건설을 위한 토지의 수용은 마이애미에서 수천 명의, 시카고에서 수만 명의 아프리카계 미국인을 쫓아냈다. 동시에 대안으로 주어진 공공주택public housing은 샌프란시스코의 헌터스포인트Hunters Point와 로스앤젤레스의 사우스센트럴South Central과 같은 오래된 흑인 게토 동네와 새 흑인 게토 동네에 흑인을 재집중시켰다.

자동차가 주도권을 잡다

19세기의 교통 이야기는 12만 마일〔약 19만 3000킬로미터〕이상의 철도가 놓인 대륙의 경제와 함께 쓰일 것이다. 20세기의 교통 이야기는 압축적이고 중심화한 도시들에서 무분별하게 팽창한 거대도시지역 metropolitan region으로의 개방이었다. 그 촉매제는 대량생산된 자동차 automobile, 4만 7000마일〔약 7만 5600킬로미터〕의 미국 주간州間−고속도로Interstate Highways를 포함해 휘발유세로 자금을 지원받은 도로 건설 계획들이었다. 필요한 전제조건은 대륙 전역의 값싼 땅과 광대한 새 건조환경built environment을 조성할 수 있는 풍요였다. 그 결과는 거대도시 생활을 캐나다와 미국의 표준으로 만드는 것이었다([표 27.1]).

    교외개발suburban development의 단계는 명확하다. 먼저 시카고 노스

쇼어North Shore의 타운들이나 필라델피아의 메인라인Main Line(펜실베이니아철도Pennsylvania Railroad 서부 노선에서 따온 이름이다)과 같이 부유한 19세기 철도교외railroad suburb가 생겨났다. 그다음 1890년부터 1920년까지 노동자계급과 중산층의 전차교외streetcar suburb가 나타났고, 뒤이어 1920년대에는 자동차 기반 교외가 등장했다(현대적 타일 욕실이 딸린 조지 F. 배빗의 주택도 플로럴하이츠Floral Heights에 있었다).* 경제적 번영과 자동차 문화는 1945년 이후 주거지 교외의 엄청난 성장을 불러왔고, 20세기 마지막 10년 동안에는 랜치하우스ranch-house와 스플릿레벨split-level[주택과 지면 높이가 다른, 예컨대 도로 지면이 주택의 반지하층인] 주택들로 이뤄진 교외에서 '에지시티[경계도시]edge citiy'로의 변화를 가져왔다. 미국은 52퍼센트에 이르는 과반수가 교외에 거주하는 상황에서 원유 생산의 정점peak oil과 지구적 기후변화의 세기로 접어들었다.[8]

자동차교외automobile suburb에 관한 학술 문헌과 대중문학은 방대하고 서로 대립적이다. 교외 선택권은 경제적 위계의 모든 계층의 가구에 주어졌다. F. 스콧 피츠제럴드F. Scott Fitzgerald의 소설 《위대한 개츠비 The Great Gatsby》(1925) 속에서 뉴욕 롱아일랜드Long Island의 가상적 형태인 안락한 준準교외에서 살아가는 모든 제이 개츠비Jay Gatsby가 보기에 노동자계급 가족들은 전차 노선과 T형차model-T[모델-T. 미국 포드사가 만든 4기통 승용차(1908~1927). 최초의 대량생산 차]를 이용해 내부도시inner

---

* '배빗'은 미국인 최초의 노벨문학상 수상자 싱클레어 루이스의 유토피아소설 《배빗》(1922)의 주인공이다. 그는 가상의 '표준적인' 대도시 제니스시市의 교외인 플로럴하이츠에 사는 중산층의 부동산 중개업자로 그려진다. '배빗'은 "속물, 취미가 저속한 사람; 중산층인 체하는 저속한 실업가"을 뜻하는 일반명사가 되어 사전에 올라 있기도 하다.

city의 공동주택에서 벗어났다. 밀워키의 민족적 노동자계급은 경제적 사다리를 조금씩 올라가려 새로운 주택에 대한 투자를 활용했다. 1920년 대와 1930년대에 토론토와 로스앤젤레스 외곽의 많은 가구는 싼 땅을 구매해 방 하나씩을 지어가는 자체 건축가들이었다. 제2차 세계대전 이후 강력한 노동조합과 정부의 지원을 받는 주택담보대출mortgage 덕분에 더 많은 수의 가정이 뉴욕주 레빗타운Levittown, 캘리포니아주 레이크우드Lakewood, 여타의 대량생산된 구획들에 위치하는 900제곱피트〔약 84제곱미터〕형태의 주택으로 그들의 교외 거처를 마련할 수 있었다.

설명에서 비평으로 전환하자면, 서로 다른 주거환경의 장단점에 대한 이해는 고사하고 아무도 교외 스프롤suburban sprawl과 같은 용어의 정확한 의미에 대해 합의하지 않았다(42장 참조). 스프롤 현상은 저밀도 개발, 비연속적 개발, 또는 다중중심적multi-centred 개발을 의미할 수 있다─이런 특성들은 동반될 수도 있고 그렇지 않을 수도 있다. 피닉스Phoenix〔미국 애리조나주 주도〕는 여러 개의 중심지를 중심으로 저밀도로 개발되었지만 차지하는 건축 면적은 여전히 압축적이었다. 로스앤젤레스는 다중중심적이지만 상대적으로 밀도가 높은 편이며, 애틀랜타나 필라델피아보다 교외 스프롤 현상이 덜하다. 캐나다의 도시들은 일반적으로 미국의 도시들보다 더욱 압축적이고 몬트리올과 토론토 거대도시들은 밴쿠버보다 밀도가 높은데, 이 세 도시 모두는 오타와와 캘거리Calgary보다는 밀도가 높다.

거대도시지역의 수평적 확산은 현지의 거버넌스에 도전장을 내밀었다. 뉴욕은 1920년대에 1898년 〔광역시로의〕대통합 때보다 성장했고, 로스앤젤레스는 1950년대에 20세기 초반의 대대적 합병 당시보다 더욱 성장했다. 시카고와 세인트루이스 같은 중심도시central city의 지도자들은 중핵도시core city의 문제로부터 유리된 채, 자체의 교육, 토지 활용, 세금 정책을 추구하는 독립적 교외 자치체들의 고리처럼 자신들의 도시가 둘러싸여 있음을 발견했다. 인디애나폴리스Indianapolis, 내슈빌Nashville, 마이애미Miami 등지에서, 시-군 간의 통합은 문제를 해결하긴 했으나, 지속적인 교외화는 이러한 광역 정부들을 부분적 해결책에 지나지 않게 만들었다. 심지어 토론토는 〔사전에〕 발표된 토론토 광역시Municipality of Metropolitan Toronto(1954~1998)보다 더 커졌다. 오늘날에는 이 지역 인구의 절반이 주변의 교외에 거주한다. 캐나다와 미국은 현재 〔도시 주변에서〕 20만 명 이상의 거주민을 가진 곳들을 이른바 교외suburb로 간주한다—텍사스Texas의 알링턴Arlington, 콜로라도Colorado의 오로라Aurora, 온타리오Ontario의 미시소가Mississauga, 퀘벡의 라발Laval, 더 많은 이런저런 도시 등이 해당한다.

여성을 고립시키는 것에 대해 종종 비판을 받기도 했지만, 실제로는 교외의 개척지가 여성들에게 직접적인 정치적 역할을 하도록 요구했다. 제2차 세계대전 이후의 교외는 충분한 학교를 보장하고 교외 스프롤 현상이 물리적 환경에 끼치는 영향을 완화하려는 신속한 조치가 필요한 개척지였다. 이와 같은 도전에 대응하려는 노력은 여성들에게 시민 활동에 참여하고, 정치 기술을 연마하며, 지역의 공직에 출마할 많은 기회를 제공했다. 여성 시장은 1950년대와 1960년대에는 드물었으나 21세기에는 아주 흔한 일이며, 교외 정부는 여성들이 정치 경력을 쌓는 주요 통로였다(예컨대 알래스카주 앵커리지Anchorage의 교외 와실라Wasilla 시장이었던 세라 페일린Sarah Palin처럼).

현대의 거대도시경관metroscape이 순수한 시장 세력의 산물로 보일지라도, 그것은 공적 행동으로 배양되었다. 연방 차원의 계획들은 교외의 고속도로와 하수 처리 시설에 보조금을 지급하고 교외에 대한 주택담보대출을 보장했다. 시 중심지에서는 연방 기금이 1950년대와 1960년대에 도시재생 계획을 승인했고 대중교통을 구제했다. 지방정부들은 체육시설, 컨벤션센터, 복합 소매점 등에 보조금을 지급하면서 도시재생에 대한 사고방식을 계속 유지했다—이 모든 경제개발은 19세기 철도 보조금의 현대판이었다.

재개발이라는 불도저가 최대 출력을 냄과 동시에, 미국의 정책입안자들은 도시 빈곤의 지속, 특히 제2의 게토들에 갇힌 아프리카계 미국인 사이의 빈곤을 '재발견'했다. 1960년대의 '도시 위기urban crisis'는 급진적 조직과 폭력을 발생시켰다. 1965년 로스앤젤레스의 와츠Watts 구역 폭동과 1967년 뉴어크Newark 및 디트로이트 폭동에서 흑인들은 백인권력의 상징과 표상을 공격 목표로 삼았다. 그것은 또한 고용기회, 주택, 교육 및 공공서비스를 개선하려는 목적의 경제기회국Office of Economic Opportunity이나 모델도시들Model Cities과 같은 실질적 연방 차원의 계획들을 도입했다. 린든 존슨Lyndon Johnson 대통령〔재임 1963~1969〕과 그가 주창한 '빈곤과의 전쟁War on Poverty'으로 알려진 이 계획들은 1970년대에 대부분 단계적으로 폐지되었고 상점가bricks-and-mortar 조성 계획들이 지지를 받았다.

지속적 빈곤 뒤에는 미국 도시의 공간경제spatial economy가 있었다. 1940년대와 1950년대의 산업발전은 아프리카계 미국인을 디트로이트, 로스앤젤레스, 오클랜드와 같은 도시들에서 가족임금제family-wage

일자리로 끌어들여 흑인 중산층 확대의 기반을 구축하는 것처럼 보였다. 그러나 1960년에 들어서부터 산업 일자리는 여전히 아프리카계 미국인에게 개방되지 않은 교외로 옮겨갔다. 1970년대에는 많은 산업 일자리가 완전히 사라졌다. 백인 남성보다 흑인 남성의 실업률이 계속해서 높았기 때문에 아프리카계 미국인 베이비붐 세대는 나이가 들어가면서 자신이 소외당하고 있음을 알아차렸다. 문제는 밀집된 빈민 동네에서 가장 악화되었다. 2000년에 미국인 약 800만 명—흑인, 백인, 히스패닉계—은 동네 주민 40퍼센트 이상이 밀집된 빈민 동네에서 살고 있었다. 고립은 주거 형평성을 이루거나 좋은 학교를 찾는 것을 어렵게 하는 한편, 전형적인 게토문화를 집중시키고, 일자리와 비공식적 구직 네트워크 접근을 제한함으로써 빈곤을 악화시킨다.

1970년대 이래 미국 내에서는 세 가지 경향이 상호작용했다. 공정한 주거 입법과 점진적 교외의 통합은 인종에 따른 주거 분리를 감소시켰다. 통계 수치에 따르면, 2000년에 주거 분리의 수준은 1920년 이후 그 어느 때보다도 낮았다. 최근 이민자 상당수는 교외에 거주하고 있으며, 미국과 캐나다 모두에서 교외의 인종적 다양성을 증가시키고 있다. 동시에 소득과 교육 수준에 따른 분리가 심화해 인종이 아닌 사회계급에 기반을 둔 사회 분열을 향해가고 있다. 이러한 경향과 연관된 것이 내부도시 재활성화에 따라 빈곤 가구들을 더 오래되고, 덜 가치 있는 교외로 밀어 넣은 빈곤의 교외화the suburbanization of poverty다.

탈산업도시와 국제도시

2009년 제너럴모터스General Motors와 크라이슬러사Chrysler Corporation가 모두 파산하면서 북아메리카 경제가 변화했음이 분명해졌다. 제2차 세계대전은 유럽과 동아시아에서 재앙이었겠으나 미국과 캐나다에서는 1945~1974년 '대호황Great Prosperity'을 이끌면서 도시들에 엄청난 자극이 되었다. 그러나 19세기 초반 이래 산업적 역량을 쌓아오던 경제는 20세기의 마지막 4분기에 방향이 바뀌었다. 유럽에서처럼 중공업은 오래된 도시들을 뒤로하고 종종 국경을 넘어 라틴아메리카나 아시아로 이동했다. 그 대신 더 많은 노동자가 거대한 서비스 영역에서 일자리를 지켜냈고, 도시의 공무원들은 전자산업, 소프트웨어/멀티미디어, 의료 서비스 및 생명공학으로 눈길을 돌렸다.

산업의 국외이전outmigration에 대항하는 것은 외국으로부터의 이민immigration의 급증이었다. 1965년에 북유럽인에게 유리했던 이민할당제가 폐지되면서 1960년에서 2000년 사이에 다른 나라에서 태어난 미국 거주민의 비율이 6퍼센트에서 12퍼센트로 늘어났을 정도로 미국은 라틴아메리카와 아시아로부터의 대규모 이민을 받아들였다. 외국 태생의 캐나다인은 2001년 캐나다 총인구의 18퍼센트로 1931년 이래 가장 높은 비율을 보였다. 새로 이주해온 사람들은 뉴욕과 토론토와 같은 역사적 이민자도시immigrant city들에서 동네 모자이크를 재배열했고, 로스앤젤레스와 밴쿠버 같은 도시들을 범세계적cosmopolitan 공동체로 변화시켰다. 토론토의 던다스거리Dundas Street를 따라 전차를 타는 것이나 붐비는 퀸스Queens의 거리를 산책하는 것, 로스앤젤레스 교외를 드라

이브하는 것은 모두 활기찬 범세계적 도시에 대한 인상을 남긴다.

　이민, 방위산업, 여가산업에 의해 주도된 미국의 남부 및 서부 도시들은 1960년대 이후로 예전의 산업 중심부들을 추월했다. 신흥 선벨트Sunbelt 도시들은 대륙의 도시체계를 재조정했다. 로스앤젤레스는 뉴욕의 만만치 않은 맞수다. 마이애미, 애틀랜타, 댈러스, 밴쿠버는 경제 중심지로서 프로비던스Providence, 버펄로, 클리블랜드, 위니펙을 대신했다. 서부 도시들은 제2차 세계대전 이후 소비문화의 창시자이자 현장 실험자였다. 서부의 도시는 대중적 엔터테인먼트(할리우드Hollywood), 멀티미디어 혁신(샌프란시스코), 기술 혁신(실리콘밸리Silicon Valley)의 중심지가 되었다. 한편 미국 방식의 교외 출입통제 공동체는 중국이나 인도와 같은 신흥 부유국들의 모델이 되었다.

　많은 거대도시의 성장이 한계에 다다랐지만, 교외 스프롤, 쇼핑몰, 에지시티의 사무공간 등과 마주한 다운타운의 소멸에 대한 한탄은 과장되었을 수 있다. 사실 많은 도시는 에지시티의 부상에도, 덜 과밀하지만 번영하는 거대도시 중심지를 계속해서 개발해왔다. 은행, 관공서, 컨벤션 시설의 오래된 결절 지점에서부터 바깥쪽으로 확장된 이러한 지역들은 콘도 단지, 역사지구historic district, 스포츠 경기장을 아우른다. 이곳들은 몇 마일이나 뻗어 있고 거대도시권metropolitan area의 개발된 토지의 3~5퍼센트를 차지하고 있으며 거대도시권 전체에 서비스를 제공하는 공공시설과 공공기관들 대부분이 자리하고 있다. 걸어서 그곳들로 가기엔 어렵지만 '철로'를 통해서는 갈 수 있다. 실제로 거대도시의 중심부를 식별하는 가장 좋은 방법 하나는 새로 생긴 철도 환승 노선을 살펴보는 것이다— 일례로 시애틀의 '사우스다운타운South

Downtown'과 워싱턴대학교를 빠르게 연결하는 노선을 들 수 있다.

개별 은하계가 클러스터들로 합쳐지듯이, 개별 거대도시권들은 훨씬 더 큰 구조 속으로 결합한다. 지리학자 장 고트만Jean Gottmann은 1961년에 보스턴-워싱턴 회랑Boston-Washington corridor을 '메갈로폴리스'라 명명했다. 이 지역은 개별 도시들이 각각의 정체성을 유지하면서도 길이가 400마일[약 640킬로미터]이나 되는 더 큰 지역으로 상호작용을 했다. 50년 후 도시연구자들은 북아메리카의 초거대지역들을 정의하는 데서 고트만을 다시 끄집어냈다. 각각은 뚜렷한 역사적 정체성을 가지고 있고, 대규모의 교통 회랑을 중심으로 조직되어 있다. 여기에는 보스톤-워싱턴, 시카고-토론토-피츠버그 클러스터도 포함되는바, 일찍이 1960년대에 관찰자들은 각각의 클러스터에 5000만 명의 거주민이 있다고 식별했다. 그들은 또한 캐스케디아Cascadia(밴쿠버-시애틀-포틀랜드), 로스앤젤레스-샌디에이고San Diego, 멕시코만 연안Gulf Coast, 남대서양 피드몬트South Atlantic Piedmont 지역을 포함한다. 이것들은 일본의 도카이도東海道 회랑, 중국의 주장강珠江 삼각주Pearl River Delta, 유럽의 밀라노-맨체스터 중심지의 북아메리카 버전이다(현대 거대도시들에 대한 전반적 분석은 41장을 참조하라).

결론

도시는 북아메리카 성장의 원동력이었다. 19세기에 북아메리카 도시들은 대륙 개척지의 선두 주자이자, 산업 역량의 중심지였고, 이민자들의 도착지이자, 캐나다인과 미국인들의 정체성이 도시 생활의 교환 속에서 형성되는 활기찬 사회적 환경milieu이었다. 도시들은 또한 무대였는바 그 속에서 풍요로움과 자동차에 의한 이동성automobility은 남녀 모두를 비롯해 점차 인종적이고 민족적인 소수자들에게까지 주어진 혜택 및 비용과 함께 중산층 사회의 출현과 통합을 뒷받침해주었다.

도시 자체로는 다를 수 있지만, 현대 도시체계는 식민시대와 주목할 만한 유사성이 있다. 초기 유럽의 전초기지들은 상업적 연결과 런던·파리·마드리드 관료들의 변덕 때문에 동쪽으로 눈길을 돌렸다. 19세기에 대서양 횡단 네트워크가 여전히 중요하긴 했으나, 미국과 캐나다의 가장 중요한 계획은 도시 간 연결을 활용해 대륙 경제와 국가를 명확하게 표출하는 것이었다. 대조적으로 지난 반세기 동안 북아메리카의 도시들은 인터넷 시대 아이디어와 무역의 흐름, 제트기 시대의 사람의 흐름으로 다시 국제화되었다(미국 14개 공항과 캐나다 3개 공항은 2007년에서 2009년 사이에 연간 300만 명 이상의 국제선 이용객을 기록했다). 뉴욕의 정보 및 금융 산업들은 뉴욕을 런던·도쿄와 함께, 바짝 뒤에 쫓아오는 로스앤젤레스·시카고·토론토와 함께 글로벌도시global city로 만든다. 북아메리카의 소규모 도시들 또한 직접 국제적 역할을 담당한다. 덜 익숙한 사우스캐롤라이나주 스파턴버그Spartanburg나 오리건주 포틀랜드에 대한 외국의 투자는 휴스턴의 석유산업 전문기술 수출과 균형을 맞추고 있다. 애틀랜타의 국제적 연결성은 바르셀로나, 덴버, 헬싱키와 견줄 만하다. 요약하자면, 북아메리카 도시들은 두 세기 동안 국제 네트워크의 구성 요소라는 제자리로 돌아왔다.

주

1 괴테는 〈미합중국Den Vereinigten Staaten〉을 1827년에 썼고, 글은 다음에 포함되었다. Amadeus Wendt, *Musen-Alamanach* (1831).

2 George W. Pierson, *Tocqueville and Beaumont in America* (New York: Oxford University Press, 1938), 543, 552.

3 Rudyard Kipling, *From Sea to Sea: Letters of Travel* (Garden City, N.Y.: Doubleday, Page and Co., 1913), Part II, 139.

4 Leon Trotsky, *My Life* (New York: Grosset and Dunlap, 1960), 270.

5 대서양 연안에서 서쪽으로, 1700년대 후반에 가장 규모의 식민도시는 인구 4000~5000여 명의 뉴올리언스와 인구 1000~2000여 명의 샌안토니오였다.

6 *Niles Weekly Register*, 19 September 1812, 인용은 Seth Rockman, *Scraping By: Wage Labor, Slavery, and Survival in Early Baltimore* (Baltimore: The Johns Hopkins University Press, 2009), 16.

7 Josiah Strong, *Our Country: Its Possible Future and Its Present Crisis* (New York: Baker and Taylor, 1891), 177.

8 미국 인구조사는 거대도시통계권Metropolitan Statistical Area, MSA을 '중심도시central city'와 경제 연계가 긴밀한 주변 카운티로 정의한다. 중심도시 내에 없는 MSA의 모든 사람은 정의상 '교외주민suburban'이다. 캐나다통계청이 인구조사에서 거대도시권에 사용하는 다른 정의는 직접적 비교를 어렵게 한다.

참고문헌

Abbott, Carl, *How Cities Won the West: Four Centuries of Urban Change in Western North America* (Albuquerque: University of New Mexico Press, 2008).

Cronon, William, *Nature's Metropolis: Chicago and the Great West* (New York: Norton, 1991).

Dennis, Richard, *Cities in Modernity: Representation and Production of Metropolitan Space, 1840-1930* (New York: Cambridge University Press, 2008).

Deutsch, Sarah, *Women and the City: Gender, Space and Power in Boston, 1870-1940*

(New York: Oxford University Press, 2000).

Goldberg, Michael, and Mercer, John, *The Myth of the North American City* (Vancouver: University of British Columbia Press, 1986).

Goldfield, David, *Cottonfields and Skyscrapers: Southern City and Region, 1607-1980* (Baton Rouge: Louisiana State University Press, 1980).

Hamer, David, *New Towns in the New World: Images and Perceptions of the Nineteenth Century Urban Frontier* (New York: Columbia University Press, 1990).

Hirsch, Arnold, *Making the Second Ghetto: Race and Housing in Chicago, 1940-1960* (New York: Cambridge University Press, 1983).

Meinig, Donald, *The Shaping of America: A Geographical Perspective on 500 Years of History*, 4 vols. (New Haven: Yale University Press, 1986-2004).

Nash, Gary, *The Urban Crucible: The Northern Seaports and the Origins of the American Revolution* (Cambridge, Mass.: Harvard University Press, 1986).

Teaford, John, *The Unheralded Triumph: City Government in America, 1870-1900* (Baltimore: The Johns Hopkins University Press, 1984).

Wade, Richard, *The Urban Frontier: The Rise of Western Cities*, 1790-1830 (Cambridge, Mass.: Harvard University Press, 1959).

제28장

중국: 1900년~현재
China: 1900 to the Present

크리스틴 스테이플턴
Kristin Stapleton

중국의 도시들에 변화는 1900년 이전 몇 년 동안 일어났다. 윌리엄 로
William Rowe가 17장에서 언급한 '개항장[조약항]'들의 확대와 영국의 지
배 아래 놓인 주요 중국 도시 홍콩의 성장은 많은 중국인이 신문·전
차·전기·백화점 같은 새로운 도시현상만이 아니라 도시행정에 대한
외국의 개념들과도 접촉하게 해주었다. 1900년경 중국 해안도시[연안
도시]에서의 물질적 삶은 크게 바뀌었으나, 나라를 통치한 청 왕조 관
료들은 중국의 사회정치적 질서 속에서 도시들의 위상에 대한 새 전망
을 전혀 밝히지 않았다. 경제와 기술의 발전에도, 공직 사회는 중앙의
통치자가 "백성을 돌보고", 질서를 유지하고, 세금을 징수하고자 모든
지역의 행정 중심지에 뛰어난 공무원을 배치한다는 국토 인식을 고수

했다. 심지어 1898년 궁정개혁〔무술변법戊戌變法, 변법자강책變法自彊策〕 이후 망명지에서 쓴 글에서 개혁가 캉유웨이康有爲조차 중국이 경제발전을 전국에 고르게 확산해 도시city와 시골countryside 사이 격차를 최소화함으로써 산업화한 서유럽의 사회문제를 피할 수 있을 것이라 전망했다.

윌리엄 로가 17장에서 주장하듯 농촌rural과 도시 생활 사이에 거의 차이가 없는, 관료적으로 관리되고 사회적으로 균질한 중국 사회에 대한 이와 같은 전망은 언제나 커다란 하나의 신화에 불과했다. 그럼에도, 1900년 이후 중국 도시의 역사가 단절된 만큼이나—제국 질서의 붕괴, 세계경제로의 빠른 통합, 대공황의 위기, 엄청난 규모의 전쟁, 마오주의毛主義〔마오쩌둥사상毛澤東思想〕 혁명과 문화대혁명, 최근의 산업 및 상업의 경이적 급증— 정치 지도자들과 이론가들의 도시의 역할에 관한 구상에는 상당한 연속성이 존재해왔다. 시기에 따라 도시와 그 거주민들은 '국가를 부강하게 하는 것' '백성을 섬기는 것' '조화로운 사회를 창조하는 것'을 요구받았지만, 문화대혁명文化大革命, Cultural Revolution(1966~1976)의 시작을 제외하고는, 도시들은 중앙의 국가에 의해 확고히 통제되어야 했다. 중국의 독특한 근대 도시사는 때로는 외국의 영향을 환영하고 때로는 그것을 외면한 지도자들의 국가주의적 목표와 다양한 사람들의 기업가적이고 창조적 에너지 사이의 긴장을 반영한다.

아래에서는 중국의 도시 생활과 20세기와 21세기 초반에 도시체계urban system를 형성했던 정치 및 경제 환경의 변화에 대한 연대기적 설명을 제시할 것이다. 첫 번째 꼭지는 청 왕조 마지막 10년 동안 시작된 도시 행정 개혁과 기술 변화, 1911년 청 붕괴 이후 혼란기의 도시 개발을 다룬다. 다음 꼭지에서는 1949년 중화인민공화국 수립과 함께 시작된 소련의 영향을 받은 도시주의urbanism의 새 시대를 살펴본다. 마지막 꼭지는 마오쩌둥 이후 시기인 1978년 이래 '개혁개방' 시기의 도시 생활을 관찰한다. 1978년부터의 중국 도시체계의 변화는 또한 홍호펑Ho-fung Hung, 孔誥烽과 잔사오화Shaohua Zhan에 의해 다소 심층적으로 검토되었다(34장 참조). 2000년 무렵 도시들의 공간적 양상에 대해서는 [지역지도 III.5]를 참조하라.

독자들은 1900년 이후 중국 도시사의 서사가 수많은 방법론적 도전에 직면해 구성되었다는 것을 명심해야 한다. 이 책에서 논의하는 세계의 다른 지역들과 비교해, 근대 중국은 눈에 띄게 밀집된 도시체계가 그 특징으로 농업 공동체, 지역적 무역 허브hub 및 행정 중심지, 상하이·광저우廣州를 중심으로 하는 주장강珠江 삼각주 도시복합체urban conglomeration 같은 거대한 산업도시industrial ctiy 항구들을 포함하는 다양한 크기의 수백 개 도시권urban area으로 구성되었다. 이 시기에 중국을 통치한 여러 나라의 정부들은 아래에서 다루어질 이동(성)mobility을 제한하는 가구 등록제인 호구戶口 제도 같은 정책을 입안해 중국의 도시주의를 형성하는 데 커다란 역할을 했다. 도시 규모와 도시 생활의 다른 측면에 대한 통계 역시 국내 정치 상황을 반영한다. 안정적인 중앙정부가 유지되지 않은 그리고/또는 전쟁에 휩싸인 때인 20세기 전반기에 중국의 도시 인구와 그 인구들을 연결하는 네트워크는 심하게 요동쳤다. 개별 도시들이 상당히 깊이 검토되었으나, 학자들은 그 시기의 중국 도시 변화에 대한 신중하고 포괄적인 개요를 아직 제시하지 못하고 있다. 지리학자 캄윙찬Kam Wing Chan, 陳金永은 1949년 이후 공식 통계자료들이 어떻게 도시 인구를 과대 보고 했는지를 분석했다. 도시 인구를 과대로 보고한 원인은 높은 인구밀도의 주거구역과 주로 농경지인 배후지hinterland의 넓은 영역을 모두 포함하는 도시의 행정구역에 대한 국가의 비정상적 정의 때문이다.[1] 그러나 최근 수십 년 동안은 이주 노동자들이 종종 도시 인구 통계에서 제외되어 중국의 도시 규모를 과소평가하게 되었다. 특히 수백만 명의 이주민을 끌어들인 산업화한 해안도시〔연안도시〕coastal city와 성도省都의 경우가 그러하다. 한마디로, 중국 도시화urbanization의 근대사는 이 장에서 단지 윤곽만을 그려낼 수 있는 복잡하고 고도로 정치화한 주제다.

도시 정치, 네트워크, 도시 생활 바꾸기, 1900~1948년

1901년 청 정부는 중국의 지방 성도省都와 여러 주요 도시를 빠르게 재편성하는 '광서신정光緖新政' 개혁에 착수했다.* 1900년에 반외세 의화단운동義和團運動의 여파로 베이징을 점령한 외국 열강으로 인해 왕조가 추진할 수밖에 없었던 개혁은 정부의 사회 통제력을 높이고 그리하여 외국인에 대한 추가적인 공격을 막으려는 의도였지만, 광서신정의 범위는 일본 메이지 시대의 개혁들과(29장 참조) 유사한 성격으로 빠르게

---

* '광서신정'은 청의 마지막 개혁으로 서태후 주도로 진행된 정치개혁이다. 입헌운동을 포함해 정치개혁, 세제 개편과 공업 진흥 등 경제개혁, 사법·교육·군사 개혁을 망라하며, 지방자치를 확대해 중국에 주요한 변화를 가져왔다.

확장했다. 지방관들은 상회商會, chamber of commerce, 전문경찰력, 위계적 관립학교, 지방의회 등 새 도시기관들을 창설하고 이를 실험했다.[2]

1911년 제국체계의 붕괴는 주로 광서신정을 통해 이루어진 중국 도시들의 변화에서 비롯했다. 상회와 지방의회 같은 새 도시기관들의 설립은 각 지방 유력인사들이 외채 계약 같은 중앙 정책에 이의를 제기할 수 있는 새로운 기반을 확립했다. 상당수가 일본에서 유학한 정치화한 학생들과 군 장교들은 각 지방의 성도로 결집했다. 개혁을 지원할 목적의 추가적 세금 부담은 농촌의 불만을 가중했다. 중국공산당 Chinese Communist Party, CCP은 1911년 혁명1911 Revolution〔신해혁명辛亥革命〕을 '부르주아적'이라고 규정했으나, 왕조에 대한 분노는 계급과 지역의 구분을 넘어섰다. 청은 넓게 확산된 봉기 속에서 멸망했다.

1912년 초반에 세워진 중화민국은 오랫동안 나약한 상태로 유지되었다. 중앙정부를 형식적으로만 존중하는 지역 군벌들은 청이 통치했던 영토 대부분을 통제했다. 어떤 면에서는 중앙정부의 나약함이 지방 도시의 발전을 촉진하기도 했다. 만성적 전쟁과 도적 행위는 상대적으로 안전한 도시로 이주할 수 있는 사람들을 부추겼다. 잠재적 국가 지도자로 인식되길 희망한 많은 군벌은 자신들의 기반이 되는 도시의 경제성장을 지원했고 또한 새 상점가나 공원과 같은 화려하게 꾸민 건설 계획을 후원했다. [도판 28.1]은 관련 개선이 이루어지기 이전 청두成都의 거리 풍경을 보여준다.

도시개발urban development에 대한 이와 같은 집중은 광서신정 시기의 의제를 광범위하게 지속시켰다. 그러나 이런 연관성이 강조되지는 않았다. 공화국 아래에서는 새로움 그 자체가 가치 있는 것이었다.

[도판 28.1] 중국 청두, 1928년경 거리 풍경. 도로 확장이 시작되기 직전 주요 거리의 전형적인 모습.
교자轎子(가마)와, 긴 옷을 입은 보행자들과 이미 나란히 자리한 인력거와 전신주를 쉽게 발견할 수 있다.
(출처: United Church of Canada Archives, Toronto: catalog no. UCCA, 98.083P/25N)

1910년대 말부터 일부 지역 행정가들은 급성장하는 국제적 도시계획 운동을 받아들였다. 일본, 유럽 및 미국에서 유학을 마치고 돌아온 학생들은 도시행정을 가르치는 대학 학부를 설립하고 도시계획 원리를 확산하는 학술지를 창간해 '정원도시garden city'와 같은 개념과 유럽·일본·미국 도시에서 적용되는 도로와 건물 건설 기준들을 소개했다.

도시를 자신들의 통치 기념물로 바꾸려는 지역 군벌들의 노력에도, 성도들은 심지어 베이징조차도 1912년에서 1949년 사이에 상하이의 그늘에 가려졌다. 상하이는 중국의 가장 중요한 경제·문화 중심지로 급부상했다. 1860년대 초반에 상하이는 중국인 구역인 화계華界, 영국인들이 지배적이었던 공공조계公共租界, International Settlement, 프랑스조계French Settlement로 구성되었다. 1910년에서 1930년 사이 이 세 지역의 총인구는 약 300만 명으로 3배 증가했다. 대다수 사람들은 산업 및 교통 부문의 고용, 또는 성性노동, 가사노동과 같은 다른 영역의 직업적 기회에 이끌려 상하이의 배후지로부터 온 중국인 이주민이었다. 제1차 세계대전 동안 섬유와 다른 제품에 대한 수요는 상하이의 경제를 부양했다. 중국과 일본의 산업가들은 상하이에 공장을 지었고 도시는 금융·무역·해운의 중심지가 되었다. 상하이에 본사를 둔 출판사와 영화사들은 도시의 패션과 문화를 전국적으로 확산했다.[3]

상하이의 파편화한 정치적 환경, 많은 인구, 부富는 정치적 활동가들과 범죄자들을 유인했고, 그들은 관할권을 넘나들며 각 관할권 당국 사이를 반목시켜 이익을 얻었다.[4] 도시로 온 이주민들이 흔히 가입한 향우회는 이주민들의 도시 생활로의 통합을 손쉽게 하고, 상업 활동을 조직했으며, 때때로 도시 정치urban politics와 국가 정치에서 일정한 역할을 담당했다(17, 35장 참조). 중국공산당은 1921년 프랑스 조계에서 설립되어 1925년 5월 30일, 공공조계의 경찰이 일본인 공장의 노동자 처우에 항의하는 시위대를 사살한 이후 확대되었다.

도시의 반反외국인 정서는 1923년 코민테른Comintern의 중재로 연합전선을 형성한 중국 공산당과 국민당Nationalist Party, GMD 둘 다의 성장을 촉진했다. 코민테른 요원들은 홍콩에 가까운 광저우에 있는 국민당의 근거지에서 국민당 군대의 훈련을 도왔고, 국민당은 이를 통해 베이징에 기반을 둔 정권의 정통성에 도전했다. 1926년 장제스蔣介石는 전국을 국민당의 지배하에 두려는 '북벌北伐, Northern Expedition'에서 이 부대를 지휘했다. 양쯔계곡의 주요 도시에서 거둔 장제스의 신속한 승리의 결과로 그의 경쟁자들이 항복했고, 장제스는 양쯔강을 따라 상하이 서쪽의 난징南京에 1927년에 새 정부를 수립했다.

장제스의 중국국민당 체제는 새 경찰, 건축 규정, 도로포장, 학교·공원·감옥의 건설 등을 통해 도시에 질서를 가져오려 시도하면서 청 말기 광서신정의 많은 의제를 부활시켰다.[5] 청 말기와 마찬가지로, 정부의 주도권이 전국 모든 규모의 지역사회에 도달되어야 했으나, 재정 및 노력 대부분이 새 수도를 포함한 가장 큰 규모의 도시들에 투여되었고 이는 즉시 전쟁으로 파괴되고 도적이 만연한 지역으로부터 구직자와 피난민의 물결을 유인했다.

이 격동의 시기에 대한 국가 통계는 매우 열악하지만, 중국에서 도시화가 전국적으로 크게 확대되지는 않은 것으로 보인다. 난징 외에도 상하이 및 톈진 같은 '개항장〔조약항〕treaty port'들이 빠르게 성장했고, 영국령 홍콩과 일본이 통치한 다롄大連·하얼빈哈爾濱 등 만주 도시들도 그러했다. 다른 도시들은 천천히 성장했지만, 적어도 많은 도시가 전기·영화관·전차 등 '근대도시modern city'의 특성들을 습득했다. 철도망은 중국 동부의 주요 도시를 연결했고, 중국의 바깥 세계로 향하는 주요 관문인 상하이에 경제가 더 크게 집중되도록 재정비했다.

중국국민당의 도시 정부urban government는 계속해서 권위주의적이었다. 국민당의 이데올로기는 민주적 통치를 표방했으나, 이는 사람들이 좋은 시민이 될 수 있도록 준비시키는 '훈정訓政, political tutelage' 시기가 끝난 후의 민주주의를 의미했다. 따라서 1930년대 초반 발표된 도시 규정은 도시 거주민들에게만 자문가의 역할을 주었으며, 그들의 견해는 정부에 등록하도록 요구되는 상회와 노동조합과 같은 단체를 통해 도시 지도자들과 공유될 것이었다. 시 정부city government들은 장제스와 연합한 군사지휘관 중에서 국민당 지도부가 직접 임명한 지방관들이 임명하는 시장들에 의해 주도되었다.

그러나 이러한 하향식 도시행정 구조가 1930년대에 강화되는 한편, 이전 수십 년 동안 발전해온 사회문화 운동이 중국의 도시경험urban experience을 계속해서 변화시켰다. 청의 마지막 몇 년 동안에 여성 교육과 가족 개혁 지지자들은 이미 여학교를 세웠다. 1930년대에 여성들은 상하이에서 공장 노동력의 많은 부분을 공급했고, 부유한 여성들은 전문직과 주부 소비자로서 더욱 많은 공적 역할을 담당했다.[6] 해안도시[연안도시]의 중산층 주택은 상하이의 대규모 주택단지처럼 기존의 문화적 규범인 확대가족보다는 핵가족에 맞추어 설계되기 시작했다.[7]

경제성장은 많은 중국 도시의 구조적 변화를 이끌었다. 상하이 구도심을 에워싸고 있었던 성벽은 더 편리한 소통을 목적으로 1912년에 철거되었다. 1910년대에 산업가 장젠張謇은 상하이 북쪽에 위치하는 그의 고향 난퉁南通 인근에 눈에 띄는 시계탑, 공장 기숙사, 학교, 박물관이 있는 새로운 시범적 공장타운factory town을 건설했다. 민생윤선유한공사民生輪船有限公司의 설립자 루쭤푸盧作孚도 양쯔강 상류 충칭重慶 인근 베이페이北碚에서 같은 일을 했다. 두 시범타운model town 모두 도시계획 잡지들과 대중 언론으로부터 많은 관심을 얻었고, 수천 명의 방문객을 맞이했으며, 다른 도시들의 시계탑, 박물관, 공장 복합단지[복합체]factory complex 건설에 영감을 주었다.[8] 증기선과 철도는 점점 더 많아지는 전문직 종사자와 학생에게 장거리 이동을 가능하게 했다. 수만 명의 젊은이가 20세기 전반기에 증기선을 타고 일본·미국·유럽으로 유학길에 올랐다. 상하이와 홍콩은 1930년대에 세계에서 가장 활발하게 여객선과 화물 운송을 하는 항구의 하나였다. 홍콩과 동남아시아에서 성공한 중국인 사업가들은 상하이와 자신들 고향 성省의 산업과 상업에 투자했다.

문화적으로 도시들은 상당한 혼란을 겪었다. 굶주린 난민들이 유행하던 나이트클럽 입구에서 구걸하는 상하이는 영화제작자들과 유명 소설가들의 도움으로 재즈시대jazz age〔1920년대〕의 태평함과 냉혹함의 상징이 되었다. 그러나 베이징과 성도들에서와 마찬가지로 상하이의 대학들도 좌파 단체들을 육성했고, 진지한 대학생들은 노동자들에게 읽는 법과 사회 부조리를 인식하는 법을 가르쳤다. 인근 난징의 중국국민당 정부는 서구적 퇴폐로 비난하던 것들을 타파하고, 1927년의 유혈숙청으로 인해 지하활동과 도시 밖으로 내쫓긴 중국공산당에 의해 전파된 급진적 정치사상을 막으려 1934년에 신新전통주의적 신생활운동을 시작했다.* 유교적 수사와 파시스트 경향의 군사적 훈육을 결합하려는 국민당의 시도는 당 지도자들이 모여든 학생과 군인들을 교육했던 주기적 집회 이외에는 도시 생활에 별다른 영향을 끼치지 못했다.

새 수도에 입성한 지 불과 10년 만인 1937년에 중국국민당은 일본의 전면적 중국 침략에 직면해 난징을 포기했다. 1937년과 1945년 사이 중국의 모든 연안과 동부 도시들은 일본의 지배하에 놓였고 많은 재앙으로 고통을 받았다. 수백만 명의 중국 난민들이 전쟁 기간에 일본인들이 정복할 수 없었던 중국 서부와 남서부의 성도들로 몰려들었다. 공장과 학교는 국민당의 임시 수도인 충칭, 구이린桂林, 쿤밍昆明, 청두로 소개疏開되었다.⁹ 1941년 이후 연합군은 이들 도시에 공군기지를 세워 1939년과 1940년에 겪었던 일본군의 끔찍한 공습을 종식시켰다. 여러 면에서 일본과의 전쟁 중에 중국 서부에 자원을 투입한 것은 중국 내륙도시interior city들의 경제적·문화적 변화를 가속했고, 이는 1949년 이후의 중국공산당 정부 아래에서 다른 형태로 계속되었다.

1945년 일본의 패전으로 중국국민당은 중국 동부 도시들을 다시 장악했다―1895년 이후 일본의 지배를 받아온 타이완의 타이페이臺北와, 1930년대 초반 이후 일본의 지배를 받아온 만주국滿洲國의 일부로서 산업 중심지로 성장한 북동부 도시들을 포함했다. 그러나 이와 같은 도시권에서 안정적 행정을 재확립하는 일은 국민당이 극복할 수 없는 과제였다. 기반설비는 엉망진창이었고 국고 역시 고갈되었다. 귀환

---

* 1927년의 '유혈숙청'이란 '4·12정변'을 말한다. 북벌군이 상하이를 점령하기 전에 상하이의 노동자들이 무장봉기해 군벌을 몰아내자, 반공反共을 표방한 장제스가 정변을 일으켜 다수의 노동자와 공산당원을 학살한 사건이다. 제1차 국공내전으로 이어지는 계기가 되었다.

한 난민들은 재산 회복을 원했으며 배후의 '친일 부역자들'에 대한 처벌을 요구했다. 인플레이션은 혼란을 확산시켰다. 국민당 정부는 중국공산당 경쟁자들이 중국 북부를 가로질러 전진하는 동안에도 중핵도시core city들에서 신뢰를 잃었다. 공산당은 국민당이 점령한 만주 도시들을 포위하고 싸운 이후 1949년에 남쪽으로 진군해 놀라울 정도로 쉽게 국민당 영토의 나머지를 차지했다. 전쟁에 지친 중국 전역의 도시 주민들은 두려움, 호기심, 희망이 뒤섞인 상태로 다가오는 공산당 군대를 거리에 줄지어 서서 환영했다. 공산당이 베이징을 새 중화인민공화국People's Republic of China, PRC의 수도로 선언함에 따라, 200만 명의 국민당 지도자, 군인, 지지자들이 본토를 떠나 타이완으로 건너가 중화민국中華民國, Republic of China의 임시 수도를 따로 세웠다.

마오쩌둥 시기의 도시들, 1949~1978년

중국의 공산당 지도자들은 1949년 이전까지 대규모 도시를 통치한 경험이 거의 없었다. 그러나 30년간의 내전을 거치며 그들은 조직, 훈육, 선전 기술을 연마하게 되었고, 소련과 동맹이 되었다. 중화인민공화국 도시사에서 소련 고문들의 역할은 제대로 연구되지 않았다. 확실히 1950년대에 베이징과 지방 성도들에 건설된 대규모의 중앙광장과 기념(비)적 정부 건물들은 소련의 모델들에 빚지고 있다.[10] 많은 도시 성벽이 허물어진 곳을 순환도로들이, 베이징의 경우에는 지하철 체계가 대체했다. 소련의 경제성장 모델을 따라 중국공산당의 제1차 5년계획

五年計劃〔1953~1957〕은 중앙집권적 의사결정과 중공업을 강조했다. 정부는 신속하게 자체 화폐를 발행해 도시들에서 혼란을 낳은 초인플레이션hyperinflation을 잡았다〔간칭 '5년계획'의 정식 명칭은 '중화인민공화국 국민경제와 사회발전 5개년규획中華人民共和國國民經濟和社會發展五年規劃'이다〕. 민간기업의 국유화가 신속하게 이어졌다. 중국국민당이 완전히 통제하지 못한 19세기 중국 도시들을 특징지은 활기찬 결사체 활동은(17장 참조) 중국공산당 통치 초창기에 거의 완전히 금지되었다.

　　마오쩌둥毛澤東의 중국에서 도시 생활의 틀을 구성한 새로운 제도들은 단위單位, work-unit와 주민위원회인 거위회居委會, neighbourhood committee였다.* 모든 공장, 학교, 병원, 상점, 정부기관은 각각의 직원들을 단위로 조직했고, 관련 중국공산당 지부가 지도력을 발휘했다. 단위는 주민들에게 주택, 의료, 배급 쿠폰을 제공하는 통로였다. 모든 단위는 아니었지만, 상당수의 단위가 도심 중심부에 주택을 제공했다—벽으로 둘러싸인 복합단지 내 6층짜리 아파트 블록들이 중국의 많은 도시에서 지배적이었다. 대규모 단위에서는 주거 복합단지들이 상점·학교·진료소를 포함하고 있어 거주민들이 밖으로 나갈 필요가 거의 없었다.[11] 1920년대와 1930년대부터 밀집된 주택 개발이 이루어진 상하이의 주택들은 양식적 특이성을 유지했으나, 단독주택용으로 건립되었던 아파트들은 여러 가족들 사이에서 분할되었다. 거위회는 대규모 단위가 없는 지역에서 더 중요한 역할을 했다. 그러한 지역의 주민

---

*　'단위'는 노동자의 생활과 재생산의 조직적 형식을 지칭하는 용어로, 이동을 최소화하는 조건에서 안정적인 사회 관리 체제를 수립하기 위해 중국공산당이 조직한 일종의 제도 또는 체제다. '거위회'의 정식 명칭은 가도거민위원회街道居民委員會다.

들은 정기적으로 만나 정부 정책에 대해 배우고 토론했다. 은퇴한 주민들은 종종 동네neighbourhood 결사들의 요직을 맡았으며, 일반적이지 않은 사건들을 주시하고 이를 지역 공안국에 보고했다.

도시의 문화 영역은 학교, 출판, 방송, 영화 제작 등을 신속히 장악한 중국공산당에 의해 지배되었다. 사창가·도박장·아편굴은 폐쇄되었고, 성性노동자들과 마약중독자들은 '개조' 수용소와 감옥에서 '재교육'되었다. 교회·사찰·모스크는 해체되거나 당의 감독에 복종해야 했다. 사회주의권의 우호국 출신을 제외한 외국인들은 대부분 추방당했다. 마오주의자들의 구호는 도시와 타운 전역의 현수막에 등장했고 학교, 단위의 복합단지 출입문들에 그려졌다. 노동자와 군인들의 제복은 혁명적 열정의 징표가 되었고 1960년대에 이르러서는 학자다운 긴 가운과 몸에 꼭 맞는 의상들과 같은 이전 시대의 의상들을 완전히 대체하게 되었다. 단위에서는 '계급적 배경'이 구체적으로 명시된 신상자료들을 가지고 있었다—구성원이 '건전한' 노동자 가정 출신인지 '불온한' 자본가 및 지주 가정 출신인지에 대한 것이었다. 계급적 배경과 불온한 행위에 대한 불이익은 단위로부터 인가받아야 하는 주택 배정이나 결혼 허가에 장애가 될 수 있었다.[12]

중국공산당 통치 첫 10년 동안 공식적으로 도시권으로 지정된 지역에 사는 인구의 비율은 거의 2배가 되어 중국 전체 인구의 19퍼센트 또는 1억 2500만 명에 이르렀다([표 28.1] 참고). 그러나 이중 상당수가 주로 농업에 종사했는데, 도시의 행정구역이 청 대 영토 행정의 기본단위인 '현縣'과 마찬가지로 원도심urban core과 인근 시골 지역을 모두 포함했기 때문이다. 그럼에도 산업노동자는 그 수가 1952년 510만 명

[표 28.1] 중국 도시 및 타운의 농업과 비농업 인구 및 총인구, 1949~2010년

연도	국가 총인구 (명)	도시 및 타운의 비농업 인구(%)	도시 및 타운의 농업 인구(%)	행정구역상 총도시인구(%)	도시구역 정비에 따른 총도시인구(%)
1949	5억 4167만	–	–	10.6	–
1955	6억 1465만	–	–	13.5	–
1961	6억 5859만	16.1	3.2	19.3	–
1970	8억 2992만	12.7	4.7	17.4	–
1975	9억 2420만	12.6	4.8	17.3	–
1980	9억 8705만	14.0	5.3	19.4	–
1982	10억 1654만	14.5	6.3	20.8	21.1
1985	10억 5851만	17.0	19.3	36.3	23.7
1990	11억 4333만	17.7	35.2	52.9	26.4
1995	12억 1121만	–	–	–	31.7
2000	12억 6582만	–	–	–	36.2
2005	13억 0628만	–	–	–	43.0
2010	13억 3972만	–	–	–	49.7

주: 1982년 중화인민공화국은 도시 및 타운의 행정구역에 포함된 비도시권을 배제하려 '도시' 인구 수치를 재규정하기 시작했다.

출처: 1949~1990 Chan, *Cities with Invisible Walls*, 24~5; 1995~2005 Chan, "Fundamentals of China's Urbanization and Policy," *China Review*, 10: 79 (2010); "Press Release on Major Figures of the 2010 National Population Census," 28 April 2011, www.stats.gov.cn/english/newsandcomingevent, 2011

에서 1958년 2316만 명으로 늘어났다. 많은 노동자는 시골에서 북동부의 만주, 연안 지역, 성도들의 기존 또는 새 산업 영역으로 이주했다.[13]

　　마오쩌둥은, 청 말 개혁가 캉유웨이와 마찬가지로, 서유럽 및 그외 지역에서 산업화industrialization에 따른 급속한 도시화와 관련해 나타난 사회문제들을 중국이 피할 수 있을 것이라 믿었다. 그는 산업화가 중국 전역에서 동시에 일어날 수 있을 것으로 생각했다. 1950년대 후반 소련과의 긴장이 고조되면서 중국은 세계무역에서 고립되었다. 이

로 인해 마오쩌둥은 1958년 자신만의 독특한 경제개발 계획인 대약진운동大躍進運動, Great Leap Forward에 착수했으며 전략 산업들을 소련의 잠재적 침략에 영향을 받지 않도록 내륙도시로 이전했다. 상하이는 1970년대에 생산력이 가장 높은 도시로 유지되었지만 1964년에 시작되는 '3선건설三線建設'의 일부로 진행된 기반설비들에 대한 실질적 투자는 서부 중국의 활기 없는 타운들을 산업 중심지들로 변모시켰다.[14]* 예를 들어, 쓰촨성四川省 서부의 몐양綿陽은 중국의 초기 핵무기 산업의 본부가 되었다. 덜 민감한 산업 분야의 경우, 경제의 국가적 통합보다는 현지와 지역의 '자급자족'이 강조되었다.

대약진운동은 지역의 산업화와 더불어 더 집약적인 농업을 지원할 목적으로 자원을 더 잘 관리할 수 있는 대규모 인민공사人民公社를 만들어 시골의 생산성을 증대시키려 했다. 그러나 대약진운동의 끔찍한 실패는 중국의 도시들에 심각한 영향을 끼쳤다. 가장 중요한 것은 거주 이전을 제한하는 '호구제도'가 법으로 규정되어 농촌과 도시 사람들의 분리를 제도화했다는 점이다. 호구체계는 이동(성) 특히 농촌에서 도시로의 이주를 막으려는 의도가 있었다. 1959년부터 1961년까지의 대기근 동안에 국가는 굶주리는 시골로부터 곡물을 계속해서 수취했는데, 단위로부터 배급표를 발급받는 도시의 호구 보유자들에게 곡물을 분배하기 위해서였다.[15] 도시의 사회적 안정을 유지하려는

---

* '3선건설'(영어로는 보통 The Third Front/The Third Front Movement)은 당시 미국의 대對중국 군사 공세와 중-소 갈등으로 있을지 모를 전쟁 등에 대비해 연안 지역인 1선과 2선의 주요 산업시설 및 기반시설을 3선의 서북 지역(지금의 산시陝西, 간쑤, 닝샤, 칭하이 등)과 서남 지역(지금의 쓰촨·충칭·윈난·구이저우 등)으로 이전하거나 이곳에 새로 건설하는 정책이다.

필요성은 수백만 명에 이르는 중국 농민의 아사를 초래했고, 현대 중국에서 계속해 이동(성)과 자원에 대한 접근을 제한하는 특권적 도시시민권urban citizenship 체제를 창출했다.[16]

1966년 시작된 무산계급 문화대혁명은 중국 도시들을 뒤흔들어 놓았다. 마오쩌둥은 젊은이들을 '홍위병紅衛兵, Red Guards'으로 조직해 '사령부를 포격하고炮打司令部' '봉건'과 '부르주아' 문화의 모든 흔적을 파괴할 것을 선동했다. 학생들과 젊은 노동자들은 홍위병 집단을 조직해 교사들과 감독관들을 체포하고 이들이 자본주의의 부활을 추구하거나 다른 반혁명적 행위들을 도모했다고 고발했다. 모든 층위의 정부 관리들은 숙청되었다. 문화대혁명이 정점에 이르른 1967년과 1968년에 홍위병 순찰대는 대중의 행동을 감시했다— 색깔 있는 옷을 입거나 특이한 머리를 한 도시 거주민들은 공격의 대상이 되었고, 반혁명 분자로 의심되는 이들의 거처는 수색을 당했다. 사찰과 혁명 이전의 과거에 대한 여러 상징은 파괴되었고, 대학들은 폐쇄되었다. 사람들은 어디에나 존재했던 붉은색 '마오 주석 어록毛主席語錄'에 실린 마오주의 구호를 주고받는 인사를 했다. 군중들은 대중 궐기대회를 열어 '주자파走資派, capitalist roaders'를 규탄했다('주자파'는 문화대혁명 당시, 문혁파에 의해 자본주의 노선을 따르는 실권파로 비판된 류사오치·덩샤오핑 등의 정치세력을 말한다). 일부 도시에서는 홍위병 내 경쟁 파벌들이 군대에서 획득한 총을 가지고 서로 싸우기도 했다.

1968년부터 마오쩌둥은 군대에 의지해 질서를 회복하고 홍위병에게 지시해 그들을 국영농장과 가장 가난한 지역의 마을에서 일하도록 했다. 1700만 명의 젊은이들에게 영향을 끼친 이 하방下放 정책은 육체노동과 농민들로부터의 배움을 통해 혁명적 경험을 심화하는 방식이라는 명분으로 정당화되었다. 그러나 과거 하방을 했던 젊은이들 상당수에 의해 이루어진 최근의 분석은 마오쩌둥이 정치적 경쟁자들을 제거하려 홍위병을 이용했으며 그가 이 불안정한 지지자들을 실용적 목적에서 국내 유배에 처했음을 시사한다. 문화대혁명 초기에 약간의 경제적 혼란 이후 1960년대 후반과 1970년대 초반 산업과 농업 생산은 꾸준히 증가했다. 그러나 정치화한 수백만의 젊은이들을 도시의 일자리로 흡수하기는 어려운 일이었을 것이다. 1976년 마오쩌둥의 사망은 문화대혁명을 종식시켰다. 하방했던 젊은이 대부분은 점차 도시로 되돌아왔다.

마오주의자들이 중공업, 공동체 생활, 혁명적 문화에서 공개적으로 관찰된 동질성을 강조한 것은 중국 도시들을 다른 반反소비주의 사회주의 국가들의 도시들과 물리적으로 닮게 했다. 우중충한 국영 상점들과 음식점들은 종종 거의 팔 것도 없이 제한된 시간 동안만 문을 열었다. 대부분 품질이 낮은 콘크리트로 지어진 공공건물과 아파트는 방치되기 일쑤였고, 버스는 과밀한 경향이 있었다. 비록 문화대혁명의 공포가 사회적 균열을 일으켰으나, 붐비는 도시환경은 사람들이 이웃들과 긴밀하게 접촉하면서 살았고 종종 여름에 실내의 더위를 피하려 보도에 간이침구를 깔았다는 것을 의미했다. 자전거는 마오주의 도시에서 가장 귀중한 소유물이었다. 마오쩌둥 사망 후 수년 동안 그의 웅장한 무덤이 베이징 톈안문광장天安門廣場의 남쪽 가장자리에 세워진 이후 점점 더 많은 자전거가 그 주변의 넓은 거리를 오갔다. 마오쩌둥 이후 시대 중국의 경제적 활력은 자전거로 가득 찬 1980년대의 도시들이 보여주듯 경공업과 소비재로의 전환에서 시작했다.

중국의 새로운 도시 시기: 1979년~현재

30년간의 두 자릿수 경제성장은 1980년대 초반부터 중국의 도시들을 완전히 변화시켰다. 경제적 의사결정을 탈중앙집중 하고 이전까지 금지된 기업 형태인 민간·반¥민간 기업을 합법화하며 외국인 투자와 무역에 중국을 개방하는 한편, 연안의 산업 중심지로 노동자들의 이동을 장려하는 개혁으로 성장이 본격적으로 진행되었다. 마오쩌둥의 후계자 덩샤오핑鄧小平은 1997년 사망할 때까지 이 '개혁개방' 정책을 주도했다. 이후에도 개혁개방 정책은 수정사항들과 함께 유지되었다.

마오쩌둥 이후의 개혁은 도시화의 전반적 수준을 극적으로 증가시켰다. 중국 국가통계국은 1978년 18퍼센트, 2005년 43퍼센트의 도시화율을 인용하며 2010년 수치는 50퍼센트에 가깝다.[17] 홍호펑과 잔사오화가 구체적으로 논의하겠지만(34장 참조), 1980년대에 정부 정책은 더 작은 규모 도시의 성장과 확산을 촉진했음에도, 보다 최근에 가장 큰 규모 도시들의 인구 집중이 더 높아지는 것으로 이어졌다. 장쑤성江蘇省·저장성浙江省·푸젠성福建省·광저우와 같은 인구밀도가 높은 연안의 성들과 원저우溫州·이우義烏와 같은 중소 규모 도시들은(41장 참조) 특화된 상품 생산 중심지가 되며 급성장했다.

1980년대 초반의 가장 극적인 도시 실험은 수출지향적 산업화를 목표로 하는 경제특구Special Economic Zones, SEZs였다. 중앙정부는 타이완을 비롯한 여타 아시아 지역의 수출 가공 지구를 모델 삼아 특별 규정과 유리할 세금 구조를 승인해 경제특구에 외국인 투자를 장려했다. 그런데 중국의 경제특구는 홍콩 북쪽 주장강 삼각주에서 거대한 공장 타운이 될 것이라는 기대 이상으로 성장했다. 첫 번째이자 가장 인상적인 경제특구인 선전深圳은 광둥성廣東省에서 홍콩과 경계를 맞대고 있는데([도형 28.1]), 1980년에 인구 3만 명의 공동체에서 2010년에 900만 명의 법적 거주민을 가진 중국 도시 가운데 네 번째로 높은 국내총생산 GDP과 가장 높은 1인당 GDP의 도시로 성장했다.[18]

지난 30년 동안 두 가지 주요 정치적 사건이 선전의 생존 가능성에 의문을 제기했다. 첫째 1989년 중국 전역의 도시에서 대규모 항의

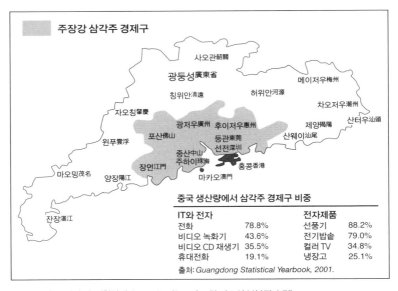

[도형 28.1] 주장강 하구(천상밍Xiangming Chen이 그린 지도의 부분적 수정)

집회가 공산당 지도력에 도전했다. 이 시위들이 덩샤오핑의 명령에 의해 폭력적으로 진압된 이후 한동안 국제교역이 급락했다. 1992년에 덩샤오핑은 선전을 시찰하고 중국 중앙정부의 경제특구 지원을 재확인하며, 상하이 항구에 인접한 푸둥浦東을 포함한 다른 지역으로 이 모델이 확장될 것임을 시사했다. 발전 속도는 빨라졌다. 둘째 1997년 덩샤오핑이 사망한 직후에 홍콩이 중화인민공화국에 반환되었다. 많은 사람은 홍콩 경제가 몰락하고 그것이 선전에 심각한 영향을 끼칠 것으로 예상했으나, 그런 일은 일어나지 않았다. 선전이 홍콩에서 멀지 않은 곳에 국제공항과 대형 컨테이너항구container port를 건설했음에도 두 도시는 서로 경쟁하기보다는 더 많이 협력하고 있다.[19]

홍콩의 투자자와 기관들은 선전과 주장강 삼각주 해외 사업의 주요 통로다. 주장강 삼각주의 중심지인 광둥성의 지도자들은 홍콩의 협력 상대 지도자들과 함께 2004년 9개 성과 2개 특별행정구역(홍콩과, 그곳에서 가까우며 1999년에 중화인민공화국에 편입된 옛 포르투갈령 마카오)을 아우르는 광역 주장강 삼각주 경제권역 형성을 지휘했다. 이는 기반설비 투자를 조직화하고 상하이를 중심으로 급속히 발전하는 산업과 관광객의 달러에 더욱 효율적으로 경쟁하려는 의도였다(41장 참고).[20] 더욱 북쪽에 있는 톈진(중국의 4개 중앙직할시[톈진, 베이징, 상하이, 충칭] 가운데 하나)은 행정적으로 성과 동등하며, 2010년 기준으로 1300만 명의 자치체 인구를 보유하고 있다. 이 도시의 새로운 국제항구는 고속철도를 통해 인근의 베이징과 연결되어 있다. 베이징과 톈진 두 도시는 한국, 일본, 러시아 극동Russian Far East과 연계되는 중국 북부 도시계획 단위의 핵심을 형성한다.

이와 같은 대규모 지역 단위 도시계획은 중국의 개혁시대 도시 활력에 내재하는 현저한 특성 중 하나다. 기업가정신을 장려하더라도 중앙, 성, 지역의 지도자들은 개발을 구성하는 데서 굉장한 권력을 보유한다. 그 권력의 핵심은 제도에서, 예컨대 지하철 정거장, 사무실 타워, 아파트 건물, 혹은 쇼핑몰을 짓고자 국가가 이주노동자들의 무허가 주택을 철거하거나 도시 블록을 파괴하는 것을 허용하는 토지사용권 체제나 호구체계에서 비롯한다. 구석구석 배어든 공권력은 당국이 명령을 집행할 수 있도록 보장했다.[21] 그러나 보통은 물리적 공권력이 필요하지 않았다. 공산당 지도부는 자신들이 경제발전을 촉진할 수 있다는 믿음을 성공적으로 주입했고, 일례로, 성공적 기업가들을 포섭하려 당원을 확대하는 것과 같은 방식으로 그들에 대한 잠재적인 도전들을 관리하는 법을 습득했다.

중앙정부는 도시화를 경제발전에 대한 큰 그림의 한 부분으로 보고 있다. 중국공산당은 자신을 중국 인민 전체의 보호자로 인식하고 있다. 오래된 제국의 관료제에서처럼 지역의 공무원들은 평가와 승진을 상급자들에게 기대한다. 중앙에 의해 효율적 지역행정이라 규정되는 것이 승진의 전제가 되기는 하지만, 중앙에 대한 충성이 특정 지역에 충실한 특별한 업무보다 더 높이 평가받는다. 행정구역의 경계는 공동의 이익과 같은 도시화 수준의 공동체들을 함께 묶을 목적에서가 아니라, 가능한 한 도시와 농촌의 환경이 혼합된 표준적 단위들을 만들어내려고 설정된다. 마오쩌둥 시대에 인민공사에 기반을 둔 산업화가 촉진되었을 때조차 호구체계는 도시와 시골 사이 뚜렷한 차이를 만들어냈다. 개혁 시기 이래 정부는 '도시권urban area과 농촌권rural area의 통합통치城鄉合治'를 강조해왔다.[22] 중화인민공화국의 중앙직할시와 성 도들은 현과 도시지구urban district들을 포함해 여러 하위 구역을 아우른 다. 지리적으로 가장 큰 충칭은 1997년에 네 번째 중앙직할시로 공포 되었는데, 이를 통해 충칭 동쪽 양쯔강의 싼샤댐長江三峽大墻을 계획한 설계자들은 쓰촨성 정부의 영향을 피해갈 수 있었다.[23] 2006년에 충칭 은 오스트리아의 규모보다 조금 작은 8만 2000제곱킬로미터의 면적 과 베네수엘라의 인구보다 많고 대부분이 농민인 2800만 명의 인구를 가진 도시였다.[24]

성과 현지 행정부를 재구성하고 경제발전을 통해 이를 지원하도 록 장려하는 중앙의 능력은 명확하다. 마오쩌둥 시대에는 100개 미만 의 성도 수준 도시들이 있었다. 개혁 시기에 그 수는 3배가 되었고 수 백 개의 새 현청 도시 수준의 도시들이 만들어졌다. 지리학자 싱유톈 You-Tien Hsing, 邢幼田은 21세기의 도시화가 지역 공무원들의 행정적 성 공에 대한 표식으로서 산업화를 대체하며 지역 정부의 성격에 주요 영 향을 끼쳤다고 주장한다. 중국 전역의 자치체 정부들은 토지 개발권을 부여하면서 수익 대부분을 벌어들이며, 때로는 광저우의 사례처럼 도 시 내 시가지 면적을 10년 안에 2배로 늘리기도 한다.[25] 그들은 투자를 유치하려 새로운 사업 중심 구역에 대한 거창한 전망을 선전하고, 상 징적인 마천루와 새로운 거리경관을 설계하려 해외의 유명 건축가들 을 고용한다. 문화대혁명 이후 문화적 민족주의cultural nationalism가 부활 하면서 관광을 촉진하려 화교들과 다른 외국인 방문객들이 버스로 방 문하는 기독교 교회, 시너고그〔유대교 회당〕, 불교 신전을 포함하는 유 명한 역사지구와 역사적 현장들은 완전히 재단장되거나 재건축되었다.

싱유톈이 분석한 새 도시주의〔뉴어버니즘〕New Urbanism는 중국 전역의 시 정부와 개발자들을 풍요롭게 했으며 사회주의 시경관cityscape은 물론 상하이의 1949년 이전 도시 조직체urban fabric 대부분을 완전히 없애버렸다. 비록 쑤저우蘇州, 항저우杭州, 양저우揚州 같은 유명한 경치 좋은 도시들의 광범위한 더 오래된 지구들이 관광 수익 차원에서 보존되어 있기는 하지만, 빠른 건설은 도시들을 외형적으로 더욱 균질하게 만드는 경향이 있었다. 토지 몰수를 둘러싼 갈등은 심해졌고, 이는 정부에 압력을 가해 재산권property rights을 명확히 하고 호구 정책을 재평가하게 했다. 싱유톈은 원도심, 도시 변두리, 농촌 변두리에서 토지 관련 분쟁이 어떻게 다른지를 보여주었다. 원도심에서는 개발에 따른 철거가 매우 가시적인 동네 주민들의 시위와 소송들로 이어진다. 산업화가 진행 중인 주장강 삼각주 도시들의 변두리에서, 공동체들은 자신들의 땅이 대부분 몰수당하는 대가로 과밀한 고층의 '도시 마을urban village'에 그들이 공동으로 운영할 임대주택을 지을 권리를 보장하라며 자치체 정부들과 협상을 한다.[26] 자치체의 농촌 변두리에 사는 사람들은 보상금이 매우 적거나 전혀 없이 산업 발전 구역 또는 새 위성도시satellite city들이 건설되는 그들의 토지에 대한 통제권을 상실하는 경향이 있다.

한때 국가에서 재원을 지원하는 안전망이 있는 이들과 그렇지 않은 이들을 첨예하게 구분하던 호구체계는 개혁 시기에도 계속되었지만, 거주지 등록 이전은 다소 쉬워졌다. 자치체들은 새 개발지에 주택을 구매한 이주민들에게 도시 호구를 부여하기 시작했다. 그러나 21세기 초반에 도시 산업체들에 종사하는 수천만 명의 이주노동자 대부분은 자신들의 고향 마을과 관계를 계속해 유지했고 새해를 맞이하거나 결혼하려고 고향으로 돌아갔다. 마을 호구는 사람들이 자신들이 일하는 곳에 등록하면 잃게 될 집단 재산에 대한 청구권을 제공했다. 정치학자 왕페이링Fei-Ling Wang, 王飛凌은 호구체계에서의 이동(성) 제한은 중국의 헌법상 권리를 침해하는 것으로 점점 더 비난받고 있다고 지적한다. 하지만 그는 강력한 자치체 정부들이 이동 제한을 자신들이 원치 않는 인구를 배제하는 귀중한 도구로 여기고 있다고 주장한다. 중국 중앙정부의 완만한 제도 개혁 시도는 이렇다 할 변화를 가져오지 못했다(호구에 대한 추가적 논의는 35장을 참조하라).[27]

지방정부의 토지 몰수와 이주민의 지위에 대한 갈등 외에도 산업화와 도시들의 급속한 성장은 중국에서 여러 긴장과 과제를 불러왔다(이 주제에 대한 자세한 내용은 34장을 참조하라). 1990년대 초반 중국의 연안과 내륙 지역 사이 소득 수준 격차는 극명했는바,[28] 이와 같은 괴리는 이주민의 쇄도를 촉발하고 내륙 지방의 분노를 가져왔다. 1999년에 중앙정부는 교통 기반설비를 개선하고 내륙도시들에 대한 외국인 투자를 장려하는 '서부 대개발西部大開發, Develop the West'의 주요 계획을 발표했다. 몇몇 도시와 100만 명 이상의 인구를 재배치한 싼샤댐 건설은 그러한 노력의 일환이며, 댐의 수력발전은 지역의 추가적 개발을 촉진하려는 것이었다. 마찬가지로 라싸拉薩〔중국 서남부 시짱西藏 자치구의 주도〕 동쪽을 연결하는 신설 철도는 티베트Tibet 자치구를 개발하고 중국 경제로의 더 광범위한 통합으로 이끄는 길을 열었다. 이러한 정부 투자의 결과로 21세기 전환기에 중국의 연안과 서부 사이 소득 격차가 크게 벌어지지 않았으나, 서부에서 농촌권과 도시 사이 격차는 크게 벌어졌다.[29]

공해와 환경 악화는 중국에서 심각한 문제다. 나쁜 대기 질은 도시 주민들의 건강을 위협한다. 산업화는 거대한 황허강의 동쪽 항로를 따라 많은 수자원을 사용하게 했는데, 황허강 분지는 낸시 S. 스타인하트가 논의한 수많은 고대 도시가 발흥한 곳이었다(6장 참조). 중앙정부는 양쯔강의 지류인 중국 중부 한수이강漢水에서 물길을 끌어다가 베이징과 다른 북부 도시들에 공급하는 야심적 프로젝트를 시작했다. 싼샤댐의 건설과 마찬가지로, 양쯔강 분지 도시들에 끼치는 장기적인 생태학적 영향은 분명 복잡하며 상당히 치명적일 수 있다. 중국 지도자들과 일반인들이 환경문제를 염두에 두고 있기는 있지만, 대부분의 환경문제가 경제발전의 뒷전으로 밀리고 있다. 많은 중국 기업이 '녹색기술green technology' 분야에 진출했고 차치체 정부들은 이 기술의 사용을 장려한다고 주장하지만, 환경의 질에 대한 평가는 중국의 환경문제에 개선의 여지가 많다는 것을 드러낸다.

현대 중국 도시의 일상생활

마오주의 도시 생활과는 대조적으로, 현대 중국의 도시 생활은 상당히 사회경제적이고 문화적인 다양성으로 특징지어진다. 마천루와 교통 혼잡 같은 물리적 차이점 외에 가장 두드러진 차이점은 이른바 '유동인구流動人口, floating population'라 불리는 농촌권에서 온 이주민의 존재다. 중국 도시들은 이주민들을 여러 방법으로 수용한다. 개혁 시기 초기에는 각 성과 현 정부들이 도시 건설과 이런저런 사업들을 추진하려고 자치체 정부와 기관들이 고용하는 농촌 노동자 집단을 조직했다. 이 노동자들은 대부분이 여전히 그러듯이 흔히 건설 현장의 임시 숙소에서 살았다([도판 28.2] 참조). 정부기관들은 또한 농촌 여성들을 고용하고 훈련해 보모와 가정부로 일하게 했으며, 그녀들은 거의 항상 도시에 있는 고용주의 아파트에서 살았다.[30] 지난 20년 동안 이주민들은 종종 그들보다 먼저 도시로 이주한 친척들과 이웃들의 도움을 받기는 했으나 갈수록 더 독자적으로 도시로 향했다.

광저우 근처 공업지대로 이주한 사람들은 그곳의 '도시 마을'에서 값싼 임대주택을 찾을 수 있었다. 다른 도시들에서는 이주민들이 도시 당국의 승인 없이 주택을 임대하고 건설했다. 가장 유명한 예는 소

[도판 28.2] 상하이의 건설 현장. 노동자 임시 숙소 앞의 상하이 세계엑스포 2010 광고판에는 "도시가 삶을 더욱 아름답게 만든다城市讓生活更美好"라고 적혀 있다.

규모 상거래와 재봉 일에 종사하던 저장성에서 온 9만 명의 이주민 공동체인 베이징의 저장촌浙江村이다. 1995년에 베이징 당국은 마을 주민들에게 마을을 떠나라고 명령했고 허가 없이 건설된 48개 대형 주택 복합단지를 철거했다. 공립학교 교육을 받을 자격이 없는 이주민 자녀들이 다니는 공동체 학교들은 정기적으로 문을 닫는다. 인류학자 장리Li Zhang, 張鸝는 이주민들이 직면하는 복잡한 제약들이 그들을 극도로 취약하게 만든다고 결론짓는다. 도시의 많은 오랜 거주민은 이주민들을 범죄와 사회적 무질서의 근원으로 여긴다.[31]

중국 도시 내에서의 상당한 소득 격차는(34장 참조) 대부분 기반설비, 주택과 사회생활에 영향을 끼친다. 21세기 초반 중국의 도시 '중산층middle-class' 추정치는 3억 5000만 명에 이르는데, 이 수치에는 이론의 여지가 있다—도시 거주민들에 대한 보조금 지급을 측정하기가 어렵고, 도시의 많은 가구가 공식 통계에 포함되지 않은 상당한 '회색수입灰色收入, grey income'의 원천을 가지고 있다는 점에서다. 2001년에 중앙 정부는 특히 국영기업 구조조정 과정에서 해고된 노동자들 가운데서 도시 빈곤이 실재함을 인식했고, 이들에게 최소소득minimum income을 보장하는 복지체계를 제도화했다. 2007년에는 이주민을 수치에 포함하지 않은 2300만 명의 도시 거주민이 이와 같은 지원금을 받을 수 있었다. 지리학자 우푸룽Fulong Wu, 吳縛龍과 그의 동료들은 복지 데이터를 통해 빈곤 가구의 분포를 분석해 빈곤이 같은 도시 내부의 구역들에 따라 점점 더 공간화한다는 점을 발견했다.[32]

중국에서 새 중산층의 구성원들은 공원, 클럽하우스, 슈퍼마켓과 같은 편의시설을 갖춘 매우 신식이고 담이 있어 외부인이 출입통제되는 아파트 단지에서 살 가능성이 가장 크다. 이와 같은 단지를 조성하는 부동산 개발 회사들은 종종 인력과 이윤을 공유하면서 자치체 정부와 긴밀하게 협력한다. 가구들은 새 건물에 아직 미완공된 공간을 구매하고, 부속품·기구·바닥재 등을 설치하는 데 따른 비용의 약 3분의 1을 지출한다. 2006년 윈난성雲南省의 수도 쿤밍에서는 5만 명의 이주노동자를 고용하는 2000여 개의 회사가 아파트의 완공을 전문적으로 담당했다.[33]

중국 도시들의 지리적 확장과 증가하는 사회경제적 분리는 자가용 사용을 증가시켰다. 자전거 사용은 1990년대부터 주요 도시에서 꾸준히 감소했다. 상하이는 심지어 다운타운downtown 한복판에서 자전거를 금지하기도 했다. 2008년 베이징올림픽과 2010년 상하이세계엑스포〔세계박람회〕를 개최하며 두 도시에 지하철이 확장되었다. 대개의 성도는 새 지하철 노선을 건설하고 기존 노선을 확장하고 있다. 버스는 계속해서 도시 거주민들에게 인기 있고 비싸지 않은 선택이며, 도시 외곽에서는 무면허 택시가 면허 택시와 경쟁하며 종종 면허 택시의 수를 넘어서기도 한다.

무허가 건설과 무면허 택시의 존재가 암시하듯이, 중국 도시들에서 광범위한 공식적 규제들은 원활히 이루어지지 않는다. 오래된 사회주의 체계의 해체는 1980년대와 1990년대의 정신없던 경제성장과 혼란으로 악화한 부패에 대한 심각한 우려를 낳았다. 베이징, 상하이, 여타 도시의 중앙광장을 분노한 시위자로 가득 채운 1989년의 정치 운동〔톈안먼사건, 6·4사건〕은 공산당 고위층의 부패에 대한 비판으로 가득했다. 이 운동에 대한 가혹한 탄압 이후, 당에 공개적으로 도전한 활동가들은 거의 존재하지 않았고 언론도 매우 면밀하게 감시되고 있다. 그러나 일부 기자들은 당의 동조적 부류와 협력해 마오쩌둥 시대에는 억압되었을 당내의 갈등과 나쁜 소식을 밝혀내기도 했다.[34]

특히 세간의 이목을 끈 사건들은 노점상들과 그 밖의 거리 생활 양상들에 대한 도시 규제들을 시행하는 책임이 있는 '도시 관리'〔城管〕를 담당하는 사무국에 의해 자행된 만행을 폭로했다. 부정적 사안에 대한 언론의 관심에 점점 더 민감해지고 도시 군중의 잠재적 파괴력에 두려워하면서, 일부 자치체 정부들은 개편을 시작해 이 부서를 도시민들이 더 잘 받아들일 수 있게 하고 있다. 가장 놀라운 혁신은 2010년에 청두시의 한 구역에서 18~22세의 키 크고 매력적인 여성들을 성관城管〔도시 관리〕공무원으로 고용하는 것을 결정한 일이었다〔'성관' 곧 '청관'은 중국어로 '도시 관리'를 뜻하는 '성시관리城市管理'의 줄임말이다〕.[35]

중국 가구의 변화하는 성격은 도시 생활에 반영되었다. 1979년에 새 가족계획 규정은 대부분 부부가 한 아이만을 가질 수 있도록 제한했다. 이후 농촌권에서는 자녀 제한이 완화되었다. 그러나 도시에서는 한 자녀 가정이 일반적 가족 형태가 되었다. 그 결과 가정생활은 아이 위주로 돌아갔는데, 아이는 자녀를 애지중지하는 부모와 조부모로부터 맹목적 사랑을 받는 동시에 학교와 음악 과외수업 등에서 우수해야만 했다. 음식의 질은 중국의 정치적 생활에서 가장 민감한 부분으로, 오염된 음식이 그들의 유일한 아이를 해칠 것이라는 부모의 두려움 때문이다.[36] 부모들은 흔히 성인 자녀들의 결혼 상대를 확인했다. 많은 도시에서 부모들은 정기적으로 모임에 참가해 자녀의 결혼 정보를 교환한다.

'한 자녀 정책─孩政策, one-child policy'은 부모들의 노후 부양이 부족할 것이라는 우려를 낳았다. 일본에서와 마찬가지로 중국에서 고령층 인구의 증가와, 가족 구성원들이 노인을 부양할 것이라는 전제의 붕괴는 정책입안자들이 노인들을 돌보기 위한 새로운 접근을 숙고하도록 강제했다. 중국의 도시들에서는 주민센터 기금을 지정해 나이 든 거주민들이 만나고 지원을 얻을 수 있게 한다.[37] 자치체 정부들은 고용주로부터 분담금을 내도록 해 퇴직자들에게 연금을 제공하기 시작했으나 연금 기금은 때때로 다른 용도로 전용이 되기도 했다.[38]

중국에서 도시의 문화생활은 지난 30년 동안 훨씬 더 다양해졌다. 노래방과 인터넷 카페는 어디에나 있다. 공식적으로 승인된 신전, 교회, 모스크는 신도와 관광객을 끌어들인다. 고등교육의 급속한 확장은 상하이·난징 같은 큰 규모의 자치체 외곽에 '대학도시university city'들을 만들어냈다. 도시 내의 문화적 다양성은 커졌으나, 중국의 모든 지역이 글로벌 시장으로 통합됨에 따라 중국 도시 생활의 지역적 특색은 어느 정도 감소했다.

결론

30년 동안의 야심적인 도시계획과 기반설비에 대한 투자는, 외국의 영향을 기꺼이 받아들이려는 의지와 함께 중국 도시들을 현대 도시 연구의 중심에 올려놓았다. 국제적 기업들과 외국의 기업가들이 베이징·상하이·광저우로 몰려들었다. 국제 컨설팅회사 맥킨지McKinsey의

2009년 보고서는 2030년까지 10억 명의 중국인들이 도시에 거주할 것을 예측했고, 중국의 팽창하는 도시가 제공할 기회에 대해 준비할 것을 기업들에 조언했다. 보고서의 저자들은 이러한 중국의 도시성장 urban growth이 여러 방법으로 일어날 수 있다고 언급하지만, 정부가 토지를 효율적으로 사용하고 교통 에너지 비용을 최소화하고자 5000만 명의 인구를 가진 몇몇 '슈퍼도시supercity'의 창설을 장려할 것을 권고하고 있다. 저자들은 정부의 규제와 장려 대책이 이와 같은 목적의 도시화 과정을 구성할 수 있다고 자신한다.[39]

그러나 다른 분석가들은 도시계획가들의 꿈을 실현하는 중국 정부의 역량에 의문을 제기한다. 우푸룽은 중국의 도시 붐이 '도시화가 오직 덜 진전된under-urbanized' 사회주의 이후의 국가 내에서, 이전 사회정책—특히 농촌과 도시 사이 호구 분리와 같은—의 유산을 글로벌 경제 안에서 이점으로 삼은 역사적 조건에서 가능했다고 주장한다.[40] 도시의 혜택들에서 배제된 이주노동자들의 저렴한 노동력은 영원히 유지될 수 없다. 인구학적 변화와 노동자의 기대치 상승은 주장강 산업 지역에서 임금을 상승시키고 있다. 도시개발을 위한 강제적 토지수용과 마찬가지로 노동계의 불만이 커지고 있다.

중국의 도시들이 계속해서 세계를 놀라게 할 것인가? 중국 도시들은 중앙정부의 명령, 자치체 관료와 현지 개발자 사이 동업관계로 계속 관리될 것인가? 혹은 최근의 이주민들을 포함한 도시 거주민들이 환경에 대한 더 많은 통제력을 획득할 수 있을까? 현대 중국 도시주의를 비판하는 사람들은 천상밍과 헨리 피츠가 지적하는 것처럼(41장 참조), 자치체 행정에 대한 하향식 접근이 지역 기반설비 계획을 더 쉽게 만들기는 하지만, 그것이 마르야타 히에탈라와 피터 클라크가 38장에서 분석하는 '창의적creative' 도시공간urban space의 성장을 방해할 수 있음을 강조한다.

주

1　Kam Wing Chan, *Cities with Invisible Walls: Reinterpreting Urbanization in Post-1949 China* (Oxford and New York: Oxford University Press, 1994), 특히 34.

2　Kristin Stapleton, *Civilizing Chengdu: Chinese Urban Reform, 1895-1937* (Cambridge, Mass.: Harvard University Asia Center, 2000).

3　Christian Henriot, *Shanghai, 1927-1937: Municipal Power, Locality, and Modernization*, Noël Castelino, trans. (Berkeley: University of California Press, 1993); Gail Hershatter, *Dangerous Pleasures: Prostitution and Modernity in Twentieth-Century Shanghai* (Berkeley: University of California Press, 1997); Sherman Cochran, ed., *Inventing Nanjing Road: Commercial Culture in Shanghai, 1900-1945* (Ithaca, N.Y.: Cornell University East Asia Program, 1999).

4　Frederic Wakeman, Jr., *Policing Shanghai, 1927-1937* (Berkeley: University of California Press, 1995).

5　Charles D. Musgrove, "Building a Dream: Constructing a National Capital in Nanjing, 1927-1937", in Joseph W. Esherick, ed., *Remaking the Chinese City: Modernity and National Identity, 1900-1950* (Honolulu: University of Hawaii Press, 2000), 139-157; Zwia Lipkin, *Useless to the State: 'Social Problems' and Social Engineering in Nationalist Nanjing, 1927-1937* (Cambridge, Mass.: Harvard Asia Center, 2006).

6　Emily Honig, *Sisters and Strangers: Women in the Shanghai Cotton Mills, 1919-1949* (Stanford, Calif.: Stanford University Press, 1992); Karl Gerth, *China Made: Consumer Culture and the Creation of the Nation* (Cambridge, Mass.: Harvard University Asia Center, 2004).

7　Lü Junhua, Peter G. Rowe, and Zhang Jie, *Modern Urban Housing in China: 1840-2000* (Munich: Prestel, 2001).

8　Qin Shao, *Culturing Modernity: The Nantong Model, 1890-1930* (Stanford, Calif.: Stanford University Press, 2003); Zhang Jin, *Quanli, chongtu yu biange-1926-1937 nian Chongqing chengshi xiandaihua yanjiu* [Power, Conflict, and Reform: The Modernization of Chongqing from 1926 to 1937] (Chongqing:

Chongqing Publishing House, 2003).

9　Joshua Howard, *Workers at War: Labor in China's Arsenals, 1937-1953* (Stanford, Calif.: Stanford University Press, 2004).

10　Wang Jun. *Chengji* [Record of the City] (Beijing: Sanlian Shudian, 2003).

11　David Bray, *Social Space and Governance in Urban China: The Danwei System from Origins to Urban Reform* (Stanford, Calif.: Stanford University Press, 2005).

12　Andrew G. Walder, *Communist Neo-Traditionalism: Work and Authority in Chinese Industry* (Berkeley: University of California Press, 1986).

13　Wang Sanhou, "Shilun woguo chengshihua guochengzhong de renkou liudong" [on Population Flows in the Process of Chinese Urbanization], *Chengshi shi yanjiu* [Chinese Urban History Research], 4 (January 1991), 1-17.

14　Barry Naughton, "The Third Front: Defence Industrialization in the Chinese Interior", *The China Quarterly*, 115 (September 1988), 351-386.

15　Fei-Ling Wang, *Organizing through Division and Exclusion: China's Hukou System* (Stanford, Calif.: Stanford University Press, 2005), 44-46.

16　Dorothy Solinger, *Contesting Citizenship in Urban China: Peasant Migrants, the State, and the Logic of the Market* (Berkeley: University of California Press, 1999).

17　Fulong Wu, "Beyond Gradualism: China's Urban Revolution and Emerging Cities", in Fulong Wu, *China's Emerging Cities: The Making of New Urbanism* (New York: Routledge, 2010), 3.

18　Yiming Yuan et al., "China's First Special Economic Zone: The Case of Shenzhen", in Douglas Zhihua Zeng, *Building Engines for Growth and Competitiveness in China: Experience with Special Economic Zones and Industrial Clusters* (Washington, D.C.: The World Bank, 2010), 55-86.

19　Terry McGee, George C. S. Lin, and Mark Wang, *China's Urban Space: Development under Market Socialism* (London: Routledge, 2007), ch.5.

20　Yue-Man Yeung and Shen Jianfa, eds., *The Pan Pearl-River Delta: An Emerging Regional Economy in a Globalizing China* (Hong Kong: Chinese University Press, 2008).

21　Børge Bakken, ed., *Crime, Punishment, and Policing in China* (Lanham, Md.: Rowman and Littlefield, 2005).

22 Jae Ho Chung, "Introduction", in Jae Ho Chung and Tao-chiu Lam, *China's Local Administration: Traditions and Changes in the Sub-national Hierarchy* (New York: Routledge, 2010), 11.

23 Tse-kang Leng, "Centrally Administered Municipalities: Locomotives of National Development", in Chung and Lam, *China's Local Administration*, 40.

24 John Donaldson, "Provinces: Paradoxical Politics, Problematic Partners", in Chung and Lam, *China's Local Administration*, 15-16.

25 McGee, Lin, and Wang, *China's Urban Space*, 94.

26 You-Tien Hsing, *The Great Urban Transformation: Politics of Land and Property in China* (New York: Oxford University Press, 2010) 129는 이와 같은 도시 마을 한 곳에 제곱킬로미터당 17만 4450명이 거주했다고 언급한다.

27 Fei-Ling Wang, "Renovating the Great Floodgate: The Reform of China's Hukou System", in Martin King Whyte, *One Country, Two Societies: Rural-Urban Inequality in Contemporary China* (Cambridge, Mass.: Harvard University Press, 2010), 335-364.

28 Gu Chaolin, Shen Jianfa, and Yu Taofang, "Urban and Regional Development", in Yue-man Yeung and Jianfa Shen, *Developing China's West: A Critical Path to Balanced National Development* (Hong Kong: Chinese University of Hong Kong Press, 2004), 177-211.

29 Björn Gustafsson, Li Shi, Terry Sicular, and Yue Ximing, "Income Inequality and Spatial Differences in China, 1988, 1995, and 2002", in B. Gustafsson, et al., *Inequality and Public Policy in China* (Cambridge: Cambridge University Press, 2008), 35-60.

30 Hairong Yan, *New Masters, New Servants: Migration, Development, and Women Workers in China* (Durham, N. C.: Duke University Press, 2008).

31 Li Zhang, *Strangers in the City: Reconfigurations of Space, Power, and Social Networks within China's Floating Population* (Stanford, Calif.: Stanford University Press, 2001).

32 Fulong Wu, Chris Webster, Shenjing He, and Yuting Liu, *Urban Poverty in China* (Cheltenham: Edward Elgar, 2010), 3,117.

33 Li Zhang, In Search of Paradise: *Middle-Class Living in a Chinese Metropolis* (Ithaca,

N. Y.: Cornell University Press, 2010), 73.

34 광저우의 《남방도시보南方都市報》는 특히 대담한 보도로 유명하다. 이 신문의 2003년 사스 보도에 대해서는 Philip P. Pan, *Out of Mao's Shadow: The Struggle for the Soul of New China* (New York: Simon & Schuster, 2008), 235-267.

35 Sharon LaFraniere, "Chengdu Journal: Enforcement Takes on a Softer Side in China", *New York Times*, 1 December 2010, www.nytimes.com/2010/12/02/world/asia/02china.html.

36 Khun Eng Kuah-Pearce and Gilles Guiheux, "Framing Social Movements in Contemporary China and Hong Kong", in id., *Social Movements in China and Hong Kong: The Expansion of Protest Space* (Amsterdam: ICAS/ Amsterdam University Press, 2009), 9-23.

37 Alice Chong, Alex Kwan, and Gui Shixun, "Elder Care", in Linda Wong, Lynn T. White, and Gui Shixun, *Social Policy Reform in Hong Kong and Shanghai: A Tale of Two Cities* (Armonk, N.Y.: M. E. Sharpe, 2004), 183-216.

38 Mark W. Frazier, *Socialist Insecurity: Pensions and the Politics of Uneven Development in China* (Ithaca, N.Y.: Cornell University Press, 2010).

39 Jonathan Woetzel et al., *Preparing for China's Urban Billion* (Shanghai: McKinsey Global Institute, 2009), www.mckinsey.com/mgi/reports/pdfs/china_urban_billion/China_urban_billion_full_report.pdf.

40 Fulong Wu, "Beyond Gradualism", 16.

참고문헌

Bray, David, *Social Space and Governance in Urban China: The Danwei System from Origins to Reform* (Stanford, Calif.: Stanford University Press, 2005).

Campanella, Thomas J., *The Concrete Dragon: China's Urban Revolution and What It Means for the World* (New York: Princeton Architectural Press, 2008).

Chan, Kam Wing, *Cities with Invisible Walls: Reinterpreting Urbanization in Post-1949 China* (Hong Kong: Oxford University Press, 1994).

Esherick, Joseph W., ed., *Remaking the Chinese City: Modernity and National Identity,*

1900-1950 (Honolulu: University of Hawaii Press, 2000).

Friedmann, John, *China's Urban Transition* (Minneapolis: University of Minnesota Press, 2005).

Hsing, You-Tien, *The Great Urban Transformation: Politics of Land and Property in China* (New York: Oxford University Press, 2010).

Ma, Laurence J. C., "The State of the Field of Urban China: A Critical Multidisciplinary Overview of the Literature", *China Information*, 20 (November 2006), 363-389.

Strand, David, *Rickshaw Beijing: City People and Politics in the 1920s* (Berkeley: University of California Press, 1989).

Visser, Robin, *Cities Surround the Countryside: Urban Aesthetics in Postsocialist China* (Durham, N. C., and London: Duke University Press, 2010).

Wu, Fulong, ed., *Globalization and the Chinese City* (New York: Routledge, 2006).

Zhang, Li, *Strangers in the City: Reconfigurations of Space, Power, and Social Networks within Chinas Floating Population* (Stanford, Calif.: Stanford University Press, 2002).

제29장

일본

Japan

폴 웨일리

Paul Waley

1868년의 메이지유신明治維新, Meiji Restoration은 그 자체로 일본 역사의 커다란 전환으로 소개된다. 실제로 이 시기에 발생한 단절의 정도를 부인하기는 어려울 것이다. 무사계급의 구성원들은 주요 도시에서 도망쳤다. 특히 에도江戸(이후의 도쿄)는 1860년대의 혼란한 시기에 인구의 거의 3분의 1을 잃었다. 에도에서 남은 사람들은 장인 및 상인과 자신들의 영지에 대한 지위를 상실한 많은 수의 더 가난한 사무라이侍였다. 몇십 년 동안 상황이 좋지 않았는바 불안감은 상당했으며, 수입은 줄어들었다. 도시에서는 무사 구역, 신전·신사神社 구역, 평민 구역 사이 구별이 메이지 통치 첫 몇 년 내에 폐지되었다. 봉건영주권은 '매입'되었으며, 그들의 영지에서 토지세를 받을 수 있는 세습적 권리는 국채로 전환되었다.[1] 황제의 새 수도에서 봉건영주들의 주거단지는 비어 있었다.

근대 초기의 일본은 이미 고도의 도시화urbanization를 이루고 있었다(18장과 [지역지도 II.5] 참조). 도시에는 구별되는 기능이 있었다—조카마치城下町, 항구, 시장타운market town 등이 있었지만 조카마치가 지배적이었다. 메이지 시대(1868~1912) 대부분의 기간에 일반적이었던 급속한 경제적·사회적 변화의 조건 아래에서 도시는 새로운 또는 변모한 기능을 갖게 되었다. 많은 조카마치가 행정 중심지가 되었다. 한 가지 사례를 들자면, 강력한 가가번加賀藩의 중심지 가나자와金澤는 봉건영지의 폐지와 함께 짧은 행정적 통합 과정을 거쳐 1872년에 이시카와현石川縣의 현청 소재지가 되었다. 변화된 환경은 요코하마橫濱와 고베神戶 두 새 정주지settlement의 성장을 가속한바, 이 정주지들은 외국인 무역업자들의 요구를 충족시켰고 일본과 세계 사이의 상업적·문화적 중심지가 되었다. 그러나 아마도 메이지 시대의 가장 결정적 흐름은 국가의 '3대 위대한 도시'인 교토京都·오사카大阪·도쿄東京를 특히 후자의 두 도시를 중심으로 한 성장의 심화에 있었을 것이다.

1872년에 완공된 일본 최초의 철도 노선은 요코하마와 인근의 도쿄를 연결했다. 1887년에는 도쿄와 오사카가 철도로 연결되었고, 1907년에는 북쪽의 아오모리青森부터 남서쪽 규슈九州의 구마모토熊本 사이 철도 노선이 완성되었다. 철도는 해로에서 육로로 이동하는 데서 더 일반화한 수단의 하나였다. 특히 도시 내에서, 그중에서도 오사카·도쿄에서 상품은 주로 배로 이동했다. 무엇보다 도쿄(이전의 에도)는 수로망을 통해 광활한 간토關東평야와 연결되었다. 공산품의 수송은 해안[연안]의 항구도시port city가 중요하게 성장했음을 의미하는 한편으로, 도시 내에서는 사람과 상품들은 교량이 늘어남에 따라 일반도로city street의 개선된 육상운송을 통해 점점 더 많이 수송되었음을 의미했다. 이후 20세기 동안, 일본에서 철도·도로의 교통 기반설비는 도쿄, 나고야名古屋, 오사카-고베-교토 주변의 팽창하는 도시권urban area에 의해 태평양 연안을 따라 뻗어 있는 연담連擔도시[집합도시]conurbation의 성장을 가속했다. 일본에서 산업 생산은 근대 내내 태평양 연안을 따라 압도적으로 집중되었고 특히 이 3개의 거대도시권metropolitan area에 집중되었다([표 29.1] 참조).

일본에서 인구와 생산력의 이와 같은 중앙집중화 과정은 최근 수십 년간 도쿄의 '단극화單極化, unipolarization'라 불리는 현상을 심화시키며 절정에 달했으며, 일본의 수도는 오사카 연담도시[집합도시]를 포함해 이런저런 도시권의 경제구조와 사회구조를 약화시킬 정도로 도시위계urban hierarchy를 지배하고 있다. 도쿄와 그 주변 연담도시[집합도시]의 인구는 약 3500만 명(오사카-교토-고베 연담도시[집합도시]의 2배 이상)이 넘고 전체 인구의 거의 30퍼센트를 차지하며, 일본 인구의 60퍼센트가 훨씬 넘는 수가 도쿄에서부터 규슈섬 남서부의 후쿠오카福岡까지 이어지는 좁은 해안 지구에 거주하고 있다. 도쿄의 위계적 우위는 도시경관urban landscape의 도쿄화라고 할 수 있는, 오랜 기간에 걸친 지역적 특성의 약화를 더욱 두드러지게 했다. 국가의 태평양벨트Pacific Belt를 따라 점진적인, 그다음에는 훨씬 더 빠른 도시성장urban growth의 과정이자 좀 더 근래 들어서의 중앙집중화로의 변화는 이 장에서 반복적으로 제시되는 주제다('태평양벨트' 곧 '다이헤이요벨트'는 일본의 미나미칸

[표 29.1] 일본의 도시 및 밀집거주지구 인구 비율, 1903~2000년[a]

연도	총인구 (명)	도시 인구 (%)	밀집거주지구 인구 (%)
1903	48,542,736	6,809,976 (14.0)	
1908	51,741,853	8,299,744 (16.0)	
1913	55,131,270	8,999,264 (16.3)	
1903	48,542,736	6,809,976 (14.0)	
1920[b]	55,963,053	10,096,758 (18.0)	
1930	64,450,005	15,444,300 (23.9)	
1940	73,114,308	27,577,539 (37.7)	
1950	84,114,574	31,365,523 (65.2)[c]	
1960	94,301,623	59,677,885 (72.1)	38,648,657 (43.7)
1970	104,665,171	75,428,660 (76.2)	52,704,136 (53.3)
1980	117,060,396	89,187,409 (76.2)	66,358,923 (59.7)
1990	123,611,167	95,643,521 (77.4)	73,839,118 (63.2)
2000	126,925,843	99,865,289 (78.0)	78,510,281 (64.7)

a: 밀집거주지구Densely Inhabited Districts, DID는 인접한 영역의 제곱킬로미터당 인구밀도가 4000명 이상이고 총주민은 5000명 이상인 곳을 의미한다. 일본의 행정 경계는 과대평가되거나(농촌과 산악지대의 광역 지역을 포함) 과소평가되는(동일 연담도시(집합도시)에 속하는 인접 도시들을 구별) 경향이 있으며, 따라서 밀집거주지구가 도시화의 범위를 측정할 수 있는 더 일관된 기준이 된다.
b: 1920년 이전의 자료는 호적을 출처로 한다. 1920년부터는 국가인구조사National Census의 수치를 사용했다.
c: 도시권 인구 비율은 1950년대에 급증하는데, 이는 전후의 첫 행정단위 합병과 그에 따른 도시 수의 증가에서 기인하는 현상이다.

출처: Sorensen, *The Making of Urban Japan*, 172; *Historical Statistics of Japan* http://www.stat.go.jp/english/data/chouki/index.htm

土南関東에서 기타큐슈北九州 지방까지를 연결하는 일련의 공업지역을 말한다].
이처럼 급격하게 진행되었으나 지리적으로 편향된 일본 도시화의 과정은 [표 29.2]와 [표 29.3]에서 명확하게 확인할 수 있다. 아울러 [지역지도 II.5]를 참조하라.

[표 29.2] 2000년 기준 인구 1000만 명 이상 일본 도시들의 인구성장

연도	삿포로	센다이	도쿄	가와사키	요코하마	나고야	교토	오사카	고베	히로시마	기타규슈*	후쿠오카
1920	102,580	118,984	3,699,428	21,391	422,938	429,997	591,323	1,252,983	608,644	160,510		95,381
1930	168,576	190,180	5,408,678	104,351	620,306	907,404	765,142	2,453,573	787,616	270,417		228,289
1940	206,103	223,630	7,354,971	300,777	968,091	1,328,084	1,089,726	3,252,340	967,234	343,968		306,763
1950	313,850	341,685	6,277,500	319,226	951,189	1,030,635	1,101,854	1,956,136	765,435	285,712		392,649
1960	523,839	425,272	9,683,802	632,975	1,375,710	1,591,935	1,284,818	3,011,563	1,113,977	431,336		647,122
1970	1,010,123	545,065	11,408,071	973,486	2,238,264	2,036,053	1,419,165	2,980,487	1,288,937	541,998	1,042,321	853,270
1980	1,401,757	664,868	11,618,281	1,040,802	2,773,674	2,087,902	1,473,065	2,648,180	1,367,390	899,399	1,065,078	1,088,588
1990	1,671,742	919,398	11,855,563	1,173,603	3,220,331	2,154,793	1,461,103	2,623,801	1,477,410	1,085,705	1,026,455	1,237,062
2000	1,822,368	1,008,130	12,064,101	1,249,905	3,426,651	2,171,557	1,467,785	2,598,774	1,493,398	1,126,239	1,011,471	1,341,470

* 기타규슈는 5개 행정 단위가 통합되어 1963년에 형성되었다.

출처: *Historical Statistics of Japan* (http://www.stat.go.jp/english/data/chouki/index.htm)

[표 29.3] 일본의 지리적 영역에 따른 제조업 생산량 가치 (단위: %)

거대도시권	일본 내 면적	1909	1920	1930	1940	1950	1960	1970	1980
도쿄	4	18	20	21	29	22	28	30	27
나고야	6	11	10	11	10	11	12	13	13
오사카	5	35	33	31	25	23	23	20	17
3개권	14	64	62	62	63	56	64	63	56
태평양벨트	23	73	74	74	78	72	78	76	71

도쿄 거대도시권: 도쿄시, 지바현, 사이타마현, 가나가와현
나고야 거대도시권: 아이치현, 기후현, 미에현
오사카 거대도시권: 오사카, 나라현, 교토, 효고현
태평양벨트: 3개 거대도시권, 시즈오카현, 히로시마현, 야마구치현, 후쿠오카현

출처 Sorensen, *The Making of Urban Japan*, 170; *Historical Statistics of Japan*, 2: 414-418

1880년대와 1890년대: 두 가지 길 구상하기

메이지 시대 중반인 1880년대와 1890년대에 일본의 가장 큰 규모의 도시들은 새 제도적 환경과 근대화하고 서양화한 도시 조건의 새 기반설비를 반영하며 개조되고 있었다. 이 기간은 근대화modernization, 산업화industrialization, 서양화westernization라는 일본의 삼중 시도가 —기반설비의 근대화와 사회 변화를 주도한 제도적 이데올로기의 서양화가—뿌리를 내린 20년이다. 서양식 사상·제도·기술의 수입은 항상 번역과 적응의 과정을 포함하며, 이것은 일본의 도시환경에서 분명하게 볼 수 있다. 도시화하는 근대 사회의 창조는 도시 기반설비의 대대적 변화를 수반했다. 도시질서에 대한 새 개념이 만들어져야 했다. 정부, 재정, 군사 기관이 들어설 공간이 시 중심지city centre에 필요했다. 새 정부

와 상업 중심지도 요구되었다.

메이지 이전 시기 일본의 도시들, 특히 도쿄의 구조물들은 주요 사무라이 가문의 주거단지가 중앙에 자리하고 있었기에 손쉽게 규모를 조정하고 즉시 이용할 수 있어서 이러한 변화에 잘 적응했다. 성벽과 성문이 있는 도시 에도는 해자와 삼엄한 방어 시설물로 둘러싸여 있었으며, 그 안에 쇼군將軍이 측근들과 함께 거주했고 국가 관리들이 일했다. 메이지유신(1868) 전후로 몇 년 동안 점점 많은 성이 화재로 소실되었다. 그러나 권력의 아우라를 지닌 이 공간의 함의에도 불구하고, 또는 십중팔구 그 때문에, 메이지 천황은 그의 숙소가 서양 양식으로 새로 지어진 궁전에 있었음에도 결국 이 공간으로 되돌아왔다. 봉건 엘리트들 가운데 더욱 큰 힘을 가졌던 자들이 거처하던 성 주변의 많은 주거단지는 군부와 새 정부 부처들로 전환되었다. 성 주변의 이러한 새로운 공간 구성은, 과거와 마찬가지로 전국의 많은 옛 조카마치에 반영되었다. 규모에서 차이가 있으나, 지방의 커다란 성 구역의 대부분을 차지하던 주거단지들은 정부의 소유로 이관되고 현청 부지가 되었다.

도쿠가와 막부德川幕府〔에도막부江戶幕府, 1603~1868〕 아래에서 도시 경제urnan economy는 복잡해지고 다양해졌으며 유력한 상인들은 상단으로 결속했다. 정치와 토지 보유 체제의 변화로 많은 상인이 정치 무대와 새 제국 수도의 지리적 영역으로 진출했다. 미쓰이三井 가문과 관련된 이해관계는 현재 증권거래소가 위치하는 도쿄의 토지 취득을 통해 형성되었으며, 후에 미쓰비시三菱로 알려지게 되는 이 가문은 오늘날 일본의 많은 주요 기업의 본사가 위치하는 넓은 토지를 장악했다. 근대 일본 자본주의의 맹아는 도쿄의 대지에 그 권위의 기원을 두었다. 기업의 토지 소유는 시 중심지의 현저한 특징으로 남아 있다.[2]

도시의 개선은 이전 시기의 부작용인 더러운 뒷골목 빈민가를 일소하려는 초기의 시도를 의미했다. 빈곤과 '불결한' 직업을 공공의 시선에서 도시의 변두리로 추방하는 과정은 오사카에서도 복제되었다.[3] 새 도시질서는 교통과 이동의 필요성을 포함했다. 도로의 물리적 장애물과 인적 장애는 제거되었다. 교통, 특히 인력거를 포함한 바퀴 달린 운송수단은 개선된 도로포장과 장애물 없는 통로가 필요했다.[4] 적당한 규모의 물길에서조차 필요한 교량의 수가 증가했다. 도쿄와 오사카 모두에서 근대적이고 서양적인 기반설비(정확하게 결핍되었던)의 제공이 도시 정책의 주요 특징이 되었다.[5] 도시 거주민들의 복지에 대한 고려는 좀 더 기다려야 했다.

가스 가로등은 1870년대 초반에 도입되어 몇몇 주요 도로를 밝혔고, 첫 전기 가로등은 10여 년 뒤에 설치되었다.[6] 대학, 병원, 학교 등 다양한 근대적 도시기관들의 공간도 마련되었다. 서양식 소비와 여가 활동—때로는 전통적 접근법에 대한 서양식 적응—이 구체화되기 시작했다. 이전에 방치되었던 도쿄 중심부의 한 모퉁이에서 유례가 없는 도시주의urbanism 실험이 일어났다. 긴자銀座 구역은 1872년에 불탔었다. 이후 긴자에는 벽돌로 재건된 최초의 건물이 들어섰고, 최초의 포장도로가 깔렸다. 실제로 도쿄와 요코하마를 잇는 일본 첫 기차 노선의 시작점으로 근래 완공된 기차역〔신바시역新橋駅〕에 인접해 있던 이 지역은 쇼윈도, 가로수, 가스등이 있는 서양 도시주의에 대한 일종의 전시장이 될 계획이었다. 초창기의 몇 가지 중요한 문제가 해소된 이후 긴자는 도쿄뿐 아니라 국가 전체에서 근대 도시주의의 표준이 되었고, 이는 근대적 상업·기술·소비 행동이 부여해줄 수 있었던 혜택의 모범적 예시가 되었다.

긴자가 새로 계획되고 있던 것과 거의 동시에 일본 최초의 공원들이 지정되었다. 총 5개 공원 모두는 도쿠가와 막부 시대에 도쿄에서 인기 있던 여가 장소들이었다. 1903년이 되어서야 일본 최초의 '서양식'〔근대〕 공원이 군사 행진 장소인 도쿄 중심부 히비야日比谷에 문을 열었다.[7] 그러나 도시계획가들과 정치인들이 공원 용지를 개념화하고 구획하는 과정에서 직면한 어려움이 서양적 도시공간urban space을 일본의 도시로 수입하고 이식하는 과정에서의 과제를 드러낸다. 완공된 지 불과 몇 년 후인 1905년에 히비야공원은 정치집회 장소가 되었고, 일부 집회는 러일전쟁을 끝내는 조약〔포츠머스조약〕에 반대하는 폭력적 시위대를 주변의 거리로 쏟아냈다.

놀랍게도 어쩌면, 모든 일본 도시 가운데 이 시기에 가장 큰 변화를 겪은 도시는 교토였을 것이다. 오랜 쇠퇴기를 겪고 황실의 기부를 통해 도움을 받은 이 도시를 재창조하는 시도로 교토에는 서양식 대로가 건설되었고, 가로등이 설치되었으며, 전차체계가 계획되었다. 헤이안신궁平安神宮 같은 공적 기념의 신사神社가 건립되었고, 그 주변은 여러 관청 용지로 정비되었다.[8] 이와 같은 방식으로 서양식 도시주의의 많은 부속물이 일본으로 유입되었다. 그것은 단편적 과정이었고, 기존의 도시 토지를 활용하는 것이었다.

교토와 오사카를 두고 약간의 저울질 끝에 도쿄는 국가의 ─그리고 제국의─ 수도가 되었다. 오사카는 상업적 측면에서 우위에 있는 도시였으나 국민 생활의 모든 면은 도쿄에 집중되었다. 그런데 도쿄는 어떤 종류의 수도가 되어야 할까? 메이지 시대 중반 시기는 도쿄가 발전해야 할 방향성에 대한 깊이 있는 논쟁으로 특징지어졌다. 도쿄가 파리나 베를린처럼 거대한 '바로크baroque' 양식의 수도가 되어야 하는가? 혹은 정부가 항구를 확장하고 런던처럼 무역 및 상업의 거대중심지로서의 수도를 만드는 데 집중해야 할까? 이 논쟁은 결코 완전히 해결되지는 않았지만, 재정적 제약으로 일본 정부가 초빙한 유명한 독일 기술자들에 의해 구상된 거대한 바로크식 도시계획은 축소될 수밖에 없었다.[9] 논쟁은 일본 도시들을 일관된 양식으로 규제하려는 첫 시도에서 절정에 달했다. 1888년의 도시 개선 포고령은 주로 도로, 다리, 그리고 도시 기반설비와 관련이 있었다. 이는 수년 동안 도쿄에 적용되었는데, 가용 예산이 축소되면서 실효성이 감소했고 수도 이외 지역에는 거의 영향을 미치지 못했다.

주로 주변부 지방 출신의 사무라이들로 구성된 메이지 정부는 국가의 최대 규모 도시에 경쟁적 권력 구조를 형성할 수 있는 환경을 조성하는 것을 주저했다. 다른 도시들에서 1878년에 시장과 자치체들이 승인되었지만, 이 특권은 정부가 광범위한 불만에 직면해 양보를 한 1898년까지 도쿄, 오사카, 교토에는 허용되지 않았다.

도쿄와 오사카와 여타 가장 큰 규모의 도시들에서의 삶은, 말하자면, 양쪽 모두를 살피는 세계에 존재하는 것 같았다. 도시 생활의 경험은 도시의 이야기를 회고적 어법으로 그려내고 흔히 도시의 변화하는 물리적 경관과 인간 풍경에 대한 경이를 표현하는 작가들의 지형학적 설명에 잘 드러난다. 히라데 고지로平出鏗二郎가 그중 한 명이다. 1898년부터 출판된 도쿄의 예법과 관습에 대한 그의 이야기는 한편에서는 계절의 변화를 기념하는 전통놀이와, 다른 한편에서는 자전거와 낚시 같은 새 여가활동이 심지어는 같은 공간에서 행해지는 도시에 대한 매력적인 그림을 그리게 한다.[10] 그를 비롯한 다른 이들의 이야기는 산업 시대 초창기에 일본 도시들의 삶에 대한 더욱 완성도 깊은 그림을 그리는 데 한몫하는 가치가 있는 자료들이다.

　메이지 시대의 일본 도시 대부분은 도쿠가와 체제로부터 한 쌍의 조건을 물려받았다. 영주들이 자신의 영지를 떠나 일정 기간을 쇼군의 수도에 머물러야 했듯, 무사 계급의 사무라이들은 자신들의 땅을 떠나 각 영주의 성 주위에 근거지를 둘 수밖에 없어서, 일본 전역의 조카마치들은 소비와 장인 생산 모두에서 중심지였다. 1880년대에 이르러 정치 상황이 안정되고 도시 인구가 빠르게 증가하면서 소비 또한 다시금 빠르게 성장했다. 그러나 거의 틀림없이 일본의 도시 변화와 성장에서 결정적 요소 중 하나는 장인 제조업의 힘이었다. 공인工人 계급 구성원에 전직 사무라이들이 추가되었는바, 그들 대부분은 빈곤한 사무라이였고, 도시 시장에서 거의 모든 종류의 상품을 생산하는 도시 생산자 계층을 형성했으며, 상당 부분 도매상-도급업자[돈야問屋]들에 의해 관리·통제되었다. 이러한 생산체계로부터 다수의 소규모 제조업자가 성공적으로 혁신하고 산업자본가로 변모하면서 본격적으로 도시적 산업자본주의urban industrial capitalism가 성장했다.

　일본의 도시(와 농촌rural) 생활에 혁명을 일으킨 거대한 정치적이고 사회적인 변화에도, 일본 도시들의 전체적 배치는 도쿠가와 시대의 많은 특성을 보존했다. 토지의 양상은 수십 년 동안 서서히 전개되었으나, 무엇보다 변화의 속도는 오사카 그리고 이곳보다는 조금 덜했던 도쿄를 중심으로 한 초창기 도시의 산업화로 가속되었다. 1886년에 오사카에는 이미 5000개 이상의(도쿄보다 1000여 개 많은) 공장이 20만명 이상의 노동자를 고용하고 있었다.[11] 그런데 도시의 성장 추세는 전국적으로 균일하지 않았다. 1878년에서 1898년까지 나가사키長崎·하코다테函館·요코하마·고베 같은 번창하던 항구도시들과 마찬가지로, '3대 위대한 도시'인 도쿄·오사카·교토는 두 배 이상 인구가 성장하며 급증했고, 도야마富山와 심지어는 가나자와 같은 몇몇 예전 조카마치는 이제 경제활동의 주요 추진력의 주변부로 머물면서 인구성장population growth을 기록하지 못했다.[12]

1920년대: 거대도시의 팽창

1920년대에 이르러 메이지 시대 중반 시기의 망설임은 사라졌고 일본 도시의 기반설비는 급속히 근대화되었다. 일본의 도시들은 바깥으로 신속하게 펼쳐졌다. 인력거는 그 수가 빠르게 줄었고 그 자리를 전차와 버스가 차지했다.[13] 1920년대 중반에 이르러 도쿄와 오사카 같은 가장 큰 규모의 도시들은 광범위한 전차 네트워크를 보유했다. 이는 확장해가던 교외철도 노선 네트워크에 연결되었다. 1910년대에 오사카에서 시작된 교외의 민간철도 노선은 곧 일본 도시들의 핵심적 특성이 되었다―지금도 유지되고 있다. 민간철도들은 철도 노선에 따른 부동산 개발과 종점 근처의 고급 백화점 건설 사업을 병행하는 재벌들에 의해 소유·운영되었다.[14] 일본의 이와 같은 도시주의 설계자 가운데 일인자는 오사카의 교외철도를 경영한 한큐阪急그룹 회장 고바야시 이 치조小林一三[1873~1957]였다. 조던 샌드Jordan Sand가 《근대 일본의 주택 과 가정House and Home in Modern Japan》에서 이야기하듯, 고바야시는 자신 이 소유한 노선의 양 끝 종점에 관광객들의 다양한 반응을 끌어낼 관 광 명소들을 창조했다. 몇 년 후에 도쿄에서도 일본 최고의 사업가 중 한 명인 시부사와 에이이치渋沢栄一[1840~1931]가 소유한 철도회사가 도쿄 바로 바깥에 있는 철도 노선의 종점에 정원교외를garden suburb를 건설했다. 덴엔초후田園調布는 [영국 런던 북쪽의] 레치워스Letchworth에 있 는 에버니저 하워드Ebenezer Howard[1850~1928]의 최초의 정원도시garden city를 본떠 만든 것은 아니라고 해도, 이곳에서 영감을 받아 건설되었 다고 알려졌다.*

새로운 민간철도 노선이 사람들을 교외suburb 지역에 살도록 유혹함 과 동시에, 최대 규모 도시들의 더 오래된 지구들은 (일본의 상당수 더 작 은 규모의 도시와 마찬가지로) 빠르게 중요한 제조업 중심지가 되었다. 수 많은 소규모 제조시설과 그 사이사이에 배치된 더 큰 규모의 공장들이 이곳에서 성장하는 제조업의 특징이었다. 일본의 맨체스터라고 불리 는 것을 크게 의식하고 또한 매우 자랑스럽게 여겼던 오사카는 도쿠가 와 시대부터 이어져온 산업활동의 중심지 역할을 유지했으나, 곧 도쿄 에 그 자리를 빼앗길 것이었다.[15] 산업 생산은 도쿄항의 준설과 개선이

---

* 'garden city'는 건축·도시설계학에서 '전원도시'로 번역해왔으나 번역자를 포함해 도시사 학자들은 이 개념을 주창한 하워드의 사상적 역사적 맥락을 중시해 '정원도시'로 옮긴다.

해안을 따라 게이힌京濱 공업지대가 발전하도록 추동한 때이자 대륙에서 총력전으로 이어진 수년 동안에 정치 중심지로 옮겨갔다.[16]

일본의 비좁고 도시화되는 충적 범람원에 위치하는 근대 산업의 성장은 제1차 세계대전으로 촉발되었고, 이때 식민지 시장이 갑자기 일본 상품에 개방되었다. 이러한 성장은 이전까지 증기에 의해 가동되었던 제조공장의 전기화로 촉진되었다. 이 무렵에는 가스와 전기가, 상수도 시설이 그러했듯, 점점 더 많은 가정에 공급되고 있었다―하수 처리 시스템은 아직 보급되지 않았다([표 29.4a] [표 29.4b] 참조).

1920년대의 재앙적 사건은 1923년 간토關東대지진으로, 가와사키川崎와 요코하마만 아니라 도쿄의 중부와 동부 지역 거의 모두를 파괴

[표 29.4a] 도쿄도 구부東京都區部의 가스 공급 가구 수

구區	1885	1890	1911	1926
니혼바시日本橋	127	394	14,722	12,909
아자부麻布	–	23	6,545	11,385
아사쿠사浅草	15	71	16,949	16,396
혼조本所	–	–	16,571	12,660

출처: *Tokyo Statistical Yearbook* 자료 편집

[표 29.4b] 도쿄도 구부의 전력 공급 가구 수

구區	1911	1926
니혼바시	16,178	17,789
아자부	9,463	17,957
아사쿠사	26,320	51,867
혼조	19,223	47,752

출처: *Tokyo Statistical Yearbook* 자료 편집

했다. 대지진은 약 10만 명의 사상자와 몇몇 끔찍한 지역적 재난을 발생시켰으나, 그 영향은 일본 도시주의 역사를 다시 쓰게 할 정도는 아니었다. 폐허에서 재건된 도시는 이전의 도시와 크게 다르지 않았다. 지진으로 부분적인 토지 구획의 표준화와 주요 도로의 확장이 있었는데, 일부는 지진 이전에 계획된 것이었다. 그런데 재건된 많은 주택이 화재 규정으로부터 면제되었고(매우 역설적이게도), 이후 이러한 면제가 무기한 연장되었다. 이는 전시 폭격으로 주택들이 파괴되는 것에 직결되었다.[17] 지진의 주된 영향은 도쿄 주민 수천 명을 이재민으로 만든 것이었고, 이들은 많은 경우 도시 경계를 넘어 성급하게 지어지고 형편없이 설계된 구역으로 더 멀리 이주하도록 강제되었다.

도시 인구의 이와 같은 외향적 팽창은 1932년에 공인되었는바, 당시 도시 경계가 바깥으로 옮겨졌고 기존의 15개 구에 추가될 주변부 땅에 20개 구가 새로 개척되었다. 이것은 오사카가 비슷한 행정적 팽창 과정을 겪은 7년 후에 이루어졌다. 도시권의 인구성장과 그에 따른 도시의 팽창은 전국적으로 반복되는 양상이었다. 1920년의 첫 번째 전국적 인구조사와 1930년의 인구조사의 결과에 따르면, 가장 큰 규모의 도시들에서 인구가 가파르게 증가했으며, 심각한 지진과 그로 인해 시 중심지와 내부도시inner city 거주민들이 피해를 입었음에도 도쿄현 인구가 다른 곳들보다 크게 증가했다([표 29.2] 참조). 동시에 인구가 3만 명 이상의 모든 행정구역의 인구가 해당 10년 기간에 12퍼센트 증가했다.

간토대지진이 일본 도시들의 새 출발을 이끈 사건이었다면, 1919년 일본 최초의 도시계획법이 통과되어 1920년대와 1930년대에 도시별로 시행된 것 또한 매우 중요했다. 여기에는 도시별 용도지역 계획zoning plan의 도입 등 여러 조치가 수반되었다. 도쿄 도시계획법의 효과는 대지진으로 인해 상당 부분 줄어들었던 터라 대지진 이후 임시법이 추가로 통과되었다. 용도지역 계획은 규범적이라기보다는 기술적이었고, 새로운 토지 이용 형태를 규정하기보다는 기존의 양상을 인정했다.[18]

일본 도시주의 형성에 더욱 중요한 것은 1923~1935년 오사카 시장으로 재임한 세키 하지메關一〔1873~1935〕가 채택한 입장과 계획들이었다.[19] 그는 도시권의 인구 과밀을 완화하려 노력한 정치인들과 관료들의 세대에서 가장 탁월한 인물이며, 정원도시는 그가 선호하는 해결 방식 가운데 하나였다. 이 시기의 많은 도시개혁 및 사회개혁은 국가가 아닌 자치체 차원에서 도입되었다. 사회복지 입법이 그 대표적 사례로, 1917년 오사카와 오카야마岡山에서 처음 도입된 방면위원方面委員 체계는 1929년까지는 완전한 입법이 진행되지 않았다.[20] * 이 체계는 새로운 관리직과 전문직 계층 위원들의 자발적 노력에 크게 의존했다.[21] 도쿄에서는 1919년 사회복지 사무국이 창설되어 시 정부가 빈곤을 정확히 파악하고 해결하는 데서 중요한 역할을 했다. 동시에 일본 전역의 도시들에서 위생조합衛生組合이 일반적으로 지역 시민들의 주도로 설립되었으며, 그 활동은 이제 지방행정의 범위 내로 들어와 있다. 이후 수십 년 동안, 특히 1920년대에 동네neighbourhood 결사체들이 전국의 도시권에 설립되었다. 많은 수가 위생조합을 모델로 삼아 사

---

* 독일어로 아르멘플레거Armenpfleger인 '방면위원'은 원래 1853년에 프로이센에서 만든 구빈 인적人的 제도로, 일정한 지역 안에서 거주민의 생활실태를 조사해 가난한 사람들을 보호·지도했다.

회적 응집력이 있는 동네를 육성하는 시민사회의 강력한 역할을 확립하는 데 도움을 주었다.

일본에서, 1920년대는 여가를 즐길 수 있고 소비할 수 있는 수입이 있는 임금생활자들로 구성된 중산층의 성장과 함께 특색 있는 도시 대중문화가 발달한 황금기로 자주 묘사된다. 도쿄, 오사카, 여타 대규모 도시large city의 특정 지구는 소비적 행동, 여가활동, 상당수가 젊은 여성인 쇼핑하는 군중과 결합했다. 이러한 지구의 전형은 1920년대와 1930년대에 의심할 여지가 없이 가장 유행에 민감한 타운이었던 긴자다. 긴자의 카페, 상점, 유제품 판매점은 서양 상품과 일본적 감성의 절묘한 조화를 이루었다. 그곳은 새 중산층을 대상으로 하는 도시의 패션쇼 무대였다. 이 시기는 도쿄의 사무직 노동자 수가 증가하고 있었으나 중산층의 근대적 도시 생활양식의 의미가 만들어져야만 했던 때로, 산업·부동산 거물 쓰쓰미 야스지로堤康次郎〔1889~1964〕와 같은 사업가들은 도시의 전문직과 경영자 계층 구성원들을 끌어들이려 희망한 시범적인 도시 마을에 투자했다.[22] 그러나 긴자의 많은 눈요기 쇼핑객은 주간에만 타운에 머무르거나 점원 혹은 이런저런 저임금 종업원들이었던 만큼 이러한 서양식 혼합 주택들은 그들의 경제력으로 감당할 수 없는 것이었다.

일본에서 국가는 주택의 공급에 거의 관여하지 않았고, 주택 공급은 민간 부문의 특권으로 남았다. 사회주택social housing의 실험은 제한적이었다. 공공주택public housing에 대한 국가의 첫 시도로〔1924년 일본 내무성에 의해 주택 공급을 목적으로 설립된 재단법인〕도준카이同潤會가 도쿄에서 간토대지진 이후에 만들어졌으나, 도준카이는 단지 7000채만을 완성했을 뿐이다. 도쿄에 거주하든 다른 도시에 거주하든 중산층 대부분은 목제 테라스가 있는 작은 이층집 또는 연립주택row housing에서 조촐하게 살았고, 그들의 주거지는 공장 직원이나 이들 가족의 주거지와 거의 구별되지 않았다. 일본의 급속한 산업화는 많은 수의 남녀 노동자를 도시로 빨아들였다. 그중 상당수가 가족과 함께 혹은 가족과 떨어져 공장 규율, 장시간 노동, 저임금에 얽매여 곽곽한 삶을 살았다. 1923년의 지진은 도쿄의 많은 불량주택 집합체들을 파괴했으나 지진이 빈곤을 해소하지는 않았다. 1920년대 말에 도쿄에는, 오사카나 대부분의 다른 일본 도시와 마찬가지로, 주요 빈민가는 없었고, 도시는 그 거주민 대다수가 살아가는 저품질 목제주택의 특이한 혼재로 특징지어졌다.

유럽의 식민권력〔식민국〕colonial power들과 마찬가지로, 일본 주요 도시의 장악 및 개조와 새 도시의 건설은 한국·타이완·중국에서 일본 제국주의 정책의 중심을 차지했다(일본 제국주의의 침략 이전 수십 년 동안의 중국 도시들에 대한 자세한 논의는 크리스틴 스테이플턴이 쓴 28장을 참조하라). 제국의 권위는 서울과 타이페이에서 웅장한 총독부 건물로 구현되었다. 한국인과 타이완인은 일본 제국주의 식민주의자 및 사업가들과 그 가족들의 새 거주 구역 공간을 확보한다는 구실로 이리저리 옮겨 다녀야 했다. 일본의 아시아 진출을 계획한 일본 관료들은 각종 규제라는 걸림돌에서 자유롭고 종종 백지상태에서 시작할 수 있었으며, 본국에서는 결코 경험할 수 없는 방식의 도시계획 기회를 포착한 건축가와 도시계획가에게 용역을 요청할 수 있었다. 일본인들은 선양瀋陽을 그들의 괴뢰국인 만주국의 수도로 만들었다. 그들은 이곳에서 기존 정주지와 인접한 지역에 야심적인 방대한 규모의 신도시를 계획했다. 신도시의 주요 관청들은 자유롭게 제공된 녹지와 함께 방사형과 격자형으로 배치된 대로로 연결되었다.[23]

토지소유주가 소규모 토지를 제공하는 대가로 이루어지는 인접한 구획의 합리화와 기반설비의 제공을 포함하는 토지 재조정은 일본인들이 그들의 식민지에서 대규모로 실험한 것이었다. 이후 시기에 특히 전쟁 이후에, 이러한 방식은 도시권과 농촌권rural area을 재개발하는 수단으로 점점 더 활용되었다―시 중심지와 무엇보다 도시 변두리의 특정 토지가 그러했다.

도시들의 파괴와 재건

재난과 파괴는 일본의 도시사에서 반복적인 주제이며 거의 틀림없는 모종의 상상적 강박이다. 피해 규모 자체로는 제2차 세계대전 마지막 몇 년 동안 일본의 도시들에 가해진 전면적 폭격이 초래한 파괴의 정도에 비할 수 있는 것이 없다. 1923년의 간토대지진으로 파괴되었던 도쿄와 요코하마는 얼마 지나지 않아 재건되었다. 이후 고베 역시 1995년의 지진으로 크게 파괴되었으나 사상자 수는 약 6000명으로 훨씬 적었다. 그러나 현대 일본의 도시 생활 역사에는 수많은 죽음을 초래한 다른 많은 재난이 있었다. 그 가운데는 도쿄와 주변 도시를 강타한 1910년의 대홍수, 1938년 고베와 오사카 상당 부분을 마비시킨 홍수(사망자 616명), 1959년 나고야에서 5000명의 목숨을 앗아간 태풍

이세완伊勢湾, 1964년에 니가타新潟지진(희생자 26명), 1982년에 299명의 사망자를 낸 나가사키에서 발생한 돌발 홍수, 2011년 3월 11일에 일본 도호쿠東北 지방을 초토화하고 2만 명에 달하는 사망자를 낸 지진과 쓰나미를 꼽을 수 있다. 이외에도 다른 많은 재난이 있었는데 언급한 사례들은 재난에 대한 규칙성과 지리적 포괄성을 내포한다. 전쟁 직후 시기는 특히나 주기적 파괴의 시기 중 하나였으며 1945년부터 1960년까지 거의 매년 1000명 넘게 사망했다. 그러나 오직 교토와 가나자와만이 피해간 제2차 세계대전 중에 가해진 폭격의 참화, 전쟁의 마지막 며칠 전에 히로시마廣島와 나가사키에 떨어진 원자폭탄에 의한 파괴는 이러한 재난들과는 비교할 수조차 없는 것이었다.

전쟁 직후 몇 달 동안 일본의 파괴된 도시들에 대한 일련의 야심적 계획이 세워졌는바, 가장 야심적이었던 것은 도쿄에 대한 선구적 도시계획가 이시카와 히데아키石川榮耀[1893~1955]의 작업이었다. 그러나 극심한 국가적 재정난의 시기에 이와 같은 계획을 실현하는 데 필요한 자금 지원은 거의 없었다. 실제로 도쿄는 다른 도시들에 비례해 오히려 더욱 적은 자금을 지원받았다. 대부분의 활동은 이 계획에서 구상한 질서 있는 재건과 공원 용지 제공이 아니라 "전쟁 이전의 도시계획 문화, 개념 및 기법에 상응하는 대다수 재건 계획들"과 함께 신속한 주택의 제공이었다.[24] 토지 구획정리land readjustment는 일본의 도시들을 직교 선들로 재구성하는 도구가 되었다. 그러나 조건들이 좋지 않았고, 나고야는 토지 구획정리가 효과적으로 시행된 몇 안 되는 도시의 하나였다. 이 기술은 전쟁 훨씬 이전에 도시 주변의 농업 지역에 사용되었지만, 전쟁으로 인한 파괴의 여파로 나고야의 중심지와 도시권 전역에 새 대로들을 건설하는 데 사용되었다. 결과적으로, 나고야는 많은 곳에서 일본 도시주의의 전형적 특징이었던 즉흥적이고 계획되지 않은 모습을 갖지 않게 되었다.

일본이 미군정하에 있던 6년 동안 가장 큰 변화가 일어난 곳은 시골이었지만, 이러한 변화의 영향은 도시화가 진행되던 지역에서 강하게 느껴졌다. 연합군에 의해 주도되어 1947년에 시행된 일본의 토지개혁 프로그램은 도시 변두리에서 돌이킬 수 없을 정도로 파편적 성장의 양상을 만들어냈다. 동시에 안드레 소렌센André Sorensen의 주장처럼 전후의 새 헌법을 제정하는 과정에서 일본 의원들에 의해 강력하게 재산권property rights이 강화되었다.[25] 일본의 20세기 중후반 도시팽창urban expansion의 기본 양상은 소규모 토지 소유와 토지소유주들의 뿌리 깊은 소유 본능에 의해 깊게 각인되었음이 확실하다.

1960년대와 1970년대:
고도 성장기 일본의 메갈로폴리스

전후 수십 년 동안 일본의 경관은 많은 충적 범람원의 광범위한 도시화와 산업화에 따라 변모했다. 범람원이 콘크리트로 채워지면서 매립 작업의 가속화를 통해 육지가 바다 쪽으로 넓어졌다. 일본 태평양 연안 회랑의 인구는 1955년에서 1970년의 고도 성장기에 기하급수적으로 증가했으며, 일본 전역의 크고 작은 규모의 도시들도 연속적인 행정적 합병이 가능할 정도로 급속하게 성장했다. 일본의 해안선 대부분이 콘크리트로 덮이는 한편으로 이른바 콤비나토kombinaato로 불리는 중공업 특별 구역이 형성되었는바, 석유화학 및 정유산업을 기반으로 하는 거대한 산업 복합단지〔복합체〕industrial complex로서 소련 모델에서 그 명칭이 유래했다. 후쿠오카에서 도쿄까지 약간의 단절만 있는 일본의 좁은 태평양 연안 지역 전체는 사실상 세계시장으로 침투해 결국 과잉 공급 상태에 이르게 한 소비재 생산 기지로 전환되었다. 이 모든 것을 함께 연결하는 것이 고속철도 신칸센新幹線으로, 도쿄—오사카 '토가이도東海道 메갈로폴리스'Tokaido megalopolis의 첫 번째 노선은 1964년의 도쿄올림픽에 맞춰 완성되었다. 올림픽은 그 자체로 다양한 일본의 도시 '근대화' 프로젝트, 특히 도쿄의 고가 고속도로 건설에 촉매 역할을 했다(이후 다른 도시에도 건설되었다).

급속한 경제성장은 건축가와 개발자의 구미를 당겼다. 도쿄만 지역으로 인구를 분산하기 위한 새 도시를 건설하는 과도한 계획들은, 단게 겐조丹下健三〔1913~2005〕 같은 선도적 건축가들에 의해 구상되었고 수포로 돌아가기도 했으나, 1980년대에 도쿄만을 따라 건설될 다양한 초거대도시mega urban 프로젝트의 기반을 마련하는 데 도움을 주었다. 도시계획에 대한 이와 같은 거창한 개발지향적 접근법의 절정 중 하나는 총리 다나카 가쿠에이田中角榮〔재임 1972~1974〕의 '일본 재건: 일본열도 재개발 계획'(1973)으로, 해당 계획은 일본 전역에 토지 투기의 광풍을 일으켰고, 이로 인해 초기 계획 중 상당 부분이 철회되었다.[26] 경제성장이 너무 빨라 정부의 1960년도 소득 배가 계획이라는 경제적 목표치를 금방 넘어설 정도였다. 성장의 대부분은 태평양 연안의 토카이도 회랑에 집중되었다. 이러한 집중은 일정한 정치적 반대를 불러왔다.

이 기간에 중앙정부의 지역 및 토지개발 계획은 집중화에 반대하는 주장과 집중화를 지지하는 목소리 사이에서 갈팡질팡했다. 결과적으로, 다양한 계획의 영향은 십중팔구 중립적이었을 것이다. 그리고 어떤 경우든 일본의 1950년대와 1960년대의 성장은 계획을 거의 무의미하게 만들 정도로 매우 빨랐다.

공산품 수출과 콘크리트 경관의 대규모 개발에 기반을 두는 경제성장의 형태 하나만을 추구하는 것은 지속이 불가능했다. 1960년대 후반에 다수의 치명적 오염 사건이 다른 소규모 사건들과 함께 발생했다—법원은 궁극적으로 원고에게 유리한 판결을 내렸다. 시민들은 전국을 들썩이게끔 행동했고 개혁적 성향의 시장市長과 정부가 선출되어 일본의 가장 큰 규모의 도시들을 운영했다. 일본의 지방정부 체계는 주로 태평양전쟁Pacific War〔1941~1945〕후 몇 년 동안 완전히 개편·재구성되었다. 그러나 지방의 자율성은 일반적으로 다소 제한적이라고 여겨졌다. 급속한 발전 시기의 지향성에 대한 상당한 수준의 전반적 합의가 있었으나, 중앙정부는 재정 체계, 파견 근무 및 법적 구조 등을 통해 광범위한 통제를 행사했다.

도시 스프롤urban sprawl 상황에 직면하게 된 일본 정부는 1968년에 도시계획법의 대대적 개정에 착수했다. 이 법안의 주된 의도는 도시성장을 바람직한 방향으로 매개해 구체화하는 것이었다. 도시 통제 지역과 도시 촉진 지역이 조성되었는데, 마이클 허버트Michael Hebbert와 나가이 노리히로Nakai Norihiro가 설득력 있게 보여주듯, 그 결과는 왜곡되어 나타났다. 법 적용의 면제는 도시 통제 지역에서의 건설로 이어졌고, 농민들의 전략적 토지 보유는 도시 촉진 지역을 무질서하게 변형시키는 요소로 작용했기 때문이다.[27] 게다가 10분의 1헥타르 미만 구획 용지에 대한 '면책 조항'은 적절한 기반설비가 부재한 소규모 성냥갑 형태의 개발이 급증하는 것으로 귀결되었다.

전시 파괴의 규모에도 불구하고, 일본의 주택 건설은 대부분 민간에 맡겨졌다. 국가의 주택 공급은 전후 몇 년 동안 제한적으로만 이루어졌고, 국가는 주택을 일차적으로 가계의 책임으로 간주했다. 평균적인 주택의 규모는 작았고, 주요 도시에서의 생활은 대체로 간소한 편이었다. 주택에 대한 국가의 개입이 전혀 없었던 것은 아니었다. 1960년대에 뉴타운이 일본주택공단日本住宅公團에 의해 도쿄·오사카·나고야 같은 대규모 도시들의 가장자리에 건설되기 시작했다. 이후 뉴타운은 민간 철도회사에 의해 개발되었고 주로 단독주택을 포함했다. 그러나 1950년대와 1960년대 일본 도시권 전체적으로는 4층짜리 아파트 블록들이 동일한 양상으로 지어졌다. 단지團地라고 알려진 이 아파트 블록들은 도시 스프롤 현상을 완화하는 동시에 빠르게 증가하는 도시 인구에 주택을 제공하려는 의도가 있었다. 베이비붐 세대는 아파트 단지 세대로 알려졌는데, 이 표현은 충분히 적절하다. 그러나 그들이 차지했던 주택들은 그곳 거주민들과 함께 노후화했고, 이 주택단지들을 어떻게 할 것인지에 관한 모든 문제가 1990년대에 표면화했다.

붐비는 열차를 이용한 장시간 통근이 젊은 여성 직원과 평범한 남성 샐러리맨 삶의 표준적 양식이 되면서 편안한 삶의 많은 요소가 사라졌다. 주택 가격 상승으로 주택 소유자들이 점점 더 〔멀리〕 밀려나면서 통근 거리는 1980년대까지 계속 늘어났다(주택 소유를 촉진하는 지속적 정책과 회사가 직원들의 교통비를 지급하는 일반적 관행이 이러한 추세를 가속화했다).

일본 도시 생활의 흔한 일상은 지하철 역무원들이 혼잡한 열차에 통근자를 밀어 넣거나 교통경찰이 마스크를 쓴 채 분주한 도로 교차로 한복판에 서 있는 모습 속에 담겨 있다. 대기 질 저하와 녹지공간 부족은 이 시기 일본 도시 생활의 공통된 모습이었다. 이런 도시 생활의 본질적 의미 규정은 유럽공동체European Community, EC의 한 공무원이 일본인들을 "토끼 우리에 사는 일 중독자들workaholics living in rabbit hutches"이라 묘사한 문서가 1979년에 유출되면서 이루어졌다. 일본이 보인 반응은 분노와 동의 둘 가운데 하나였다. 낮은 삶의 질과 대비되는 높은 국민총생산GNP을 언급하면서 부유한 국가의 가난한 국민이라는, 일본에 관련한 많은 이야기가 있었다.

거품 이후 시기 일본의 도시들

일본의 경제는 1970년대의 높은 에너지 가격 시대에 다른 대부분의 나라보다 더욱 잘 적응했다. 일본은 세계에서 두 번째 경제 대국이 되었고, 1980년대 초반에는 경제 관리의 모범국으로 여겨졌다. 동시에 일본은 지속불가능한 것으로 간주될 수준의 대규모 무역흑자를 미국 및 다른 국가를 상대로 내고 있었다. 안전한 투자처를 찾아 일본으로 들어온 자금과 일본 내수를 촉진하려는 미국의 압력 간 결합은 주요 도시들, 특히 도쿄의 지가에 대한 걷잡을 수 없는 투기로 이어졌다. 투기 광풍은 도쿄의 황궁이 캘리포니아주 전체에 달하는 가치를 지닌다는 말이 나올 정도의 비상식적 상황으로 이어졌다.

　일본에서 거품bubble경제는 1991년 일련의 정치적 스캔들 중 첫 번째 사건이 발생했을 때 꺼지기 시작했다. 1990년대 중반에 토지 가격은 1980년대 초중반 수준으로 곤두박질쳤다. 대규모 도시 프로젝트의 불가피한 부분인 타임래그time lag는 1980년대에 계획된 많은 개발이 실제로 2000년대 초반에 성취되었음을 의미했고, 그 무렵 일본 정부는 또 다른 도시공간의 더 큰 개발을 촉진하고 있었는바, 이는 또다시 주로 국제 경쟁력이라는 명목 아래 수행되었다. 〔'타임래그'는 경제활동에 어떤 자극이 주어지고 그 반응이 나타나기까지의 시간적 지체를 말한다〕.

　최근 수십 년 동안 일본 도시들의 특징은 가장 큰 규모의 도시들을 수평성에서 벗어나 어지러운 수직성으로 내몰고, 도쿄 연담도시〔집합도시〕에 기능·자금·사람을 집중시키는 도시개발 자본의 연속적인 (확실히 과도한) 물결이었다(38장 참조). 그리고 고급 서비스 산업이 도쿄로 옮겨감에 따라, 지방 도시들은 교외 쇼핑센터의 확산과 미국식 번화가 개발로 더욱 큰 고통을 받았다. 적어도 1990년대 초반 거품경제가 붕괴한 이후 일본 사회를 괴롭힌 것으로 보이는 이 문제는, 코미디언들과 도쿄의 경우 극단적 민족주의자 이시하라 신타로石原愼太郎〔도쿄도지사, 재임 1999~2012〕 등 비정통적이고 독불장군형 정치인들이 시장 선거에서 승리하며 분명해졌다.

　1980년부터 도시경관에 더욱 질서정연한 분위기를 조성하고 주민들에게 더 많은 영향을 끼치려는 다수의 조치가 개발되었으나(특히 1980년에 시행된 지구단위 계획District Plan 체계), 이것들은 규제 완화 조치로 재구성되는 경향이 있었으며 1920년대와 2000년대에 도입된 여타의 조치와 함께 자리를 잡아가면서 점증적 효과를 낳아, 더 높은 용적률을 허가하고 넓고 새로운 수직적 공간을 개발해 일본 도시들에 고층 건물 수를 크게 늘렸다.[28]

부동산 가격의 급격한 상승과 최근의 하락은, 여러 면에서 생활이 더 안락해졌더라도, 일본 도시 생활에 불안정한 영향을 끼쳤다([표 29.5]). 땅값과 부동산 가격이 낮아지면서 도쿄와 오사카만 아니라 다른 1~2개 대규모 도시에서 [교외 거주민들이] 시 중심지로 되돌아가는 현상이 나타났다. 1980년대와 1990년대까지 급감하던 시 중심지에 위치하는 구들의 인구는 수십 년 동안 그런 적이 없었다는 듯 다시 증가세로 돌아섰다. 그러나 지방 도시의 모습은 이와 매우 대조적이었다. 거주민 100만 명 이하 현청 소재지의 인구는 1960년대와 1970년대, 1980년대와 심지어 1990년대까지 많은 경우에 빠르게 증가했지만 이후 증가세가 완만해져 많은 도시에서 인구가 줄어들기 시작했으며, 이는 불가피하게 확산·심화하는 과정이었다. 많은 지방 도시에서 인구 감소는 규제 완화와 도시 외곽에서의 쇼핑 및 식당 점포 건설

[표 29.5] 일본의 평균 도시 지가 지표, 1980~2010년

연도	모든 도시 토지	6대 주요 도시 토지
1980	70.7	67.8
1990	133.9	276.8
2000	100.0	100.0
2010	58.5	70.9

2000년의 지가를 100이라는 기준으로 삼은 계산. 6대 주요 도시: 도쿄의 23개 구(대략 런던의 33개 자치구에 상응), 요코하마, 나고야, 교토, 오사카, 고베. 2000년 3월 31일

출처: Japan Real Estate Institute (http://www.reint.or.jp/)

에 유리한 여러 정책과 함께 도시의 근원적 쇠퇴를 가져왔다. 한편 소매점들이 더 작은 규모의 도시권에서 영업을 중단하면서 대도시big city에서의 소비가 더욱 커다란 역할을 하게 되었고, 확산하는 하위문화는 도시 다양성을 성장시켰다.

그러나 일본의 도시의 생활공간life-space이 인근 국가의 그것과 분리되어 있다고 보는 일은 실수일 것이다. 최근 수십 년 동안 일본과 한국, 타이완, 중국 사이 삶의 방식에는 다양한 공통점이 나타난다. 이는 놀랄 만한 일이 아니다. 경제발전에 대한 일본의 방식이 도시권과 도시 생활에서 어떠한 관련성도 없다고 말하는 일은 이상할 것이다. 지난 몇십 년 동안 이들 국가에서는 매우 가변적 도시환경이 구체화되는 것이 목격되었다. 이는 생산 기반의 도시경관에서 금융과 관련 산업, 소비자와 문화자본에서 역동성을 끌어내는 도시경관으로의 전환에서 사업 이익이 증가함에 따라, 도시의 토지와 부동산에 대한 기업의 투자 압박으로 계속해서 변화해온 환경이었다. 지난 수십 년 동안에도, 일본 문화의 많은 산물과 그 확산하는 하위문화는, 일방적 흐름이지는 않긴 하지만, 그래도 주로 일본에서 바깥쪽으로 흐르며 인접 국가에 침투했다.

결론: 도시계획, 자본, 영속적 변화

현재 일본의 자치체 정부 지도자들과 도시권의 일반 주민들이 직면한 가장 큰 도전은 인구 감소와 '축소도시shrinking cities'다(곧 중국 대규모 도시에서도 똑같이 나타날 도전 과제다).[*] 적절하게만 관리된다면, 이것은 기회가 될 수도 있다. 방치된다면 그 결과는 재앙이 될 수도 있을 것이다. 이것들은 이 장의 범위를 넘어선 주제들이다.

이 장에서는 도시경관, 거버넌스governance, 생활공간의 세 가지 주제적 맥락을 고찰하면서, (특히 최근 수십 년 동안) 도시 경계에서 외부로의 스프롤과 중심부 주변에서 상향 성장의 역동성으로 에너지를 얻은 현대 일본 도시들의 변화 속도에 대한 의미를 부여했다. 일본의 가장 큰 규모의 도시들은 주변 농경지로 확장되었고 인근 타운들 및 도시들과 합병되었다. 이는 농지의 도시 구획지로의 전환에 따른 점진적 성장을 통해 이루어졌다. 이와 같은 과정이 진행되기 시작하면서, 건축 규제 완화를 통해 이용할 수 있는 수직공간을 활용해 건물들은 더욱 고층으로 올라갔다. 남아 있는 시각적 증거가 부족함을 감안할 때, 일본의 도시권이 주로 2층짜리 목재 건축물이었고 인력거가 주요 교통수단이었던 근대 초기 시절을 상상하기 어려울 때가 있다. 일본의 도시들은 화재와 홍수라는 재앙에 빈번히 신음해왔으나, 도시 지형의 설계자로 부각되는 것은 정치인들과 도시계획가들의 거창한 행동이라기보다 근본적 자극을 제공하는 단편적이면서도 끊임없었던 파괴와 재건의 과정이었다. 일본의 도시에 사는 사람들은 일상생활이 이루어지는 항상 변화하는 공간에 대응하고 적응해야만 했다.

---

[*]　'축소도시'는 도시의 물리적 규모가 작아지는 게 아니라 지리적 경계와 기반설비는 유지하면서 인구와 경제 면에서 상당한 감소가 나타나는 도시 현상을 지칭한다. 도시의 지속적 성장을 위해 양보다 질을 중시하는 도시를 말하기도 한다.

주

1   André Sorensen, "Land, Property Rights, and Planning in Japan: Institutional
    Design and Institutional Change in Land Management", *Planning Perspectives*,
    25:3 (2010), 279-302; Kōzō Yamamura, "Pre-Industrial Landholding Patterns
    in Japan and England", in Albert M. Craig, ed., *Japan: A Comparative View*
    (Princeton: Princeton University Press, 1979), 276-323; Kōzō Yamamura, "The
    Meiji Land Tax Reform and Its Effects", in Marius B. Jansen and Gilbert Rozman,
    eds., *Japan in Transition: From Tokugawa to Meiji* (Princeton: Princeton University
    Press, 1986), 382-399. 일본인의 모든 이름은 영문 저작의 저자인 경우를 제외하
    고는 일반적 일본 일본 방식(성 먼저)로 쓴다.

2   Fujimori Terunobu, *Meiji no Tokyo keikaku* (Meiji Plans for Tokyo) (Tokyo:
    Iwanami Shoten, 1982), 177.

3   Jeff Hanes, *The City as Subject: Seki Hajime and the Reinvention of Modern Osaka*
    (Berkeley, Calif.: University of California Press, 2002), 183.

4   Ishizuka Hiromichi, "*Meiji Tōkyō no sakariba to hiroba, dōro kisei*" (The Crowded
    Places, Open Spaces, and Road Regulations in Meiji Tokyo), in Tōkyō Toritsu
    Daigaku Toshi Kenkyū Sentaa (Tokyo Metropolitan University Center for Urban
    Studies), ed. *Tōkyō: Seichō to keikaku, 1868-1988* (Tokyo: Urban Growth and
    Planning, 1868-1988) (Tokyo: Tōkyō Toritsu Daigaku, 1988), 43-52.

5   Hanes, *The City as Subject*, 180.

6   Fujimori, *Meiji Plans*, 184.

7   Paul Waley, "Parks and Landmarks: Planning the Eastern Capital along Western
    Lines", *Journal of Historical Geography*, 31:1 (2005), 1-16.

8   Paul Waley and Nicolas Fiévé, "Kyoto and Edo-Tokyo: Urban Histories in
    Parallels and Tangents", in Fiévé and Waley, eds., *Japanese Capitals in Historical
    Perspective: Place, Power and Memory in Kyoto, Edo and Tokyo* (London: Routledge
    Curzon, 2003), 1-37.

9   Fujimori, *Meiji Plans*, 228; Hanes, *The City as Subject*, 178.

10 Hirade Kojirō, *Tōkyō fūzoku shi* (A Record of Tokyo Customs), 3 vols. (Kyoto:
    Yasaki Shobō, 1975 [1899-1903]).

11 다음 책의 공식적 통계에서 인용했다. Tōkyō Hyakunenshi Henshū Iinkai (Tokyo Hundred Year History Editorial Committee), ed., *Tōkyō hyakunenshi* (A History of Tokyo's Hundred Years), vol.3 (Tokyo, 1979), 380.

12 Takeo Yazaki, *Social Change and the City in Japan: From Earliest Times through the Industrial Revolution*, trans. David Swain (Tokyo: Japan Publications, Inc., 1968), 312.

13 Carl Mosk, *Japanese Industrial History: Technology, Urbanization, and Economic Growth* (Armonk, N.Y.: M. E. Sharpe, 2001), 168.

14 Jordan Sand, *House and Home in Modern Japan: Architecture, Domestic Space and Bourgeois Culture, 1880–1930* (Cambridge, Mass: Harvard University Press, 2003), 132.

15 Hanes, *The City as Subject*, 195.

16 Mosk, *Japanese Industrial History*, 244.

17 Ishida Yorifusa, "Japanese Cities and Planning in the Reconstruction Period: 1945–55", in Carola Hein, Jeffry Diefendorf, and Yorifusa Ishida, eds., *Rebuilding Urban Japan after 1945* (Basingstoke: Palgrave Macmillan, 2003), 17–49.

18 Horiuchi Kyoichi, *Toshi keikaku to yōto chiiki sei* (Town Planning and the Zoning System) (Tokyo: Nishida Shoten, 1978).

19 Hanes, *The City as Subject*.

20 Kida Jun'ichirō, *Tōkyō no kasō shakai: Meiji kara shūsen made* (Tokyo's Underclass Society: From Meiji to the End of the War) (Tokyo: Shinchōsha, 1990), 93; Koji Taira, "Public Assistance in Japan: Development and Trends", *Journal of Asian Studies*, 27, no.1 (1967), 95–109.

21 Sally Ann Hastings, *Neighborhood and Nation in Tokyo, 1905–1937* (Pittsburgh: University of Pittsburgh Press, 1995).

22 Sand, *House and Home*, 234.

23 David Buck, "Railway City and National Capital: Two Faces of the Modern in Changchun", in Joseph Esherick, ed., *Remaking the Chinese City: Modernity and National Identity, 1900–1950* (Honolulu: University of Hawaii Press, 2000), 65–89, 79.

24 Carola Hein, "Rebuilding Japanese Cities after 1945", in Hein et al., *Rebuilding*

Urban Japan, 1-17, 특히 3.

25 André Sorensen, *The Making of Urban Japan: Cities and Planning from Edo to the Twentyfirst Century* (London: Routledge, 2002), 155.

26 Tanaka Kakuei, *Building A New Japan: A Plan for Remodeling the Japanese Archipelago* (Tokyo: Simul Press, 1973).

27 Michael Hebbert and Norihiro Nakai, *How Tokyo Grows: Land Development and Planning on the Metropolitan Fringe* (London: STICERD, 1988).

28 Sayaka Fujii, Jun'ichirō Okata, and André Sorensen, "Inner-City Redevelopment in Tokyo: Conflicts over Urban Places, Planning Governance, and Neighborhoods", in A. Sorensen and Carolin Funck, eds., *Living Cities in Japan: Citizens' Movements, Machizukuri and Local Environments in Japan* (London: Routledge: 2007), 247-266.

참고문헌

Bestor, Theodore, *Neighborhood Tokyo* (Stanford, Calif.: Stanford University Press, 1989).

Dore, Ronald, *City Life in Japan: A Study of a Tokyo Ward* (London: Routledge, 1958).

Fieve, Nicolas, and Waley, Paul, eds., *Japanese Capitals in Historical Perspective: Place: Power and Memory in Kyoto, Edo and Tokyo* (London: RoutledgeCurzon, 2003).

Fujita, Kuniko, and Hill, Richard Child, eds., *Japanese Cities in the World Economy* (Philadelphia: Temple University Press, 1993).

Gordon, Andrew, *A Modern History of Japan: From Tokugawa Times to the Present* (Oxford: Oxford University Press, 2003).

Hanes, Jeff, *The City as Subject: Seki Hajime and the Reinvention of Modern Osaka* (Berkeley: University of California Press, 2002).

Hastings, Sally Ann, *Neighborhood and Nation in Tokyo, 1905-1937* (Pittsburgh: University of Pittsburgh Press, 1995).

Sand, Jordan, *House and Home in Modern Japan: Architecture, Domestic Space and*

Bourgeois Culture, 1880–1930 (Cambridge, Mass.: Harvard University Press, 2003).

Sorensen, Andre, The Making of Urban Japan: Cities and Planning from Edo to the Twenty-first Century (London: Routledge, 2002).

Yazaki, Takeo, Social Change and the City in Japan (Tokyo: Japan Publications Inc., 1968).

제30장

남아시아
South Asia

프래샨트 키담비

Prashant Kidambi

최근까지, 인도 사회의 결정적 특징이 주로 농업적이라는 인식은 인도 도시들의 중요성을 모호하게 하는 경향이 있었다. 하지만 아대륙에서 도시화의 역사는 길고 복잡하며, 도시들은 지난 200년 동안 경제·사회·정치에서 중요한 역할을 해왔다. 이번 장은 인도가 영국 국왕의 직접 통치를 받은 19세기 중반부터 인도가 글로벌 경제에서 중요한 장소로 부상하기 시작한 21세기 초반까지 근현대 남아시아 도시 역사의 주요 발전을 개괄적으로 고찰한다.

　이번 장의 앞부분에서는, 영국의 식민 지배가 인도의 도시를 어떻게 변화시켰는지를 살피며 세 가지 주제를 다룬다. 첫째, 도시화의 흐름이 시간에 따라 변화하는 양식을 기록할 것이다. 둘째, 영국 지배 시기 도시 거버넌스의 성격을 자세히 살펴볼 것이다. 셋째, 인도의 다양한 계층 사이에서 집합적으로 상상하기의 새 형태가 부상하는 데서 중요한 역할을 한 사회와 국가 사이 새 중간지대—공론장—의 형성에서 도시가 중요한 장소가 된 과정을 보여줄 것이다.

장 뒷부분에서는, 탈식민시기로 초점을 옮겨 도시개발 양상에서의 연속성과 변화를 확인한다. 여기서 도시화 양식과 구조에 대한 중요한 흐름을 강조하고, 도시 거버넌스를 평가하며, 남아시아 도시들의 변화하는 공공문화에 대해 성찰한다.

식민 지배하의 남아시아 도시: 도시화의 흐름과 양상

식민시기 남아시아의 도시화urbanization 속도에서 눈에 띄는 특징은 그것이 '장기長期 19세기the long 19th century' 동안 상당히 정적이었다는 점이다. 실제로 이용가능한 증거들이 —양적·질적 측면 모두에서— 이 시기 도시 인구가 절대적으로는 거의 두 배 증가했음을 말해주고 있음에도, 아대륙은 이 기간의 대부분 동안 '탈도시화de-urbanization' 형태를 경험했다. 1800년에 약 1760만 명이 도시 중심지urban centre에 살았고, 이는 아대륙 전체 인구의 약 11퍼센트였다(지역지도 II.4 참조). 그러나 1872년까지 도시 전체 인구는 8.7퍼센트로 감소했고, 1911년이 되어서야 19세기 시작무렵의 수준을 회복했다.[1]

19세기 전반기 인도의 많은 지역을 특징짓는 '탈도시화'는 18세기 도시성장urban growth의 모습과는 뚜렷이 대비된다. 영향력 있는 학술단체는 어떻게 무굴 제국의 쇠퇴가 권력 지방분권화[분권화]decentralization 의 심화, 점점 더 밀접해지는 상업·금융·정치의 결합에 의존하는 지역적 승계국successor state들의 부수적 성장과 함께 동반되었는지를 예증해주었다.[2] 이러한 왕국의 성장은 크고 작은 규모의 도시 중심지 모두의 팽창을 현저하게 촉진했고, 이는 델리Delhi와 아그라Agra 같은 무굴 제국의 더 큰 규모의 도시의 쇠퇴를 상쇄했다. 전자의 도시로는 하이데라바드Hyderabad, 러크나우Lucknow와 같이 무굴의 계승국들이 개척해 독립한 태수 관할 지역의 수도들이 있고, 후자의 도시로는 상인·시장·국가 사이 상호작용의 결과로 급속하게 성장한 다양한 좀 더 작은 규모의 도시, 시장타운market town, 행정 중심지들을 포함했다.

이 지역의 승계국들이 18세기 말 영국에 굴복하면서, 지역적 국가들의 지배 아래 번영했던 도시와 타운은 그 결과를 체감했다. 가장 주목할 것은 이들 도시 중심지의 경제를 지탱했던 왕실 궁정의 규모와 중요성이 줄어들었다는 점이다. 중요하게도, 궁정은 상품과 서비스 측면에서 한때 그 배후지hinterland들에 큰 영향을 끼쳤던 만큼의 수요를 더는 창출할 수 없었다. 마찬가지로, 승계국들이 유지하던 대규모 군대와 군사 조직의 해체는 도시의 쇠퇴에 더욱 결정적이었다. 이에 더해 도시의 경제적 번영이 시들해지면서 도시 안에 거주하는 장인과 서기書記 공동체의 점진적 빈곤화가 나타났다.[3]

또한 식민시기 이전 도시적 구조의 쇠퇴는 새 정권의 정책을 통해 더욱 두드러졌다. 식민 지배가 더욱 깊게 뿌리를 내리면서, 18세기 도시의 역동성에 한몫한 토착 상거래 엘리트들의 힘이 점점 더 제한되었다. 결정적으로, 식민 당국은 부유한 농장주들에게 이양했던 행정권력

을 되찾으려 했고 가장 수익성 좋은 상업 지역에 대한 지배력을 강화
했다.[4] 동시에 식민 당국은 종교기관들과 기업의 상업적commercial 거래
에 상거래mercantile 자본이 개입하는 것을 억제하는 보다 직접적인 개
입을 추구했다. 결과적으로, 이와 같은 발전은 18세기 도시경관urban
landscape을 지배한 중소 규모의 시장타운과 행정 중심지의 위축으로 귀
결되었다.

　　그러나 초기 식민시기 도시화의 완만하던 속도는 아대륙 일부 지
역의 급격한 성장으로 마침표를 찍었다. 이와 관련해 가장 두드러지는
것은 인도 동부와 서부 해안에 위치하는 새 식민지 항구도시port city들
의 부상이었다. 1850년에 캘커타Calcutta[지금의 콜카타Kolkata]와 봄베이
Bombay[지금의 뭄바이Mumbai]는 인구가 40만 명 이상과 50만 명 이상으
로 추정되었고, 두 도시는 아대륙에서 최대 규모로 빠르게 성장한 사
례였다. 이들 도시에 집중된 행정·상업·교육 기관들은 많은 이민자를
유인했다.[5] 같은 시기 영국동인도회사English East India Company의 지배 강
화는 또한 주도州都와 지역 타운 출현의 원인이 되었다.

　　1857년의 세포이항쟁Great Uprising of 1857 이후 20년 동안 다양한 요
인이 아대륙 여러 지역에서 도시화 속도를 자극했다['세포이항쟁'은 영
국령 인도에서 영국동인도회사의 용병 세포이(페르시아어로 '병사')들이 일으
킨 반영反英 항쟁이다. 1859년에 영국군에 진압되면서 무굴 제국이 멸망하고 영
국이 인도를 직접 지배하게 되었다]. 의심할 여지가 없이 가장 중요한 요
인은 근대 교통체계의 발전이었다. 특히, 철도망은 19세기 후반기에
급성장해 타운town과 시골countryside 사이 연결을 더욱 심화했고, 동시
에 인도를 세계 경제와 더욱 긴밀하게 통합했다. 일례로, 1870년대와

1880년대에 인도 동부에서 가장 빠르게 성장한 타운들은 "일반적으로 갠지스 평야의 농업지대에 새로 건설된 철도 노선을 따라서 위치했다." 그러나 그 후 20년 동안 가장 빠른 성장을 경험한 인도 동부 및 서부의 해항seaport과 연결된 중부 지방과 베라르Berar 지방 남부 지역에서 타운들이 빠르게 성장했다.[6] 철도는 확실히 몇몇 식민시기 이전 시장타운에서 무역을 앗아가며 이들 타운을 파괴했지만, 또한 "월테어Waltair(지금의 비샤카파트남Vishakapatnam), 바레일리Bareilly, 메루트Meerut, 나그푸르Nagpur와 같이 서비스 및 교환 장소로서 중요한 역할을 맡게 된 더 규모가 작고 더 오래된 정주지settlement들을 활성화했다."[7]

여전히 식민지 항구—봄베이, 캘커타, 마드라스Madras(지금의 첸나이Chennai), 콜롬보Colombo, 카라치Karachi—는 철도와 증기선의 종착역이라는 역할과 위치 덕에 가장 빠르게 성장했다. 봄베이의 발전은 유럽으로의 이동 시간을 획기적으로 단축한 수에즈Suez운하의 개통(1869)으로 특히 극적이었다.[8] 더욱 인상적인 것은 콜롬보의 성장으로, 콜롬보는 커피·차·코코넛·고무 수출의 급증으로 빠르게 발전했고 남아시아에서 가장 큰 항구가 되었다.[9] 카라치는 식민 지배의 시작과 연계되어 빠르게 성장한 또 다른 항구였다. 미국의 남북전쟁(1861~1865) 동안 신드Sind는 면화 재배의 중요한 중심지로 부상했고, 카라치는 광범한 상업적 이익을 끌어들이게 되었다. 더욱이 수에즈운하가 개통된 이후 카라치는 유럽에서 도착하는 배들이 기항하는 첫 번째 항구였고, 이를 통해 수출무역의 핵심 환승 중심지로서의 위상을 드높였다.[10]

19세기 중반부터 더욱 유리해진 경제 환경 또한 아대륙의 도시화 속도를 촉진했다. 농산물 수출이 호황을 이뤘고, 상품작물[환금작물]의 가격 상승으로 많은 도시 중심지가 되살아났다. 이러한 맥락에서 마찬가지로 중요한 것은 봄베이(면직물)와 캘커타(황마jute) 항구도시에서 근대 산업화industrialization가 시작되었다는 점으로, 두 도시는 '초超종주宗主도시hyper-primate citiy'가 되어 자신들의 지역 배후지를 지배하고 지역 내 중간 규모 도시들의 성장을 제약했다. 결과적으로, 세기말까지 봄베이와 캘커타 두 도시 모두 일자리와 임금의 전망에 이끌린 많은 수의 농촌rural 이주민을 유인했다. 하지만 이들 이주민은 농촌과의 연결성을 계속 유지했으며, 계절에 따라 도시와 시골 사이를 오갔다.[11]

그러나 아대륙 전체적으로는 빅토리아 시대Victorian era[1837년부터 1901년까지 영국의 빅토리아 여왕이 다스리던 시대]와 에드워드 시대Edwardian era[1901년에서 1910년까지 영국의 에드워드 7세(빅토리아 여왕의 아들)가 다스리던 시대, 또는 1901년부터 제1차 세계대전이 발발한 1914년까지의 시대]에 도시화 속도가 상대적으로 더 느렸다. 그 한 가지 주요 원인은 1890년 후반 아대륙 전역에서 발생한 페스트plaque의 유행이었다. 제1차 세계대전까지 100만 명 이상의 인도인이 사망한 이 질병의 영향은 도시권 urban area에서 가장 심각했다.

1930년대가 되어서야 인도의 도시화 속도가 빨라지기 시작했다. 그 10년 동안의 [1929년 발생한 세계 대공황으로 인한] 경기 불황은 시골에 심각한 위기를 초래했으며, 이는 농산물 가격 하락, 영국 관리기관의 자본 철수에 따른 신용 부족, 식민국가가 추구한 '디플레이션 정책'의 결과였다.[12] 자본은 타운으로 흘러 들어갔고, 따라서 노동력 또한 그 뒤를 따르며 점점 더 다양해지는 더 큰 규모의 타운과 도시의 점점 더 다양화되는 경제에서 임금[노동자로의] 고용 전망을 추구했다.[13] 이로써 영국령 인도 전체 인구는 1930년대에 15퍼센트 증가했으나, 도시 인구는 그 비율보다 2배 이상 증가했다. 의미심장하게도, "10만 명 이상의 타운 인구는 거의 4분의 3이 증가했지만, 전체 도시 인구는 채 3분의 1도 증가하지 않았다."[14]

식민 지배의 마지막 10년 동안에는 시골의 궁핍한 생활 여건 또는 인도-파키스탄 분할Partition에 대한 두려움에서 피난에 나선 난민들로 인한 이주민의 물결이 도시로 밀려들면서 도시화율이 높아졌다. 인도에서 1941년부터 1951년 사이 도시 인구는 1830만 명 순증가를 기록했는바, 이는 1901년부터 1941년까지 40년간 발생한 전체 순증가와 같은 수치였다.

식민 지배 대부분 동안 도시화 **비율**은 상대적으로 느리고 불균형적이었으나, 그럼에도 이 기간 내내 도시 정착 **유형**의 다양성은 증가했다. 물론 일부 도시 중심지는 식민시기 이전 형태와의 연속성continuity을 보여주었다. 1857년 이후 수십 년 동안 지방과 지역 단계에서 발전한 많은 행정도시administractive city와 행정타운의 경우가 그러했다.

그러나 다른 도시들은 19세기 후반 국제무역의 급격한 팽창의 결과로 산업자본주의 세계 전역에서 발견된 특징을 나타내기 시작했다. 인도의 선도적 제조업과 해외 운송 중심지였던 봄베이와 캘커타가 그러한 사례였다. 두 도시는 관문으로의 기능과 사회구조 측면에서 비슷해졌고, 뉴욕에서 리버풀에 이르는 전 세계의 다른 거대한 항구도시들과 그 형태가 유사해졌다(43장 참조).

그러나 19세기 내내 등장한 다른 도시 형태들은 뚜렷하게 '식민'

도시'colonial' city의 특성을 나타냈다(일반적인 식민도시에 대해서는 40장 참조). 따라서 18세기 후반부터 영국은 동인도회사의 증가하는 군사화를 대변하는 '병영cantonment'타운을 개발했다. 병영타운은 전략적 가치가 있는 지역에 위치하는 군사 주둔지에서 기원했고, 종종 기존의 도시 중심지와 인접해 있었음에도 그곳들과는 별개로 형성되었다. 그러나 병영타운은 1857년 이후 수십 년 동안 좀 더 공식화한 영속적 정주지가 되었는바, 이는 군사적 안보의 필요성이 영국의 식민 지배 시기 최우선 고려사항이 되었기 때문이다. 1860년대까지 남아시아에 114개 병영타운이 있었으며 이들 타운은 그 자체로 독립된 도시 중심지였다. 일례로, 칸푸르Kanpur와 방갈로르Bangalore 등은 군사적 목적을 넘어 주요한 상업·산업 중심지가 되었다.[15]

강렬한 열대기후에서 건강을 유지해야 한다는 필요성과 인도의 고지대가 더욱 건강에 좋다는 인식은 또한 '고원高原 휴양지hill station'의 개발로 이어졌다. 19세기에 영국은 80개 이상의 고원 휴양지 정주지를 건설했다. 여름철에 식민지의 전체 관료 계층이 심라Simla, 우타카문드Ootacamund(우다가만달람Udagamandalam), 다르질링Darjeeling, 마하발레슈와르Mahabaleshwar, 나이니탈Nainital과 같은 고원 휴양지로 이주하는 것은 흔한 일이었다. 19세기 말까지 고원 휴양지는 인도의 영국인 공동체가 일하고, 어울리고, '고향home'을 재현하려 자주 모이는 번화한 타운들이 되었다.[16]

식민 지배하의 도시 거버넌스

남아시아 도시 중심지의 거버넌스는 19세기 중반부터 식민국가의 점점 더 중요한 우선순위가 되었다. 식민 당국은 더는 도시와 타운을 단순히 "농산물 수출품의 집결지점 또는 세무기관의 본부"로 생각하지 않았다.[17] 식민 당국이 도시관리urban management 문제에 부여한 중요성이 커지는 배경에는 여러 요인이 작용했다. 우선, 식민국가는 세포이항쟁을 진압한 이후 새로운 재정적 압박—인플레이션, 환율 변화, 군비 지출 증가—에 직면했다. 농민들에게 부과될 세금 인상이 농촌의 불만을 일으킬 것이라 우려하며, 식민 당국은 도시 중심지의 경제적·재정적 잠재력을 향상하는 방법을 모색하기 시작했다. 더욱이 식민 지배하의 타운과 도시에 대규모 군부대가 주둔하는 일은 군대의 안녕을 위해 도시 기반설비, 특히 위생시설 개선에 투자를 요구했다.[18]

타운과 도시를 개발하려면 식민국가는 도시에 대한 투자와 재건 계획을 착수해야 했다. 하지만 세포이항쟁의 여파 속에 식민 지배의 재정적 어려움은 이러한 일을 생각할 수도 없고 생각할 의지조차 없음을 의미했다. 이 난제에 대한 식민국가의 대응은 도시 거버넌스urban governance의 책임을 그들의 요구에 따라 현지에서 세금을 인상하는 시민기관들에 전가하는 것이었다. 이에 따라 식민지 인도의 전역에서 타운 거주민에게 세금을 징수하고 필수적인 시민 편의시설들을 제공하는 자치체가 우후죽순처럼 생겨났다.

물론, 시민기관은 19세기 이전에도 식민지 인도에 있었다. 특히 주도州都 봄베이·캘커타·마드라스는 18세기로 거슬러 올라가는 지방 자치정부—영국식 모델에 기초했다—의 독특한 전통을 가지고 있었다. 그러나 이들 도시의 행정부는 매우 제한적인 업무를 담당했고, 도시에 거주한 수많은 가난한 인도인의 요구를 거의 충족시키지 못했다. 이와 같은 상황은 가장 기본적인 시민 편의시설이 부족했던 더 작은 도시 중심지에서 더욱 나빠졌다.

1860년대부터 자치체는 타운과 도시의 운영에 중요한 역할을 했다. 자치체들은 지방세를 인상하고, 재산권property rights을 확인·승인했으며, '공공공간'의 사용을 관리하는 법을 제정하고, 모든 종류의 도시 활동을 규제했다. 또한 자치체는 치안, 위생, 조명, 도로 관리, 시장에 대한 인허가 및 감독 같은 여러 시민 서비스를 제공해야 했다. 그 결과, 인도에서 자치체는 아대륙의 역사상 전례 없는 수준으로 도시 거주민의 일상생활에 개입했다.

인도에서 실제로 자치체 기관은 시민의 열망을 선별하는 경향이 있었고, 식민 엘리트 거주 지역의 개선 활동을 선호했다([도판 30.1] 참조). 그 결과 타운과 도시 내 빈곤한 구역quarter은 명백하게 방치되었고, 심해지는 생활 조건과 확연히 부족한 기본 시민 편의시설로 여러 전염병의 온상이 되었다. 인도 도시 거주민 대부분은 무관심, 몰이해, 적대심이 뒤섞인 채로 자치체의 활동들에 반응했다. 특히 자신들을 대상으로 하는 정책을 빈번히 받아들일 수밖에 없었던 빈민층은 자치체를 서비스 제공자가 아니라 자신들의 불안정한 생계를 위협하는 존재로 여겼다.[19]

또 다른 차원에서 현지 기관들에 권력과 책임을 이양하는 일은 식민국가가 1857년 이후 국가의 또 다른 주요 목표를 추구할 수 있게

[도판 30.1] 캘커타의 유럽인 지구, 1922년

했다. 이 목표는 협력의 범위를 넓혀 "제국의 목적을 위해 일할 수 있도록" 인도인들을 동원하는 것이었다. 일부 변화는 더 일찍이 시작되었지만, 잘 알려진 1882년 5월의 리펀결의안Ripon Resolution은 확실히 중요했다.* 결의안은 인도에서 선출직과 정부 관료로 구성된 현지 사무국 설립의 길을 열어주었으며, 사무국은 지역 주민에 대한 통제권을 행사했다. 처음에는 선거권과 자치체 기관 직책의 피선거권이 재산 및 교육 수준에서 매우 제한적인 자격을 갖춘 이들에게만 부여되었다.

---

*   '리펀 결의안'은 1880~1884년 인도 총독을 지낸 영국의 자유주의 정치인이자 귀족인 리펀 경Lord Ripon, George Frederick Samuel Robinson[조지 프레더릭 사무엘 로빈슨]이 주도해 1882년에 인도의 자치체들에 일정 권한을 부여한 결의안이다.

자치체 기관은 또한 자금이 부족해 계속해서 재정 문제에 얽매여 있었다. 이에 더해, 리펀 개혁에 동반되는 거창한 선언에도 불구하고 민간 지배층이 현지 사무국을 전적으로 장악하고 있었다. 따라서 19세기 후반 부유한 전문직 엘리트들로 이루어진 소규모 집단 이외 인도인 대부분은 자치체 업무에 관심을 두지 않았다. 그러나 이러한 모든 한계에도 불구하고 교육을 받은 인도 엘리트들이 식민 지배의 부당성과 차별에 처음으로 이의를 제기하기 시작한 것은 자치체 정치〔시정〕의 영역이었다.

제1차 세계대전의 발발은 지방 자치정부의 영역에 대한 인도인들의 추가적 개혁 요구를 좌절시켰다. 1918년이 되어서야 헌법 개정에 관한 몬터규–첼름스퍼드Montagu-Chelmsford 보고서에 의해 지방 자치정부 문제가 다시 거론되었다.* 몬–퍼드Mont-ford 계획은 '양두兩頭정치 dyarchy'의 원칙을 도입했고, 이에 따라 정치적 책임이 중앙정부와 지방정부에 분할되었다. 이 계획 속에서 지방 자치정부는 권한을 '이양받았고' 지방의회의 통제를 받게 되었다. 또한 지방 당국에 여러 세목에 대한 단독 통제권을 부여하는 새 '목록화한 세법 규정Scheduled Tax Rules'이 시행되었다. 이 규정으로 1920년대 중반에 회복된 경제 조건과 함께 많은 도시 기관이 다양한 공공사업을 착수할 수 있었다.[20] 더욱이,

---

* '몬터규–첼름스퍼드 보고서'는 영국 식민정부가 영국령 인도에 자치 제도를 점진적으로 도입하자는 내용의 보고서로 이후 인도 정부법의 기초가 되었다. 보고서를 주도한 영국의 에드윈 몬터규Edwin Montagu(인도 국무장관, 재임 1917~1922)와 당시 인도 총독 첼름스퍼드 경卿(프레더릭 세시저, Frederic Thesiger, 1st Viscount Chelmsford)의 앞뒤 글자를 따 '몬–퍼드 개혁 Mont-Ford Reforms'으로도 지칭된다.

제1차 세계대전 종전 이후 선거권의 확대는 중산층의 도시 정책에의 참여를 확대했다. 실제로 1920년대 민족주의적 정치인들이 점점 더 많은 영국령 인도의 자치체를 장악했다. 많은 의회 지지자가 자치체의 정치 영역에서 통치 기술을 배웠다. 대표적 인물이 아마다바드Amdavad 의 사르다르 발라바이 파텔Sardar Vallabhbhai Patel, 알라하바드Allahabad의 자와할랄 네루Jawaharlal Nehru, 캘커타의 수바스 찬드라 보스Subhas Chandra Bose다.

그러나 인도에서 1930년대에는 이전의 10년 동안에 나타난 자치체 거버넌스municipal governance와 정책에 대한 많은 흐름이 역전되었다. 특히 지방의회에 더 많은 재정권을 이양하고 현지 기관에 확실한 세입을 보장했던 특별 세법을 폐지한 1935년의 인도정부법Government of India Act of 1935은 자치체 정부의 미래를 흐려지게 했다.[21] 따라서 자치체들은 이제 주州 정치의 더 나은 곳으로 옮겨간 야망에 찬 정치인들에게 덜 매력적인 것으로 인식되었다.

식민 지배하의 도시 공공문화

영국의 식민 지배하의 남아시아 도시 중심지들은 새로운 형태의 도시 공공문화public culture의 출현과 통합에서 핵심적 장소가 되었다. 인도인 들이 '공공public'과 '민간private'에 대한 새로운 생각들을 접하고 받아들인 장소는 도시였고, 또한 새로운 형태의 결사와 사회성의 잠재력을 인식하기 시작한 장소 역시 도시였다. 이러한 현상은 카스트, 종교단체, 상업 조직, 민족주의 단체, 자선단체, 노동조합, 스포츠클럽 같은 다양한 결사체의 빠른 확산에 반영되었다. 동시에 활력 넘치고 역동적인 인쇄산업도 성장해, 영어와 인도 지역언어 모두에서 점점 더 많은 책, 신문, 저널, 소논문, 소책자들이 쏟아져 나왔다.

19세기 인도에서 등장한 '시민사회civil society'의 윤곽은 식민권력[식민국]colonial power에 의해 정의되었고 현대 영국 모델에서 영감을 받았을지 모르지만, 그 실질적 성격은 토착민의 주도권을 통해 결정되었다. 특히 계속 증가하는 인도인 타운의 거주민들은 서로의 목적을 추구하며 결사체를 결성했다.

도시화 및 근대화와 확장하는 결사체 활동 범위 사이 인과관계는 절대 간단하지 않았다. 여러 우발적 요인—지역적 혹은 국가적 차원에서 작동되는 네트워크의 성장과 마찬가지로, 특정 사건, 개인과 운동 등—은 근본적인 구조적 힘과 특정 결사체 활동 사이를 중재하는 데서 결정적 역할을 했다.

두 가지 상반된 경향을 식민지 인도 전역의 타운과 도시에서 결사체 생활이 눈부시게 확장된 것과 관련해서 확인할 수 있다. 한편으로, 인도인들이 조직한 많은 클럽과 사회단체 및 자선단체는 이 시기에 임의적이고 귀속적인 회원 기준을 결합한 '혼용hybrid' 조직이었다. 다른 한편으로, 비종교적인 회원 기준에 기초한 개방적 접근의 원칙을 고수하는 더욱 전형적인 자발적 결사체의 형태 또한 발전했다.

식민지 인도의 도시 공공영역을 특징짓는 결사체 활동은 모호하고 모순적인 결과를 낳았다. 이 시기에 결성된 다수의 클럽과 단체는 의심의 여지가 없이 회원들에게 상호적 사교 및 연대 능력과 더불어 '공공선common good'에 대한 관심을 발생시켰다. 마찬가지로 결사체는 빠르고 광범위한 사회변화의 시기에 도시사회 내부에서 '통합적integrative' 기능을 수행했다. 그렇지만 이들 자발적 결사체가 항상 자율, 평등, 신중한 의사결정의 가치를 고수한 것은 아니다. 긴장과 대립에서도 자유롭지 않았다. 때때로 결사체 내부의 경쟁은 구성원 간에 권력과 위세[위신]prestige를 둘러싼 대립 때문에 결사체 자체를 분열시키기도 했다. 결사체 활동이 도시사회 내에서 심각한 분열을 일으켜 폭동으로 이어지기도 했다. 더욱이 '근대적modern' 형태의 집합적 사회성collective sociability은 추정하건대 다양한 원초적 애착과 '전통적traditional' 정체성을 재조명하는 역할을 했다.

따라서 도시사회 내부 결사체 활동의 풍부한 다양성은 식민지 인도의 공론장public sphere이 "동질적이고, 합의되고, 단일한 공간"이 아니었다는 점을 확실히 했다. 반대로 공론장은 "자율적이고 이성을 지닌 개인"이 "공동체의 정체성을 수정·재확인하는" 반대 논리와 상쇄되는 '분할된segmented' 영역이었다. 따라서 도시 공공문화는 상호 대화의 과정과 항상 존재하는 폭력적 붕괴의 위협을 통해 동시에 형성되었다.[22]

도시 공론장의 또 다른 주목할 특징은 그것이 인도인 중산층의 집합적 정체성collective identity을 형성하는 역할을 했다는 점이다. 공론장에서 자신들의 활동을 통해 인도인 중산층은 "교육받고, 존경받을 뿐만 아니라 식민지 인도에서 가장 부유하고, 가장 강한 권력을 가지고 있거나 영향력이 있는 이들"로 자신들을 규정하려 했고, 그에 따라 인도인 중산층은 "영국 지배 아래에서 정치권력을 겨냥한 토착민의 사회적 행위와 열망의 새로운 중재자"가 되었다.[23] 특히 20세기 초반까지 인도인 중산층은 다양한 형태의 시민 행동주의civic activism에 참여해 공동체와 국가의 결속력을 강화하려 노력했다. 그들은 학교·대학·도서관·요양병원·신용협동조합을 설립·운영했으며, 홍수나 기근 같은 재난 발생 시 구호 활동을 전개했다. 게다가 이들 중산층은 적극적인 시민권, 애국적인 노력, '건설적인 민족주의'의 이상 및 관행을 전파하는 데서 서양의 서비스 사상과 결사체의 자선 활동뿐만 아니라 인도의 오랜 전통으로 세바seva(봉사)와 다나dana(자선)를 이용했다.[24]

그러나 인도에서 도시의 공공문화가 중산층에 의해서만 지배되었다고 가정해서는 안 된다. 19세기 후반부터 인도인 도시 노동자계급역시 교육 사업부터 자조自助단체에 이르기까지 다양한 형태의 활동을 조직하기 시작했다. 전간기戰間期에 노동자계급의 정치적 열망은 더욱 강경한 형태를 취했다. 이 기간에 도시 빈민을 대상으로 활동한 노동조합, 자선단체, 개혁주의 협회, 자원봉사단이 숱하게 생겨났다. 마찬가지로 식민지 인도 전역에서 노동자계급에 속한 지지자들의 신체적 능력을 기르는 것부터 타운과 도시들을 휩쓴 주기적 폭력 사건에서 경쟁적 정파에 대응하는 완력을 제공하는 것까지 다양한 활동을 전개한아크하라akhara(무도수련회)도 증가했다.[25]

현대 남아시아 도시화의 흐름과 양상

탈식민시대 남아시아 도시화에서 가장 중요한 측면은 타운과 도시 인구의 규모와 중요성이 큰 폭으로 증가한 것이다([표 30.1-2] [지역지도 III.4]

참조). 1950년에 남아시아 총인구 약 4억 5400만 명 가운데 도시 인구는 약 7100만 명이었다. 2007년까지 도시 인구는 4억 7700만 명에 도달했고 아대륙 총인구의 3분의 1을 차지했다. 같은 기간 최소 10만 명이상의 인구를 가진 도시 중심지 또한 1950년 91개에서 2007년 550개로 치솟았다. 이 중 435개는 인도에, 64개는 파키스탄에, 9개는 네팔에, 6개는 스리랑카에 있었다. 도시 인구의 65퍼센트와 남아시아 총인구의 21.8퍼센트로 추산되는 3억 800만 명이 이들 도시에서 살고 있었다. 게다가 2007년에는 인구가 100만 명 이상의 남아시아 도시는 56개였고, 이는 총 도시 인구의 40퍼센트를 차지했다. 이 중 10개는 인구 500만 명 이상의 '초거대도시mega-city'로 인구가 총 1억 700만 명이었으며, 이 수치는 도시 인구의 22.5퍼센트, 아대륙 전체 인구의 7.6퍼센트였다.[26] 현대의 첸나이Chennai(이전의 마드라스)에 관해서는 [도판 30.2]를 참조하라.

그러나 이와 같은 통계는 여러 남아시아 국가 내 도시화 수준의 중요한 차이를 모호하게 한다. 즉 한편으로 파키스탄은 1980년대 이래 비교적 높은 수준의 도시화를 경험해왔고, 주요 도시들은 도시, 교외, 주변부 도시 정주지를 포함하는 거대한 도시권역urban agglomeration이다. 스리랑카와 네팔은 상대적으로 낮은 수준의 도시화로 잘 알려져 있다.[27]

게다가 남아시아의 도시화는, 순전히 수치가 전달하는 인상과는 달리, 1950년대 이후 빠르고, 단선적이며, 멈추지 않은 성장의 궤적을 따르지 않았다. 실제로, 남아시아의 '도시성장률'은 불연속성discontinuity과 주기적 반전으로 특징지어졌다. 이와 관련해 인도의 사례는 특히

[표 30.1] 남아시아의 도시 인구, 1950~2007년

	1950			1975			2007		
	총인구 (천 명)	도시 인구 (천 명)	도시화 율 (%)	총인구 (천 명)	도시 인구 (천 명)	도시화 율 (%)	총인구 (천 명)	도시 인구 (천 명)	도시화 율 (%)
인도	357,561	60,936	17.0	620,701	132,406	21.3	1,049,874	350,658	33.4
파키스탄	36,944	6,473	17.5	68,294	17,985	26.3	164,541	68,186	41.4
방글라데시	41,783	1,774	4.2	73,178	7,214	13.3	146,887	47,063	32.0
네팔	8,643	231	2.7	13,548	654	48	28,196	7,184	25.5
스리랑카	7,782	1,193	15.3	14,042	2,736	19.5	21,064	3,501	16.6
부탄	734	15	2.1	1,161	53	4.6	2,259	479	21.2
몰디브	82	9	10.6	137	24	17.3	?,345	130	37.6
계	453,529	70,631	15.6	791,061	161,072	20.4	1,413,167	477,200	33.8

출처: Heitzman, *The City in South Asia*, 2008, 176

[표 30.2] 남아시아의 초거대도시, 1950~2007년

	1950 인구 (천 명)	1950– 1955 연평균 성장률 (%)	1950– 1955 연평균 인구 성장 (천 명)	1975 인구 (천 명)	1975– 1980 연평균 성장률 (%)	1975– 1980 연평균 인구 성장 (천 명)	2007 인구 (천 명)	2005– 2010 연평균 성장률 (%)	2005– 2010 연평균 인구 성장 (천 명)
캘커타	4,513	2.27	108,40	7,888	2.71	228,40	14,769	1.71	254,20
뭄바이	2,857	3.7	115,40	7,082	4.02	315,20	18,905	1.93	368,00
첸나이	1,491	2.68	42,80	3,609	3.05	118,80	7,159	1.74	125,80
델리	1,369	5.26	82,60	4,426	4.56	226,40	15,785	2.42	387,00
하이데라바드	1,096	1.45	16,60	2,086	3.52	80,20	6,358	1.97	126,80
카라치	1,047	6.09	74,40	3,989	4.71	211,80	12,231	2.65	328,80
아마다바드	855	3.27	30,40	2,050	3.74	86,80	5,348	2.20	119,20
라호르	836	4.02	37,20	2,399	3.67	96,60	6,634	2.71	182,40
방갈로르	746	4.61	38,60	2,111	5.74	140,20	6,751	2.21	150,80
다카	417	5.13	24,40	2,173	8.71	216,80	13,251	3.25	439,00

출처: Heitzman, *The City in South Asia*, 2008, 180

[도판 30.2] 오늘날 인도 첸나이의 스카이라인

도움이 된다. 1951년 인구조사 이전 10년 동안 인도의 도시 인구는 연평균 3.47퍼센트씩 성장했다. 하지만 1961년 인구조사에서 연간 도시 성장률은 2.34퍼센트로 하락했다. 1960년대에는 도시성장률이 3.21퍼센트로 다시 증가했는바, 이는 주로 새로운 도시 조성보다는 기존의 도시 중심지 규모가 증가한 때문이었다. 이후 10년 동안 연간 도시성장률은 다시 3.83퍼센트로 증가했다. 이러한 증가는 대체적으로 뉴타운의 부상에 따른 것으로, 뉴타운은 처음으로 인구조사에 1000개가 넘게 포함이 되었다. 1970년대 도시성장률의 놀라운 증가는 '과잉도시화hyper-urbanization'에 대한 열광적 추측을 불러일으켰다.* 그러나 뜻밖에도 1991년 인구조사에서 "도시성장률은 큰 폭으로 하락했다." 1980년대에 3.1퍼센트를 보인 도시성장률은 "모든 공식 예측보다 훨씬 낮은 수준"이었다. 유사한 양상이 그후 10년 동안에도 반복되었는

---

* '과잉도시화'는 특정 지역에 예기치 않은 인구의 집중으로 급속하게 도시가 형성 그리고/또는 확대되는 것을 말하며, 주로 저개발국가의 비정상적인 도시팽창을 말한다. 가假도시화pseudo-urbanization라고도 한다.

데, 경제 자유화의 결과로 도시 인구가 4.1퍼센트 증가할 것이라는 여러 정부 기관의 예측과는 달리 인구조사 결과에서 도시 인구는 연간 2.73퍼센트의 성장률을 기록했다.[28] 그러나 2011년 인도 인구조사의 잠정적 결과는 이전 20년 동안의 둔화세가 역전되어 도시화 속도가 다시 높아졌음을 제시한다.

한 가지 차원에서는 인도의 도시성장률의 일부 변화가 '정의상의 변칙definitional anomaly'에서 기인하는 것일 수 있다. 일례로, 1961년 인구조사는 1951년 인구조사 당시의 도시 중심지에 대한 정확하지 않은 정의에 의문을 제기하면서 합산 인구가 440만 명에 이르는 803개 타운을 제외했었다. 그러나 1980년대 및 1990년대 도시 인구성장률의 하락은 단순히 '개념 정의'의 요소와 관련된 결과가 아니었다. 이는 당시 20년 동안의 거시경제적 변화를 반영하는 것이었다. 특히 1990년대 산업의 성장 과정은 민간 부분에서 '자본집약적capital-intensive'으로 발생했고, 공공 영역에서는 부진했다. 이는 도시권의 노동 수요를 줄이고, 농촌–도시 이주의 흐름을 감소시켰다. 자지체 경계 내의 토지와 환경 규제를 피하려고 대규모 도시 주변부periphery나 농촌권rural area에 대규모 생산시설을 건설하는 경향 역시 도시의 조직적인 고용 분야 일자리를 감소시키는 요소로 작용했다. 동시에 이주민들을 흡수할 비조직적인 많은 분야의 역량이 1990년대에 눈에 띄게 감소했다. 결과적으로, 도시에서의 산업 성장은 정책 입안자들의 열렬한 예측과는 달리 시골에서 도시와 타운으로의 이주를 확연하게 증가시키지 않았다.[29]

10년 주기의 인구조사에서 생성된 데이터를 기반으로 한 최근 연구들은 인도의 도시화가 "농촌의 고통으로 유발된 이주"라는 뿌리 깊은 인식에 이의를 제기하고 있다. 반대로 이러한 연구들은 "〔인구의〕 자연 증가가 약 60퍼센트로 도시성장의 주된 몫을 차지하는" 반면에 순수한 농촌-도시 이주는 도시성장에 "단지 약 21퍼센트만" 이바지했다고 주장한다.[30]

남아시아의 **도시 구조**는 식민지 과거의 오랜 유산을 계속해 반영하고 있다. 가장 주목할 것은 영국령 인도의 위대한 도시들이 독립 이후에도 아대륙의 도시경관을 계속해서 지배해왔다는 점이다. 2011년 인도 인구조사에 따르면, 가장 큰 세 곳의 도시권역은 뭄바이(봄베이)(1840만 명), 델리(1630만 명), 캘커타(1410만 명)다. 의미심장하게도 세 도시 모두에서 인구성장population growth은 지난 10년 동안 둔화한 것으로 보인다. 그럼에도, 단순히 수치로만 계산해보면, 지난 60년 동안 세 도시의 인구 증가는 꽤나 충격적이다. 1950년 뭄바이의 인구는 280만 명, 델리의 인구는 130만 명, 캘커타의 인구는 450만 명이었다. 파키스탄의 카라치와 방글라데시의 다카Dhaka 역시 같은 기간에 인구가 괄목하게 성장했다. 카라치의 인구는 1950년 100만 명이 조금 넘었지만 2007년에는 1200만 명 이상으로 증가했다. 다카는 더욱 놀라웠는바 1950년 약 40만 명에서 2007년 1300만 명 이상으로 '약 3177퍼센트' 증가했다.[31]

흥미롭게도, 이와 같은 많은 '초거대도시'에서 20세기 후반에 가장 빠르게 성장한 곳은 구도심보다는 주변부였다. 다양한 요인이 이 현상에 작용했다. 우선 초거대도시 주변부를 따라 산업 클러스터cluster와 회랑corridor의 밀집된 도시권역이 발달했다. 마찬가지로, 이러한 주변부권peripheral area의 급속한 성장은 그 도시의 도심권 내에서의 이용가능한 자원 부족과 높은 생활비 증가의 결과였다.

중요도 순서에 따라 '초거대도시' 다음은 각각 100만 명~500만 명 사이 인구를 지닌 '100만 명 이상million-plus' 도시들이다. 2007년에 남아시아에는 100만 이상의 도시가 46개가 있었고, 이들 도시의 총인구는 8400만 명이었다. 이 인구는 남아시아 도시 인구의 17.5퍼센트와 남아시아 전체 인구의 5.9퍼센트를 차지했다.[32] '100만 명 이상' 도시들은 모든 도시 정주지 가운데 가장 빠르게 성장하는 경향이 있다. 2011년 인도 인구조사의 잠정적 결과에 따르면, 이러한 도시 수는 지난 10년 동안 35개에서 53개로 증가했다.

그러나 '초거대도시'와 '100만 명 이상' 도시들의 증가가 탈식민 시기 남아시아 도시화에서 주목할 유일한 특징은 아니다. 마찬가지로, 인구 10만 명 이상 100만 명 미만의 '중간middling' 도시가 급속히 성장하며 눈에 띄게 발전했다. 2007년에는 이 범주에 494개 도시가 있었고, 합계 인구는 약 1억 1800만 명이며 남아시아 전체 도시 인구의 25퍼센트를 차지했다. 중간 도시들의 유형은 다양했다. 일부는 중요한 마케팅 및 행정 중심지의 역할을 결합해 '하위 단계 중심적 장소들의 최상위 위계'로 존재했다. 다른 곳들은 "관련 산업 및 관련 서비스의 집적agglomeration 또는 군집화clustering에 이바지한 풀뿌리 자본주의grassroots capitalism"의 결과로 성장했다. 또 다른 곳들은 "더 규모가 큰 도시로부터 20~40킬로미터 떨어진 예전 타운들과 하위 지역 중심지 권역에서 성장"해왔다.[33]

이와 같은 '중간 도시' 아래에는 인구가 10만 명 미만인 많은 도시가 있다. 그중 많은 수가 거대도시metropolitan의 도시팽창urban expansion

지역에 인접한 마을이나 타운에서 발전하며, 100만 명 이상 도시 또는 초거대도시 부근에서 우후죽순으로 늘어났다.[34] 인도에서 이들 소규모 도시의 인구는 절대적으로는 증가했으나, 인구가 10만 명 이상의 이른바 '1등급Class I' 도시들에 비하면 최근까지도 증가 속도가 느렸다.

　의미심장하게도, 최근 수십 년 동안 남아시아 일부 지역의 도시화 양상은 도시화 수준과 도시성장률 사이 관계에서 상당한 반전을 나타내기 시작했다. 일례로, 인도의 발전된 주들인 마하라슈트라Maharashtra, 구자라트Gujarat, 타밀나두Tamil Nadu, 카르나타카Karnataka는 1951~1991년 40년 동안 높은 수준의 도시화, 평균보다 낮은 수준의 도시성장률을 보였다. 대조적으로, 같은 기간 저개발 상태의 주들—비하르Bihar, 라자스탄Rajasthan, 오리사Orissa, 마디아프라데시Madhya Pradesh—은 도시화 수준은 낮았지만 도시성장률은 높은 것으로 기록되었다. 1991년과 2001년 사이에 많은 발전된 주는 도시성장률이 전국 평균을 상회했으나, '저개발' 상태인 주들은 도시성장률이 전국 평균 이하였다. 따라서 인도의 가장 발전된 주들과 저개발 상태인 주들의 도시화 과정 사이에는 명백한 '이원성dualism'이 나타난다.[35]

독립 이후의 국가와 도시

탈식민국가들의 정책과 활동은 남아시아 도시개발urban development 과정을 결정적으로 형성했다. 세 가지 방법을 들 수 있다. 첫째, 독립의 즉각적 여파로 남아시아의 새 정부들은 산업타운십industrial township뿐만 아니라 국가와 주 차원의 새 수도들의 건설에 착수했다〔'타운십'은 군구 郡區 곧 country(군)의 하위 행정구역 단위다〕. 둘째, 국가의 경제 정책과 투자는 보다 큰 규모의 거대도시들 내부의 자본 축적 과정을 촉진하는 데서 중요한 역할을 했다. 셋째, 국가 정책은 아대륙의 도시 거버넌스의 성격에도 주요한 영향을 끼쳤다.

20세기 후반기 남아시아 여러 국가의 정부는 주기적으로 새 수도의 건설을 시작했다. 파키스탄에서는 1958년 10월 무함마드 아유브 칸Muhammad Ayub Khan 장군의 쿠데타 이후 〔기존의〕 수도인 카라치를 포기했다. 군부는 라왈핀디Rawalpindi 부근에 새 수도를 개발하는 야심 찬 계획에 착수했고, 건축가 콘스탄티노스 독시아디스Constantinos Doxiadis를 수도 개발의 책임자로 선택했다. 독시아디스는 이슬라마바드 Islamabad를 '인문·사회·건축·네트워크와 자연' 사이를 통합적으로 연결하는 '다이나폴리스dynapolis〔동력도시〕'로 구상했다. 2007년에 이 새 수도는 인구가 80만 명 이상이었으며, 그 대다수가 도시 행정부와 군사시설에 고용된 이들이었다. 아대륙 반대편의 다카도 1960년대에 국가〔방글라데시〕의 수도로 건설되었다.[36]

독립 이후 10년 동안 인도는 많은 주 정부가 형성되어 주도州都가 필요해졌다. 이들 가운데 가장 주목할 만한 주도로는 오리사주 부바네스와르Bhubaneswar, 펀자브주 찬디가르Chandigarh, 구자라트주 간디나가르Gandhinagar였다.[37] 새 주도의 건설과 함께 아대륙 정부는 종종 외국과 협력하며 새 산업타운십을 개발했다. 예를 들어, 인도 정부는 1961년 소련의 도움으로 마디아프라데시주 빌라이Bhilai에 건설한 주요 제철소를 운영했다. 이듬해에는 독일과 협력해 오리사주 로르켈라Rourkela에,

영국과 협력해 서벵골주 두르가푸르Durgapur에 제철소를 운영했다. 10년 후 인도 정부는 소련과 비하르에 보카로 철강도시Bokaro Steel City 건설 협정을 맺었다. 시작부터 국가는 직원들에게 주거지와 시민 편의 시설을 제공했거니와 교육·사회·문화 생활이 형성되는 틀을 마련해주는 등 이들 '시범타운model town'의 삶을 지배했다. 그러나 도시화 과정이 속도를 내면서 이 타운십township들은 엄청난 수의 이주민을 유인했다. 그 결과 "남아시아에서 〔여타의 도시와는〕 다른 대규모 도시의 특성을 띠게" 되었다.[38]

국가의 투자는 오래된 많은 도시 중심지의 성장을 책임졌다. 이 현상에서 가장 주목할 사례는 인도의 독립 이후 수십 년 동안 다수의 중요한 산업의 본거지였던 방갈로르였다. 방갈로르에는 주요 방위산업체 HALHindustan Aeronautics Limited, 휴대폰 장비 생산 업체 ITIIndian Telephone Industries, 시계 생산 업체 HMTHindustan Machine Toosl 같은 대기업들이 모여 있었다. 이 공장들과 함께 해당 기업의 수요를 충족시키는 여러 이차적 산업체가 발전했다. 과학기술을 전담하는 많은 정부기관이 ─특히 인도국립항공연구소NAL, National Aeronautics Laboratory와 인도우주연구기구ISRO, Indian Space Research Organization ─ 최고의 산업도시라는 방갈로르의 위상을 더욱 뒷받침했다. 이런 환경이 1990년대 후반부터 방갈로르가 인도의 정보기술IT 혁명의 주요 거점으로 부상하는 토대를 마련해주었다.[39] (방갈로르에 대한 더 자세한 내용은 38장을 참조하라.)

1990년대 초반부터 인도의 많은 주 정부는 세계화globalization와 경제 자유화economic liberalization의 요구에 따라 도시를 재건하려 시도해왔다. 일례로 마하라슈트라주 정부는 뭄바이를 홍콩과 상하이에서 이어지는 '글로벌도시global city'로 변모시키려 노력해왔다. 이 목적을 위해 2004년에는 첨단 금융 서비스, 정보기술, 소매, 여가, 건설과 소비가 혼합된 것을 강조하며 도시를 '아시아의 선도적 서비스 허브 가운데 하나'로 전환하고자 '태스크포스Task Force'를 발족했다.[40]

그러나 이전의 식민시기와 마찬가지로 탈식민국가는 도시에 자신의 권위를 부여하는 데 애써야 했다. 실제로 뭄바이의 도시 계획과 개발은 공공사업에 드는 자원의 배분과 활용을 둘러싼 논란에 휩싸였다. 주요 도시 정책은 민주적 체제 내에서 서로 다른 계급적 이해관계 사이에서 발생하는 정치적 경쟁과 갈등의 우발적 결과였다.

탈식민 국가 정책은 또한 남아시아의 도시에서 시민 거버넌스civic governance의 성격을 이해하는 데서 주요한 설명 변수다. 여기에서 주목할 특징은 식민 도시관리와 탈식민 도시관리 사이의 유사성이다. 식민 시기와 마찬가지로 도시권에서 현지 자치 기관의 정치적·재정적 자율성은 이 지역에서 독립한 국민국가nation-state의 중앙정부와 주 정부의 정책에 의해 심각하게 제한되었다.[41]

일례로, 1947년 이후 인도의 자치체는 선출직 시민기관의 권한을 축소할 권한을 가진 주 정부의 관할권 아래에 있었다. 또한 식민시기와 마찬가지로 인도의 주 정부는 흔히 "상수도, 주택, 혹은 도시계획의 시행 및 관리에 관해 주 정부에 책임을 지는 준準국가기관"을 설립했다.[42] 이와 같은 행정기관은 투표를 통해 선출된 자치체를 무시했고, 이로 인해 시민 영역 내에서의 진정한 참여적 민주주의 발전이 저해되었다.[43]

흥미롭게도, 19세기 후반에 재정위기에 직면한 식민국가가 도시 자치정부를 수용한 것처럼, 20세기 후반 인도 정부의 재정 문제는 "도시 현지 기관에 더 큰 권력을 부여하고 자체 자금 조달 노력을 장려"했다. 1980년대 중반부터 도시 현지 기관에 수반되는 권력 이양과 함께 도시 중심지에서 '잉여surplus'를 창출하려는 시장지향적 전략들이 시작되었다. 국가 정책의 이러한 방향 전환의 주요 요소 가운데 하나는 1992년 헌법(74차 개정)으로, 현지 기관에 "도시환경을 관리·통제할 수 있는" 더 커진 권한을 부여했다.[44]

거버넌스의 '신자유주의neo-liberalism' 패러다임 비판자들은 이러한 거버넌스가 현대 인도의 도시개발 양상을 어떻게 왜곡했는지를 강조해왔다. 이 패러다임에서 비롯된 정책들은 우선해서 자본 축적 과정을 촉진하기 위해 국가의 발전된 지역에 위치하는 '거대도시metro-city'들에서 도시 기반설비를 강화하려 노력했다. 그 결과, 특히 '낙후한' 주들의 중소 규모 도시들은 도시 빈곤 수준이 높고 기본적 시민 편의시설은 거의 없이 쇠퇴하는 경향이 있다. 동시에 도시 거버넌스의 '지방분권화〔분권화〕'는 인도의 더 큰 규모의 도시들 내에서 '토지와 시민 서비스의 민영화privatization'를 촉진해 기존의 격차disparity를 강화하고, 도시를 '부유한 지역'과 '가난한 지역'으로 분리했다.[45]

독립 이후의 도시 공공문화

남아시아 도시의 공공영역으로 눈을 돌리면, 최근 몇 년간 가장 눈에 띄는 것은 연속성보다는 변화다. 특히 1980년 후반부터 아대륙 전역에서 도시 공공문화가 극적으로 변화했다. 이 시기 남아시아 도시에서는 두 가지 새로운 발전이 가시적이었다. 첫째, 도시 중산층의 중요한 영역들이 세계화와 경제 자유화 과정을 수반하는 새로운 소비 방식에 의해 크게 변화했다. 둘째, 도시 공공영역은 자신들을 배제해온 근대성을 열망하는 평민 집단 사이에서 새로운 정치적 상상력이 형성되는 데서 중심이 되었다.

현대 인도에서는 이와 같은 발전이 가장 두드러지게 나타나고 있다. 인도 중산층의 공공문화는 모한다스 카람찬드 간디Mohandas Karamchand Gandhi의 검소하고 엄격한 생활과 자와할랄 네루의 발전에 대한 국가 이념의 영향을 오랫동안 받아왔는바, 두 사상 모두 과도한 소비를 억제했다. 이런 검소함과 구속은 인구 대다수가 빈곤선 이하에서 생활하던 사회에서 정치적 규범으로 여겨졌다. 중산층 또한 상대적으로 좋지 않은 경제 환경에 제약을 받았다. 하지만 1990년대 초반부터 인도 중산층의 문화적 지향성에 놀라운 변화가 일어났다.[46] 특히, '신新중산층 new middle class'의 증가한 구매력은 눈부신 소비문화를 만들어냈고, 이는 현재 많은 인도 도시의 경관을 지배하는 상업화한 상품과 이미지의 화려한 배열과 함께 계속 번창하는 쇼핑몰에 충분히 반영되었다. 이러한 소비의 장소와 행태는 최근 수년 동안 '발리우드Bollywood' 영화에서 볼 수 있는 '중산층다움middle classness'에 대한 대중적 인정에 필수적이었다(39장 참조).[47] 게다가 대중매체를 통한 "글로벌도시global city 이미지의 집중적 유통"은 인도 중산층이 현재 도시 빈민층을 인식하고 관여하는 방식에 중요한 결과를 가져왔다.[48]

동시에, '민주주의 혁명'의 시대에 평민계층 또한 도시공간에 대한 자신들의 주장을 발전시키기 시작했다. 실제로 최근 몇 년 동안 '서 발턴subaltern'〔사회 주변부로 밀려난 하층계층이나 기타 사회집단〕은 남아시 아 도시의 거리에서 점차 더 가시적이고 자신들의 목소리를 높이는 존 재가 되었다. 어떤 경우에는 ─뭄바이의 시브세나Shiv Sena당이 주도하 는 '원주민nativist' 운동이 가장 주목할 만하다─ 이 운동은 공공장소에 서 '제멋대로이며 예측할 수 없는' 형태의 집합적 폭력collective violence 양 상을 보였고, 때로는 국가기관 및 '정치적 반대 세력과 여러 공동체에 대항하는' 것을 지향했다. 그러나 시브세나당이 이러한 점에서 독특한 것은 결코 아니다. "젊고, 기동적이고, 평민계층의 남성들을 운동가이 자 청중으로 동원하는" 것이 현재 아대륙 전역의 도시정치urban politics에 서 편재한 특징이 되었다. 그 결과, 한때 남아시아 도시의 엘리트계층 과 평민계층 사이에 스며들었던 '온정주의paternalism' 문화는 급격히 약 화되었다.[49]

결론

21세기가 시작될 무렵에 남아시아는 새로운 글로벌 '도시혁명urban revolution'의 진원지였다. 2010년대 중반에 남아시아는 세계에서 가장 큰 규모의 도시권역 12개 중 5개를 차지하게 되었다. 게다가, UN 보 고서에 따르면, 2030년까지 8억 명 이상의 남아시아인이 타운과 도시 에 거주할 것으로 추정이 된다.

　이번 장에서는 이 놀라운 변화에 일정한 역할을 한 역사적 과정을 나타내고자 노력했다. 이와 같은 현상이 피할 수도 없고 또 일방적이지 않다고도 주장했다. 19세기의 대부분에 남아시아는 느리고 불균등한 도시화 속도를 경험했다. 도시 거주민의 절대적 수가 엄청난 비율로 증가한 최근 수십 년 동안에도, 성장 국면과 도시화 속도 감소 국면이 번갈아 나타났다.

앞서 언급한 설명은 식민권력이 어떻게 남아시아 도시의 구조, 거버넌스, 공공문화를 역사적으로 유례없는 방식으로 형성했는지를 강조했다. 게다가 이는 식민 유산들이 탈식민시대 도시들에서조차 계속해 큰 비중을 차지하고 있음을 시사했다. 그러나 최근 몇 년 동안에 현대 남아시아 도시들은 몇십 년 전만 해도 거의 상상할 수 없었던 성장의 궤도에 올랐다. 실제로 세계화와 경제 자유화를 통해 촉발된 힘으로 남아시아 도시들은 도시 근대성urban modernity에 대한 남아시아 경험의 가능성과 위험성 모두를 상징하게 되었다. 누군가에게 도시는 창의적 혁신과 기업의 역동적인 장소다. 누군가에게 도시는 구조적 도시 빈곤, 과밀한 판자촌, 무질서한 정치 및 폭력으로 특징지어지는 '슬럼 행성planet of slums'에 대한 디스토피아적 전망을 떠올리게 하는 장소다. 그렇지만 이 두 관점 모두의 기저에는 남아시아 도시들이 아마도 '지구촌 도시 문명의 미래'를 표상할 것이라는 불안한 인식이 숨어 있다.[50]

주

1   James Heitzman, *The City in South Asia* (London and New York: Routledge, 2008), 119-20.

2   C. A. Bayly, *Rulers, Townsmen and Bazaars: North Indian Society in the Age of British Expansion 1770-1870* (Cambridge: Cambridge University Press, 1983), (Cambridge South Asian Studies, Series Number 28) 110-162.

3   Ibid. 303-368.

4   David Washbrook, "India, 1818-1860: The Two Faces of Colonialism", in Andrew Porter, ed., *The Oxford History of the British Empire: The Nineteenth Century* (Oxford: Oxford University Press, 1999), 395-421.

5   Rajnarayan Chandavarkar, *History, Culture and the Indian City* (Cambridge: Cambridge University Press, 2009), 206-235.

6   Atiya Habeeb Kidwai, "Urban Atrophy in Colonial India: Some Demographic Indicators", in Indu Banga, ed., *The City in Indian History* (Delhi: Manohar, 1994), 167.

7   Heitzman, *City*, 124-125.

8   Rajnarayan Chandavarkar, *The Origins of Industrial Capitalism: Business Strategies and the Working Classes in Bombay, 1900-1940* (Cambridge: Cambridge University Press, 1994).

9   K. Dharmasena, "Colombo: Gateway and Oceanic Hub of Shipping", in Frank Broeze, ed., *Brides of the Sea: Port Cities of Asia from the 16th-20th Centuries* (Honolulu: University of Hawaii Press, 1989), 152-172.

10 Indu Banga, "Karachi and Its Hinterland under Colonial Rule", in Indu Banga, ed., *Ports and Their Hinterlands in India* (Delhi: Manohar, 1992), 337-358.

11 Chandavarkar, *Origins*; Ranajit Dasgupta, "Factory Labour in Eastern India: Sources of Supply, 1885-1946", *Indian Economic and Social History Review*, 8:3 (1976), 279-329.

12 C. J. Baker, *An Indian Rural Economy, 1880-1955: The Tamil Nad Countryside* (Oxford: Oxford University Press, 1984); Chandavarkar, *History*, 224-225.

13 Nandini Gooptu, *The Politics of the Urban Poor in Early Twentieth Century India*

(Cambridge: Cambridge University Press, 2001).

14 Chandavarkar, *History*, 225.

15 Ibid. 132-5; Chitra Joshi, *Lost Worlds: Indian Labour and Its Forgotten Histories* (New Delhi: Permanent Black, 2003); Janaki Nair, *The Promise of the Metropolis: Bangalore's Twentieth Century* (New Delhi: Oxford University Press, 2005).

16 Dane Kennedy, *The Magic Mountains: Hill Stations and the British Raj* (Berkeley, Calif.: University of California Press, 1996).

17 Douglas Haynes, *Rhetoric and Ritual in Colonial India: The Shaping of a Public Culture in Surat City, 1852-1928* (Delhi: Oxford University Press, 1992), 111.

18 J.B. Harrison, "Allahabad: A Sanitary History", in Kenneth Ballhatchet and John Harrison, eds., *The City in South Asia* (London: Curzon Press, 1980), 166-195.

19 Gooptu, *Politics*, 66-139.

20 Heitzman, *City*, 161.

21 Ibid. 161-162; Hugh Tinker, *The Foundations of Local Self-Government in India, Pakistan and Burma* (London: Athlone Press, 1954), 129-188.

22 Neeladri Bhattacharya, "Notes towards a Conception of the Colonial Public", in Rajeev Bhargava and Helmut Reifeld, eds., *Civil Society, Public Sphere and Citizenship* (New Dellii: Sage Publications, 2005), 130-156.

23 Sanjay Joshi, *Fractured Modernity: Making of a Middle Class in Colonial North India* (New Delhi: Oxford University Press, 2001).

24 Carey A. Watt, *Serving the Nation: Cultures of Service, Association, and Citizenship* (New Delhi: Oxford University Press, 2005).

25 Gooptu, *Politics*, 185-320; Chandavarkar, *Origins*, 168-238.

26 Heitzman, *City*, 175-181.

27 Shreekant Gupta and Indu Rayadurgam, "Urban Growth and Governance in South Asia", in Tan Tai Yong, ed., *Societies in Political and Economic Transition: South Asian Perspectives, 2007-08* (New Delhi: MacMillan, 2009), 359-394.

28 K. C. Sivaramkrishnan, Amitabh Kundu, and B. N. Singh, *Oxford Handbook of Urbanization in India* (New Delhi: Oxford University Press, 2005).

29 Ibid. 46.

30 Ibid. 154.

31 Heitzman, *City*, 179.

32 Ibid.

33 Ibid. 178-213.

34 Ibid. 213.

35 Sivaramkrishnan, Kundu, and Singh, *Oxford Handbook*, 82.

36 Heitzman, City, 191-192; Sten Nilsson, *The New Capitals of India, Pakistan and Bangladesh*, Scandinavian Institute of Asian Studies, Monograph 12 (London: Curzon Press, 1973), 139-203.

37 Ravi Kalia, *Bhubaneshwar: From a Temple Town to a Capital City* (Delhi: Sage Publications, 1994); Ravi Kalia, *Chandigarh: The Making of an Indian City* (New Delhi: Oxford University Press, 1999).

38 Heitzman, *City*, 194-195; Nandita Basak, *Dynamics of Growth, Regional Perspective: Experience of Five Indian Industrial Towns, 1961-1991* (Calcutta: Firma KLM, 2000).

39 Heitzman, *City*, 193-194.

40 Ibid. 207.

41 Gupta and Rayadurgam, "Urban Growth".

42 Heitzman, *City*, 199.

43 Mahesh N. Buch, *Planning the Indian City* (New Delhi: Vikas Publishing House, 1987), 132-143.

44 Annapurna Shaw, "Urban Policy in Post-Independence India: An Appraisal", *Economic and Political Weekly*, 31:4 (27 January 1996), 224-228.

45 Amitabh Kundu, "Urbanisation and Urban Governance: Search for a Perspective beyond Nee-liberalism", *Economic and Political Weekly*, 38:29 (19 July 2003), 3079-3087.

46 Leela Fernandes, *Indias New Middle Class: Democratic Politics in an Era of Economic Reform* (Minneapolis: University of Minnesota Press, 2006).

47 Rachel Dwyer, "Zara Hatke!: The New Middle Classes and the Segmentation of Hindi Cinema", in Henrike Donner, ed., *A Way of Life: Being Middle Class in Contemporary India* (London: Routledge, 2011), 184-208.

48 Partha Chatterjee, *The Politics of the Governed: Reflections on Popular Politics in Most*

of the World (New Delhi: Permanent Black, 2004), 143-144.

49 Thomas Blom Hansen, *Violence in Urban India: Identity Politics, 'Mumbai', and the Postcolonial City* (New Delhi: Permanent Black, 2004), 37-38.

50 Suketu Mehta, *Maximum City: Bombay Lost and Found* (London: Review, 2004), 3.

참고문헌

Ballhatchet, Kenneth, and Harrison, John, eds., *The City in South Asia* (London: Curzon Press, 1980).

Banga, Indu, ed., *The City in Indian History* (Delhi: Manohar, 1994).

Bayly, C. A., Rulers, *Townsmen and Bazaars: North Indian Society in the Age of British Expansion 1770-1870* (Cambridge: Cambridge University Press, 1983).

Blom Hansen, Thomas, *Violence in Urban India: Identity Politics, 'Mumbai', and the Postcolonial City* (New Delhi: Permanent Black, 2004).

Breeze, Frank, ed., *Brides of the Sea: Port Cities of Asia from the 16th-20th Centuries* (Honolulu: University of Hawaii Press, 1989).

Chatterjee, Partha, *The Politics of the Governed: Reflections on Popular Politics in Most of the World* (New Delhi: Permanent Black, 2004).

Fernandes, Leela, *India's New Middle Class: Democratic Politics in an Era of Economic Reform* (Minneapolis: University of Minnesota Press, 2006).

Gooptu, Nandini, *The Politics of the Urban Poor in Early Twentieth Century India* (Cambridge: Cambridge University Press, 2001).

Heitzman, James, *The City in South Asia* (London and New York: Routledge, 2008).

Nair, Janaki, *The Promise of the Metropolis: Bangalore's Twentieth Century* (New Delhi: Oxford University Press, 2005).

Nilsson, Sten, *The New Capitals of India, Pakistan and Bangladesh*, Scandinavian Institute of Asian Studies, Monograph 12 (London: Curzon Press, 1973).

Sivaramkrishnan, K. C., Kundu, Amitabh, and Singh, B. N., *Oxford Handbook of Urbanization in India* (New Delhi: Oxford University Press, 2005).

제31장

동남아시아와 오스트레일리아
South East Asia and Australia

하워드 딕
Howard Dick

피터 J. 리머
Peter J. Rimmer

동남아시아는 중국, 일본, 인도와 같이(28, 29, 30장 참조) 세계의 다른 나라들에 영향을 주진 않지만 2012년 세계도시 조사에서는 이 지역을 무시할 수 없다. 싱가포르Singapore는 분명 세계도시world city이고, 쿠알라룸푸르Kuala Lumpur는 그러한 지위로 도약하고 있다. 자카르타Jakarta와 마닐라Manila는 오스트레일리아 대륙 전체의 인구와 맞먹는 약 2000만 명의 초거대도시며, 방콕은 거의 1000만 명의 초거대도시다. 랑군Rangoon(지금의 양곤Yangon), 수라바야Surabaya, 사이공Saigon(지금의 호찌민시티Ho Chi Minh City)은 각각 인구가 500만 명이며 동남아시아의 다른 12개 도시는 인구가 100만을 넘는다([표 31.1] 참조). 인구 100만 명은 이제 대규모 타운large town에서 도시city가 되는 문턱으로 받아들여질

[표 31.1] 동남아시아 및 오스트레일리아 주요 도시 인구, 1850~2010년 (단위: 백만 명)

	1850년경	1930년	1980년	2010년
마닐라	0.2	0.3	6.9	19.6
바타비아/자카르타	0.1	0.4	6.0	15.4
방콕	0.1	0.5	4.7	8.9
사이공/호찌민시티	–	0.3	2.9	6.1
싱가포르	0.1	0.6	2.4	4.9
쿠알라람푸르	–	0.1	0.9	4.9
랑군/양곤	0.1	0.4	2.4	4.7
반둥Bandung	–	0.2	1.5	3.3
수라바야	–	0.4	2.0	3.0
메단Medan	–	0.1	1.3	2.7
하노이	–	0.1	0.9	2.7
세부	–	–	0.5	2.5
팔렘방	–	0.1	0.8	1.8
세마랑Semarang	–	0.2	1.0	1.7
프놈펜	–	0.1	0.2	1.5
다바오Davao	–	–	0.6	1.4
마카사르	–	0.1	0.6	1.4
조호르바루	–	–	0.2	1.1
만달레이	–	0.1	0.5	1.0
조지타운George Town / 페낭	–	0.1	0.3	1.0
오스트레일리아				
시드니	0.04	1.2	3.2	4.5
멜버른	0.03	0.9	2.8	4.0
브리즈번	0.008	0.3	1.1	2.0
퍼스	0.006	0.2	0.9	1.6
애들레이드	0.03	0.3	0.9	1.2

* 1850년 수치는 다양한 자료의 편집; 1930년 수치는 B.R Mitchel, *International Historical Statistics: Africa, Asia and Oceania, 1750–2005*, 5th edn. (Basingstoke: Palgrave Macmillan, 2007); 1980년 수치는 Population Division of the Department of Economic and Social Affairs of the United Nations Secretariat, *World Urbanization Prospects: The 2009 Revision*, http://esa.un.og/wup2009/; 인구 100만 명 이상 도시들에 대한 2010년 수치는 Thomas Brinkhoff: *The Principal Agglomerations of the World*, http://www.citypopulation.de/world/Agglomerations.html

수 있다. 전체적으로 동남아시아 인구 6억 가운데 절반 이상이 도시에 거주하며, 이는 아시아 전체의 평균과 거의 같다([지역지도 III.6] 참조). 이 모든 것이 가장 큰 규모의 도시의 인구가 50만을 넘지 못했고 지역 전역의 도시화 수준이 10퍼센트에 불과했던 식민시대의 끝을 향해가던 1930년대의 상황에서 기인하는 거대한 변화다

비교 관점에서 볼때 동남아시아의 도시들은, 일부 문헌에서 시사하듯, 독특하고 그곳에 동남아시아 특유의 도시 '유형type' 혹은 공유된 도시경험urban experience이 있는가? 이 장에서는 우선 동남아시아 도시의 역사적 궤적을 추적하고, 두 번째로 도시 거버넌스와 국가에 대해 논의하고, 세 번째로 현재의 도시위계를 파악하며, 마지막으로 도시역학urban dynamics을 항공망에 의해 드러난 국제적 연결성에 대한 지역적 정체성과 결부해 탐구한다. 동남아시아 도시주의는 열대 몬순〔계절풍〕기후의 본질적 요건, 관련 문화 양상에서 비롯하는 뚜렷한 특성이 있는 것으로 보인다. 동시에 식민화를 통해 처음으로 도입되었으며 보다 최근에는 세계화와 산업화를 통해 도입된 근대 기술이 기후의 제약을 완화하며 동남아 도시들을 서양식 도시 규범과 더 유사해지도록 이끌고 있다. 또한 동남아시아 도시 전역의 다양성은 단순한 일반화를 배제하게 한다.

제2차 세계대전 이전의 동남아시아는 영국(버마, 싱가포르, 말라야, 사라왁Sarawak, 북보르네오North Borneo), 네덜란드(네덜란드령 동인도/인도네시아), 프랑스(인도차이나), 미국(필리핀)의 식민지 권역으로 간주될 뿐 하나의 지역으로는 거의 인식되지 않았고, 타이만이 자율성〔독립〕을 유지하고 있었다.[1] 이 지역을 소극적으로 규정한다면 서쪽으로는 인도

이전까지, 북쪽으로는 중국 이전까지, 남쪽으로는 오스트레일리아 이전까지의 영역을 의미했다. 그러나 1967년 이래 동남아시아는 신생국 인도네시아·말레이시아·싱가포르·필리핀과 타이 5개국이 결성한 동남아시아국가연합인 아세안ASEAN으로 스스로를 정의했고, 아세안은 이후 브루나이·캄보디아·라오스·미얀마·베트남이 가입하며 10개국으로 늘어났다. 그러나 동남아시아는 결코 자족적 지역이 아니다. 동남아시아는 인도·중국·오스트레일리아와 인접한 영역 내에 중첩된 개방 지역으로 인식하는 게 가장 적절하다(도형 31.1] 참조).

지역으로서 동남아시아는 인구 면에서 유럽과 유사하나 문화적으로는 훨씬 다양하다. 제국적 단일성의 시기는 전혀 없었다. 종교적으로도 이슬람교, 불교, 힌두교, 기독교로 분리되어 있었다. 그럼에도 앤서니 리드Anthony Reid가 보여주었듯, 공통적 문화 규범의 토대가 존재한다.[2] 오늘날 동남아시아 주요 도시에서는 국제적 중산층 생활방식으로 수렴하는 모습이 나타나기도 한다. 그럼에도 한때 임의적 식민지 경계 내에서 공존했던 이질적 민족들을 공통된 국민 정체성으로 통합하는 것이 독립 이후 수십 년 동안의 지배적 추세였다. 유럽과 마찬가지로, 동남아시아에서 공교육체계는 국어[자국어]를 [공용어로] 도입했고, 각국의 국어는 오늘날 각국의 텔레비전 네트워크에 의해 더욱 공고해졌다. 그러나 타이와 필리핀의 주변부 무슬림 지역에서는 여전히 '상상된 (국가) 공동체'imagined (national) community"가 무정형無定形의 이슬람 세계를 옹호하며 논쟁을 벌이고 있다(32장 참조).[3]

오스트레일리아는 동남아시아와의 인접성에도 아세안의 상호 합의에 따라 아세안에서 제외된 별개의 대륙으로 남았으며, 동북아시아

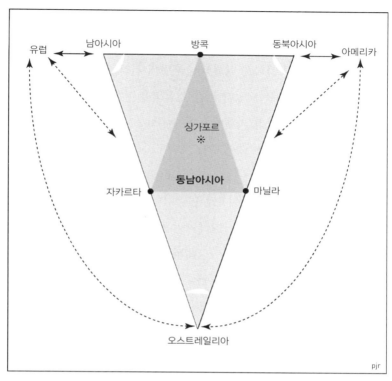

유럽　　　남아시아　　　방콕　　　동북아시아　　　아메리카

싱가포르
※

동남아시아

자카르타　　　　　　　　　　마닐라

오스트레일리아

pjr

[도형 31.1] 동남아시아: 남아시아, 동북아시아, 오스트레일리아와 연결된 개방체계

와 주로 교역을 하지만 정서·문화·안보 관계는 미국과 유럽을 지향한다. 오래되지 않은 정주 지역이기에, 오스트레일리아는 도시사와 도시적 구조 또한 꽤 다르다. 문화적으로, 오스트레일리아는 앵글로-켈트 Anglo-Celtic의 성향이 강했으며 백호주의白濠主義 정책White Australia Policy 으로 뒷받침되었다. 그러나 1945년 이후 이민이 처음에는 유럽에, 근래에는 아시아에 그 문을 열었고, 오스트레일리아는 결과적으로 더욱 활기찬 다문화 사회가 되었다.

도시의 궤적

아시아 도시에 대한 인식은 식민시기 후반에 기원을 둔 도시연구 문헌의 확장으로 심하게 왜곡되었다. 특히 영향력을 끼친 것은 막스 베버Max Weber(1864~1920)와 앙리 피렌Henri Pirenne(1862~1935)의 저작으로, 둘은 이탈리아와 한자Hansa 자유무역 자치도시들을 이념형ideal type으로 설정했다.[4] 식민시대 이전 아시아 도시들은 통치자에게 종속되어서 정치적 자율성이 부족하다는 이유로 열등하다고 폄하되었다. 카를 마르크스Karl Max의 '아시아적 생산양식Asiatic mode of production' 역시 부정적 영향을 끼쳤다. 이스탄불과 카이로에서부터 베이징과 도쿄에 이르기까지, 아시아의 위대한 도시들은 번성하는 거대도시metropolis가 아닌 타락한 제국과 아시아적 폭군이 지배하는 비대하고 제멋대로인, 내향적인 수도로 묘사되었다. 하노이Hanoi, 아유티아Ayuthia/방콕, 만달레이Mandalay, 수라카르타Surakarta와 욕야카르타Yogyakarta 쌍둥이도시와 같은 동남아시아 도시들은 근대적 자극이 부재하고 지난 세월의 진기한 흔적들만이 남은 궁전타운palace town으로 묘사되었다. 그러나 최근의 연구로 식민시대 이전 항구도시들이 식민적 침입으로 질식당한 역동적인 상업 화물 집산지entrepôts이자 대규모 교역장들emporia[엠포리아, 단수형 엠포리움emporium]이었음이 규명되었다(19장 참조).

19세기에 도시 역동성은 싱가포르와 페낭Penang, 바타비아Batavia(자카르타), 랑군, 사이공, 마닐라와 같은 식민지 수도capital들과 항구도시port city들에 존재했으며, 이들 도시는 모두 비교적 새로운 도시로 적어도 일부분이 유럽식 판본으로 건설되었다(40장 참조). 이들 식민도시

colonial city 가운데 특별히 큰 규모의 도시는 없었고 1930년대 후반까지 인구 50만 명 이상이 되는 곳도 없었으며 전체적인 도시화urbanization 수준은 10퍼센트를 넘지 못했다.

독립 이후에 농촌-도시rural-urban 이주로 지역 수도(주도)들의 규모가 폭발적으로 팽창하면서 이들 동남아시아 도시는 다시 '제3세계 도시Third World City'라는 부정적 개념으로 분류되었다. 서양의 시각에서 동남아시아 도시들은 여전히 제대로 된 도시가 아니었다. 그러나 2012년 동남아시아의 주요 도시들에는 세계적 규모의 도시 순위가 매겨지고 있으며, 이들 도시는 과밀과 빈곤, 혼잡함과 공해와 같은 도시의 모든 문제와 관련해서도 각국에서 가장 역동적인 장소다.

동남아시아의 현대적 도시 역동성은 식민시대 이전의 역사로 알려진 것과 공명한다. 앤서니 리드는 초기 유럽의 기록과 일부 중국의 사료들을 근거로 16~17세기에 동남아시아의 많은 왕국이 상당히 도시화되었고 말라카Malacca, 아유티아, 탕롱Thang-long(하노이) 같은 주요 도시는 적어도 인구가 10만 명 이상이었으며 유럽의 가장 대표적인 도시들과 견줄 규모였다고 주장했다.[5] 캄보디아의 앙코르와트Angkor Wat에 관한 최근의 연구는 1300년대 후반의 전성기에 이 '수자원도시hydraulic city'가 100만 명 정도의 인구를 가졌을 것으로 추정한다.[6] 자바Java 왕국의 수도 마자파힛Majapahit도 이와 비슷했을 것이다. 그 규모는 도시 경계가 설정되는 위치에 따라 크게 다르다(19장 참조).

식민시대가 시작될 때까지 동남아시아 도시들은 도시를 둘러싸는 성벽이 없었고, 궁전palace과 사원temple의 핵심부는 녹색의 캐노피canopy(차양현관) 아래 복합 주거단지와 부락hamlet으로 둘러싸여 있었으며, 대부분이 열매가 열리는 나무들과 도시 생존의 일부인 채소밭, 닭, 가축들이 함께 있었다. 초기 유럽인들 및 중국인들에게 이곳들은 도시와 거의 닮지 않은 것으로 보였으나 오늘날에는 원原교외proto-suburban로 인식할 수 있다. 앙코르Angkor와 동부 혹은 중부 자바와 같은 습윤쌀 경작 지역에서는 관개시설이 도시 근교의 과밀 정주지settlement를 지탱했고, 이는 제조업, 공공사업, 군대, 가사에 필요한 노동력 또한 제공했다. 외국인 무역업자들을 위한 숙소는 그들 고유의 공동체 내에따로 있었으며 자체 지도자에게 우선적인 책임이 있었다.

초기 식민지 항구도시들은 범세계적 동남아시아의 많은 요소를받아들였고, 아울러 새로운 도시 역동성을 준비했다. 스페인령〔에스파냐령〕 마닐라와 네덜란드령 바타비아는 16세기 후반과 17세기 초반에성채·성벽·운하를 갖춘 전형적 유럽식 항구도시로 설계되었는데, 운하는 물과 위생을 제공함과 동시에 물자와 사람의 이동을 위한 것이었다.[7] 공격의 위험에 대비하는 여러 교역소 또한 더욱 작은 규모로 요새화되었다. 성채와 성벽 밖에는 외국인 무역 공동체, 장인과 〔원주민촌락〕 캄퐁Kampong 혹은 충성심이 덜한 '원주민native' 마을들village이 있었다. 이들 마을의 원주민들은 식량을 재배하고 가사 노예들의 일을보충하는 노동력을 공급했다. 그러나 그 외양은 다소 표리부동했다. 성벽 안의 도시는 유럽적인 것으로 인식되었으나 상업적 활력과 장인활동의 상당 부분은 중국인 공동체에서 창출되었다. 싱가포르보다 이러한 특성이 더 명확하게 나타난 곳은 없었는데, 싱가포르는 1819년〔영국의 식민지 행정관〕 토머스 스탬퍼드 레플스Thomas Stamford Raffles에 의해 세워졌다. 싱가포르는, 포트캐닝Fort Canning이라는 작은 요새가 있긴 했지만, 성곽도시walled city였던 적이 없으며 소수의 유럽인은 가장 기본적인 국가의 기능만을 제공했고 주요 인구는 중국인·말레이인·인도인으로 구성되었다. 싱가포르는 동남아시아 '내에' 있어도 시초부터 항상 유럽·중국·인도·말레이반도의 영향들이 뒤섞인 범세계적cosmopolitan 혼합체였고, 중국의 영향력이 가장 우세했다.[8]

19세기 중반까지만 해도 동남아시아의 대부분은 아직 식민시대와 근대에 접어들지 않았다. [도형 31.2a]는 모든 것이 얼마나 달랐는지를 보여준다. 동북아시아에서는 여전히 일본과 한국이 세계무역에서 고립되어 있었고, 중국의 개항장[조약항]treaty port들과 새로운 영국식민지 홍콩은 중국의 관문으로서 대규모 상업시장 광저우廣州를 아직 넘어서지 못했다. 스페인 사람들은 마닐라라는 중국 무역의 연안기지를 가지고 있었으나, 필리핀이라고 막연히 주장되는 영역의 남쪽 지역은 장악하지 못했다. 프랑스군은 아직 이 지역에 진출하지 않았으며, 베트남은 통킹Tonkin, 안남Annam, 코친Cochin 등 3개의 구분되는 독립 왕국이었다. 영국은 하下버마Lower Burma 영역을 점령했으나 그 동쪽으로 페낭·말라카·싱가포르·홍콩에 있는 소규모 정주지들만이 [영국 국기] 유니언잭Union Jack이 펄럭이는 곳이었다. 자바전쟁Java War(1825~1830)에서 힘겹게 승리한 결과로 획득한 자바만이 네덜란드의 유일한 영토적 식민지였고, 말레이제도 전역에 걸친 나머지 네덜란드인 근거지는 소규모 교역소들의 연속적인 끈에 불과했다. 간단히 말해, 동남아시아에는 불안한 세력균형balance of power이 존재했다. 서양 열강을 물리칠 수 있는 거대하고 강력한 왕국들은 더는 존재하지 않았으나, 서양의 제국주의적 팽창의 추진력 또한 아직 부재했다. 동남아시아의 주요 도시는

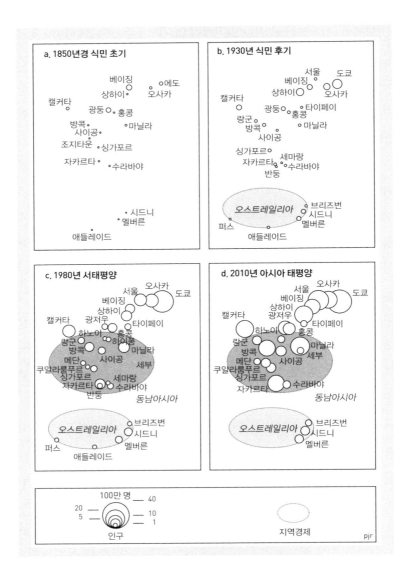

[도형 31.2] 동남아시아의 부상하는 도시지역urban region
(a) 1850년(인구 2만 5000명 이상 도시) (b) 1930년(인구 20만 명 이상 도시) (c) 1980년(인구 100만 명 이상 도시권역urban agglomeration) (d) 2010년(인구 200만 명 이상 도시권역)

아마도 예전보다 작아졌는바, 베이징과 에도(도쿄)와는 말할 것도 없고 광저우와 캘커타와도 규모에서 비교가 되지 못했다.

이와 같은 도시 양상은 19세기 중반 이후 유럽과 미국에서 동남아시아로 확산한 기술혁명이 없었더라면 오래 지속되었을 것이다. 두 가지 결정적 사건 모두 1870년에 일어났는데, 첫 번째는 상업 증기선 운항용인 수에즈운하의 개통이며, 두 번째는 마드라스에서 싱가포르로의 전신선 연장으로, 전신선은 1871년에 홍콩·중국·일본으로, 1872년에는 자바·오스트레일리아에까지 연장된다.[9] 증기선·철도·전신은 식민권력〔식민국〕colonial power이 훨씬 더 넓은 지역을 관리·착취하는 것을 가능하게 했다. 이러한 변화는 전기·의학 발전과 함께 유럽인이 열대 지방에서 사는 것을 안전하고 편안하게 느끼게 하는 데 도움을 주었다. 노예제는 폐지되었다. 18세기의 바타비아와 마닐라가 짧게 머물렀던 백인 남성들로 구성된 중추적 관리인들로 운영된 유라시아인 사회였던 것에 반해, 19세기 후반 이곳은 유럽 백인 중산층 가정의 번영하는 거주지enclave가 되었다. 19세기 후반 싱가포르에서 예시된 것처럼, 그들은 일본에서 수입된 마차와 인력거에 의지했다.[10] 20세기 초반에 이런 방식은 점점 전차와 자동차로 대체되었고, 이를 통해 백인 인구가 비위생적인 성곽타운walled town을 떠나 넓은 정원교외garden suburb로 이동하는 속도가 빨라졌다. 대부분의 중국인은 오래된 중국인 구역에 있는 그들의 주택 겸 상점에 계속해 거주했고, 거의 아무런 권리도 가지지 못한 토착민들은 점점 더 빈민가와 같은 캄퐁으로 몰려들거나 도시 변두리에서 불완전한 생계를 유지했다. 이들에게 자전거를 소유하는 것은 사치였는데, 자전거는 1930년대에 일본에서 값싼 수입품들이

들어오며 좀 더 저렴하게 구입이 가능했다.

그러나 이 모든 근대화modernization가 도시의 규모를 크게 팽창하지는 못했다. 1850년에서 1930년 사이에 동남아시아에서 가장 큰 규모의 도시들은 인구가 각기 약 10만 명에서 약 50만 명으로 증가했는데, 전체적 도시화 수준에 관한 뚜렷한 증가는 없었다([도형 31.2b]). 같은 기간의 인구를 보면 도쿄는 500만 명, 상하이는 300만 명, 캘커타는 150만 명으로 급증했다. 동남아시아의 명백한 도시 낙후성은 한편으로는 정치적으로 다른 한편으로는 경제적으로 설명된다. 서양 열강들은 자국의 식민지가 가진 토지와 자원에서 파생하는 수출 잠재력을 착취하려 했고, 이는 농업과 광산업에서 노동력의 분산을 요구했다.[11] 제조업은 국내총생산GDP의 약 10퍼센트만을 차지했고, 이는 교통 기반 설비를 운영하고 점차 증가하는 수출 산업들의 필요성을 충족하며 소규모 식민지의 중산층에 가정용 편의시설과 식품을 공급하는 데 충분한 수치였다. 마을로부터의 이주는 가사노동자, 상근 노동력, 부두 노동의 계절적 필요를 제공하는 것 말고는 제한되었다.

이러한 식민 질서는 1940년대 일본의 동남아시아 지역 점령과 동남아시아 국가들의 식민 지배로부터의 치열한 독립투쟁으로 무너졌다. 네덜란드인은 인도네시아에 대한 지배권을, 프랑스는 베트남에 대한 지배권을 결코 되찾지 못했다. 미국은 1946년 필리핀의 독립을, 영국은 1957년에 말레이반도의 독립을 승인했다. 완전히 독립하게 된 마지막 국가는 〔영국으로부터〕 1984년의 브루나이였다. 식민도시 질서는 유럽인들에게 가장 좋은 땅을 보유할 수 있게 해주었고 도시로의 이주에 대한 매우 엄격한 통제를 유지했는데, 정치적 독립으로 이러한 질서가 무너졌다.

　동남아시아에서 통제되지 않은 이주migration는 기근과 강제적 노역으로부터 탈출하는 수단으로서 일본 점령기에 시작되었고, 시골countryside에서의 혼란, 수도에서의 일자리 유혹, 비공식 부문에서의 기회로 가속화되었다. 자카르타의 인구는 1930년에 53만 명이었는데 1948년 중반에 100만 명 이상으로 배가 되었고, 1961년에는 300만 명이 되었다.[12] 농촌 마을들에서 이주해오는 사람들의 홍수는 새로운 도시 역동성을 만들어냈다. 일부 이주민은 자카르타의 케분카캉Kebun Kacang과 마닐라의 톤도Tondo 지구와 같은 기존의 저소득 빈민가에 정착했다. 다른 이주민들은 강과 운하의 둑, 철로, 뒷골목에 불법으로 거주했고, 또 다른 이주민들은 도시 변두리의 옛 농지에 거주했다.[13] 그러나 이주가 급속한 도시화의 유일한 배후 동인은 아니었다. 옛 농촌 마을들이 도시 조직체로 흡수된 것 역시 원동력의 하나였다.

　마닐라만이 전시의 피해를 크게 입었을지라도, 동남아시아에서 식민시대의 모든 기반설비는 빠르게 전격적으로 대체되었다.[14] 대중교통은 전차와 버스에서 버스와 지프의 중간 형태인 지프니jeepney와 자전거-택시인 베짝becak의 비공식적 체계로 전환되었다. 정전은 일상적이었고, 전화는 작동을 멈추었다. 생활 하수가 도시 폐기물과 함께 하천 및 지하수로 섞여 들어갔고, 수돗물조차 오염되었다. 20년 혹은 30년 동안 자카르타·마닐라·랑군·사이공 같은 전형적인 식민도시들은 거의 제 기능을 하지 못했었다.

　동남아시아에서 보통의 평범한 사람들은 반드시 궁핍한 것은 아니었고, 수도에서 찾을 수 있는 더 좋은 기회들에 실질적으로 이끌렸다.

첫째, 외국인 투자에 대한 규제 강화에 따른 공식 부문 경제의 약화는 새로운 소득 창출의 가능성을 높였다. 둘째, 공공 부문 지출과 관료주의가 수도에 집중되었다. 셋째, 인구성장population growth은 서비스업에 대한 자체적 수요를 창출했고 그에 따른 비공식 부문 기회의 확산은 기업가적 이민자들에게 이익을 가져다주었다. 생계를 보충할 대안을 찾아야만 했던 이들은 교사와 보건노동자를 포함하는 국가공무원 같은 고정 소득이 있는 중산층이었다. 이러한 제3세계의 환경은 당시 많이 언급되었으며 '가假도시화pseudo-urbanization'〔과잉도시화〕를 설명하는 테리 맥기Terry McGee의 고전적 연구인 《동남아시아 도시The South East Asian City》(1967)가 잘 포착하고 있다.[15] 동남아시아에서 오직 싱가포르에서만 이전의 도시질서가 무너지지 않았다. 싱가포르에서는 토지 이용 계획, 대중교통, 주거 복지 체계가 1959년 이후 시행되었고, 리콴유李光耀의 사회주의적 인민행동당PAP 정부에 의해 정교화되었다.[16]

　제3세계의 역동성은 새로이 산업화하는 경제의 부상과 함께 1980년대에 변화하기 시작했다. 독립 이후 동남아시아 국가들은 수입 대체를 촉진하는 높은 관세와 할당량 제한을 통해 산업화industrialization를 추구했다. 그러나 이러한 정책은 경쟁력 없는 고비용 제조업과 경기침체라는 암울한 결과로 이어졌다. 일본에 이은 한국·타이완·홍콩의 성공으로 동남아시아 국가들은 값싼 노동력을 이용하는 새로운 수출 주도형 산업화 방식으로 전환했다.[17] 싱가포르가 먼저 이 새로운 산업화 방식에 착수했고 말레이시아가 뒤따랐다. 한편 방콕·자카르타·마닐라의 배후지들에서 이루어진 초기의 산업화는 도시 변두리로 더 많은 이주민을 유인했고, 기반설비 부족 문제를 악화시켰다. 이와 같은 도시권

urban area이 인근의 쌀 경작 평원으로 확산하면서, 맥기는 그 사이사이 비어 있는 많은 구역과 함께 확장된 거대도시지역metropolitan region을 설명하는 데사–코타desa-kota(마을–타운village-town) 모델을 제시했다.[18] 경제적 관점에서 다중적 노드〔결절점〕node를 가지며 얼마간 확산한 이들 지역은 조엘 개로Joel Garreau가 대중적으로 널리 알린 에지시티edge city 〔경계도시〕를 연상하게 한다.[19]

새 형태의 도시화의 징후는 1970년대에 싱가포르와 1980년대에 여타의 동남아시아 주요 도시에서 뚜렷하게 나타났다([도형 31.2]). 외형적 징후는 고층 사무용 타워, 호텔, 아파트 블록이었다. 미국으로부터 영감을 받은 마닐라의 새로운 마카티 중심업무지구Makati Central Business District, Makati CBD 같은 특별한 예외를 제외하면 동남아시아 도시들은 저층 도시였다. 가장 직접적인 이유는 전기 천장 선풍기의 도움과 함께 그늘, 높은 천장, 공기 순환을 필요하게 만드는 열대 몬순 기후였다. 그래서 건물들은 널찍하며, 타일 바닥, 베란다, 더위나 비를 막으려 닫을 수 있으면서 미풍이 불면 언제라도 열 수 있는 차단막 설치 창문이 있는 경향이 있었다.

에어컨은 열대지방에서 고층 건물이 들어설 수 있도록 한 기술적 돌파구였다. 실제로 뜨거운 공기의 질량을 줄이려면 천장을 낮춰야만 했고, 따라서 바닥공간의 제곱미터당 건설 단가가 낮아졌다. 그러나 우선 사업 환경이 부동산 투자를 유치할 수 있을 만큼 충분하게 개선이 되어야 했다. 이에 따라 고층 빌딩은 1970년대 초에 산업화로 성공을 거두고 있던 싱가포르에서 먼저 등장했고, 말레이시아·타이·인도네시아에서는 1980년대까지 건설이 지연되었다. 말레이시아는 1996년 쿠알라룸푸르에서, 당시 세계에서 가장 높은 두 개의 건물이던, 456미터 높이의 페트로나스Petronas 쌍둥이빌딩이 개장하면서 도시의 화려함을 자랑했다.

급변하는 스카이라인skyline은 동남아시아 주요 도시의 토지 이용 양상의 빠른 변화를 보여주는 가장 눈에 띄는 징표였다. 사무용 타워는 고층 아파트와 호텔, 멀티-플렉스 영화관을 갖춘 넓은 다층 쇼핑몰, 급성장하는 중산층용 외부인 출입통제gated 교외 주택단지, 심지어는 인접한 산업단지가 있는 뉴타운 전체와 동반되었다. 이 모든 것은 자발적으로든 아니든 붐비는 다운타운downtown 및 주변부의 캄퐁과 마을로부터의 수백만 이주민의 이동을 의미했고, 도시의 흔적을 더 먼 곳으로까지 확산했다.

동남아시아에서 1990년대 중반의 건설 붐은 인위적인 저환율과 값싼 외국자본으로 인해 투기 광풍으로 변했다. 1997년 중반 타이 금융체계에서의 대규모 인출 사태는 재정적 붕괴를 촉발했고, 동남아시아 전역과 홍콩 및 한국까지 급속하게 감염시켰다. 이것은 아시아 〔경제〕 위기Asian Crisis로 알려지게 되었다. 그 후 몇 년 동안 짓다가 만 건물들의 뼈대와 공사가 중단된 부지가 위기의 침울한 상황을 표상했다.

불안정하고 불균형하게, 동남아시아는 금융체계를 강화하면서 위기에서 회복했다. 제조업 부문과 관련해서는 중국이 외국인 투자에 유리한 저비용 지역으로 부상하면서 동남아시아의 성장 전망이 수정되었다. 금융, 물류, 사업 서비스에 집중한 싱가포르는 동남아 국가 가운데 유일하게 중국의 두 자릿수 성장에 필적하는 국가였다. 다른 국가들의 경제위기 이후의 성장률은 약 6퍼센트 이하로 빠르지 못했다.

그럼에도 인도네시아는 G20〔주요 20개국, Group of 20〕국가가 되었고, 한때 인상적이었던 타이는 정치적 혼란으로 발전이 제한되었다.

　　2012년의 유리한 시점에서 아시아의 위기는 둔화한 것으로 보일 수 있긴 해도, 그것은 부상하는 동남아시아 도시들의 건조환경built environment을 변화시키지 않았다. 특히 자동차와 에어컨이라는 두 기술은 프리스트레스트 콘크리트pre-stressed concrete〔미리 부재 내에 응력을 주어 외부하중으로 생기는 인장 응력 일부를 없앤 콘크리트〕와 함께 제1세계the First World의 요소라 막연히 불릴 수 있는 물결의 운반체였다.[20] 휴양지 관광객처럼 공항에서 호텔, 쇼핑몰에 이르기까지 에어컨을 장착한 환경 내에서 머무르는 여행객은 동남아시아를 안락하고 이국적 색채가 있는 지역으로 인식한다. 안락한 구역 너머에는 덥고 붐비고 땀 차오르는 또 다른 도시가 있으며, 이곳에서는 수백만 명이 빈곤의 경계에서 고군분투하고 있다. 또 다른 그리고 종종 눈에 보이지 않는 빈민가와 값싼 노동력의 이 도시는 실질소득의 증가와 공적 개입이 이루어진다면, 싱가포르와 홍콩에서와 마찬가지로, 언젠가는 고층 아파트 단지로 재주거화되고 적절한 번영을 누릴 수 있을 것이다. 이는 스페인·포르투갈·그리스·중국·브라질과 같은 궤적이자 결과다. 한편 동남아시아의 초거대도시mega-city들은 전후 번영의 시대까지 실제로 런던·파리·뉴욕이 그러했던 것과 마찬가지로 이중도시dual city로 남아 있을 것이다. 눈에 띄는 물리적 차이가 있다면 동남아시아 도시들은 춥기보단 더우며, 실질적으로 일 년 내내 덥다는 점이다. 결과적으로, 정치와 문화처럼 생활방식에서도 차이가 있다. 도시들이 특히 고층 빌딩이 추하다는 점에서 표면적으로 닮았다는 사실은 도시들이 서로 실제로 유사하다는 것을 의미하거나 사람들이 갑자기 같은 방식으로 말하거나 행동한다는 것을 의미하지는 않는다. 세상이 점점 작아지는 것일 뿐이다.

오스트레일리아는 도시화에서 그러한 변동을 경험하지 않았다. 1788년 시드니Sydney의 첫 백인 정주 이후 한동안 새 식민지들은 이 적개심 강한 대륙의 해안선 주변에 달라붙은 '거머리 항구limpet port'들로 도시 거주지urban enclave들에 지나지 않았다.[21] 넓은 땅이 필요했던 목축업에 대한 내륙 지역의 점진적 개방은 어떠한 실질적 내륙타운inland town의 성장으로도 연계되지 않았다. 그 대신 1850년대부터의 철도 건설로 수출품 환매還買가 주요 해안도시[연안도시]coastal city들에서 이루어졌다. 오스트레일리아 도시화 수준은 1850년에 약 40퍼센트였고, 골드러시 이후 1900년에는 약 50퍼센트였는바, 이는 동남아시아가 다음 한 세기 동안에도 도달하지 못한 수치였다.[22] 오스트레일리아연방이 결성된 1901년에 멜버른Melbourne은 인구 50만 명의 번영하는 도시였고, 시드니 역시 이와 유사한 수준이었다. 1930년에는 두 도시 모두 100만 명의 인구에 도달했다(40장 참조).[23] 영국으로부터 멀리 떨어져 있음에도, 오스트레일리아 도시들은 문화적으로 영국과 매우 유사하다. 이는 오스트레일리아에서 1945년 이후 유럽으로부터의 이주가 급격히 증가한 것에 따른 다문화 사회의 현격한 부상과 함께 변화하기 시작했고, 최근 오스트레일리아에는 아시아의 면모가 더욱 증가하고 있다. 2006년을 기준으로 오스트레일리아 인구의 9.3퍼센트가 아시아계이며, 멜버른은 16퍼센트가, 시드니는 17퍼센트가 아시아계다.[24]

도시 거버넌스와 국가

식민시대 이전에 아시아의 주요 도시들은 왕국의 수도거나 고유한 권리를 가진 도시국가city-state였다. 통치자들은 대부분 절대권력을 쥐고 있었지만, 정부 업무는 관리들에게 위임되었고, 때로는 왕실의 호의를 누리는 외국인들도 있었다. 외국인 상인 공동체에는, 그들이 소란을 일으키지 않는 한, 일반적으로 상당한 수준의 자치권이 허용되었다.[25]

유럽 열강은 동남아시아에 교역소와 식민지를 건설할 때 모국에 있는 것과 일치하는 도시 거버넌스urban governance 방식을 확립하는 경향이 있었다. 네덜란드동인도회사Dutch East India Company는 바타비아(자카르타)에 1620년 이 지역 최초의 도시의회Gemeente를 설립했고 1710년에 세워진 거대한 시청Stadhuis은 지금도 볼 수 있다.[26] 네덜란드동인도회사의 영향력 아래에서 도시의회는 소규모의 유럽과 유라시아 시민들에게 권한을 행사했다. 중국인 공동체는 계속해서 이전의 관례에 따라 자기네가 임명한 관리들에 의해 통치되었다.

수에즈운하 개통〔1869〕 이후 유럽인 증가에 따른 대의제 도시 정부의 형태는 동남아시아 도시들을 더 접근하기 쉽게 했고, 도시들은 더 나은 배치 및 위생으로 더 살기 좋은 곳이 되었다. 1901년 미국인들은 마닐라에 선거를 통한 시의회를 도입했다. 이어 1904년에 네덜란드 정부는 지방분권화법〔분권화법〕Decentralization Act을 제정해 당시 네덜란드령 인도제도의 선도적 도시들에 선출직으로 구성되는 시의회를 구성할 수 있게 했다. 이들 새 도시 자치체는 유럽인을 위한 도시계획, 기반설비, 서비스에 대한 권한을 장악했으나 '원주민'의 캄퐁들은 기초적 수준에서만 통치했고 관심 사안들은 주로 유럽인에게 해를 미치는 위생 문제들이었다.[27] 한편 영국은 싱가포르, 페낭, 랑군에, 프랑스는 하노이, 하이퐁Haiphong, 사이공과 그 인접 도시 촐론Cholon, 투란 Tourane(다낭Da Nang), 프놈펜Phnom Penh에 시의회를 도입했다.

따라서 전간기에는 주로 중산층 유럽인의 안락과 복지를 주 관심사로 하는 도시계획 및 도시 기반설비에 대해 현지의 책임을 수반하는 도시 거버넌스 체계가 타이를 제외한 동남아시아 대부분의 지역에서 존재했다.[28] 공중보건 분야에서는 '원주민'의 내부도시inner city 빈민가와 중국인 구역에 대한 약간의 개입이 있었지만, 열악한 생활환경을 개선하려는 다른 조처는 거의 취해지지 않았다. 잘 질서 집힌 도시 외관 이면의, 싱가포르 빈민가 공동주택은 체면을 손상시키는 것이었으며 근면한 인력거꾼과 여성 매춘부가 그 누구보다 큰 고통은 겪었다.[29]

도시 정부의 이와 같은 식민 통치 방식은 동남아시아 국가들의 독립 이후 급속히 붕괴했다. 동남아시아 신생국의 새 정부들은 권력의 위임보다는 중앙집중화를 추구했고 자치체 정부는 위축되었다. 교통, 전력·수도 공공시설utilities 관련 도시 기구 및 의회는 재정이 부족했고, 증가하는 인구의 필요에 따라 세금 및 요금을 책정하고 인플레이션을 상쇄할 수 있는 능력에 크게 제약받았다. 이로 인해 전차체계는 폐쇄되었고, 전력 공급은 중단되었으며, 물은 마실 수 없게 되었다. 동시에 광범위한 불법 거주와 무허가 토지 이전 앞에서 토지 사용 규제는 무용지물이 되었다.[30]

그러나 이러한 경제적·사회적 문제에도 동남아시아 수도들은 여전히 새 국가들과 각국 열망의 상징으로 여겨졌다. 쿠알라룸푸르는 수도가 되려는 의도가 없었던 반면에 도시국가인 싱가포르는 그 자체로 하나의 국가였다. 쿠알라룸푸르는 1957년에 말라야가 독립하기 전에 인구가 31만 6000명에 불과한 평범한 타운이었다. 오늘날은 거의 500만 명 인구의 빠르게 확장하는 번화한 거대도시다〔'말라야'는 1957년 말레이반도 9개 토후국과 페낭·믈라카 2개 직할식민지가 통합해 영국에서 독립한 연방국가이며, 1963년에 사바·사라왁·싱가포르와 연합해 말레이시아가 되었다. 싱가포르는 1965년에 말레이시아에서 독립했다〕. 베트남은 이례적으로 1954~1976년 사이 짧은 기간 동안 (남)베트남 공화국의 수도였던 사이공〔지금의 호찌민시티〕이 여전히 〔통일된〕 국가의 수도 하노이보다 더욱 크다. 이들 수도 거대도시는 국가의 중앙정부 소재지거니와 군사 쿠데타 혹은 1789년의 파리처럼 민중봉기로 정부가 전복되는 현장이기도 하다. 후자의 최근 사례로는 1986년의 마닐라, 1973년, 1992년, 2006년의 방콕, 1998년의 자카르타가 있다. 랑군에서 민중봉기가 일어날 것을 두려워하며 미얀마 군부는 네피도Naypyidaw에 새 내륙 수도를 건설했다(네피도는 역설적이게도 '왕의 소재지Seat of the King'를 의미한다〔'왕도王都'라는 뜻도 있다〕).[31] 말레이시아 정부도 새 〔행정〕수도 푸트라자야Putrajaya를 건설했으나 쿠알라룸푸르의 경계 너머까지 범위가 확장되지 않았는데, 〔새 수도에 조성한 과학단지〕 사이버자야Cyberjaya와 함께 쿠알라룸푸르를 실리콘밸리Silicon Valley를 모델로 하는 '멀티미디어 도시 회랑multimedia urban corridor'의 새 노드로 삼았기 때문이다.[32]

국가적 열망이 항상 훌륭한 도시 정부로 전환된 것은 아니다. 〔1997년부터의〕 아시아 경제위기 훨씬 이전에 피터 J. 리머Peter J. Rimmer와 H. 딕H. Dick이 '계획도시들planned cities'과 '자체조직된 도시들selforganizing cities' 로 묘사한 동남아시아 수도들 사이에는 뚜렷한 차이가 나타났다.[33] 계획도시는 국가의 중앙정부가 도시의회 및 도시계획 과정 전반을 통제하며 근대적 기반설비에 투자하는 데 필요한 자금 지원을 보장한다. 두 가지 주목할 사례는 싱가포르와 쿠알라룸푸르다. 반면에 인도네시아(자카르타), 필리핀(마닐라), 타이(방콕)에서는 적절한 도시계획이 필요한 업무를 수행하는 자금이나 효율적 기관의 지원을 받지 못했다.

그 차이의 좋은 예는 도시 교통의 조직이다. 대규모 다층적 노드 도시들multi-nodal city의 내부 교통 수요를 충족시키는 것은 엄청난 과제다. 개개인에게 출발지에서 목적지까지 이동의 유연성을 보장하는 자동차는 많은 경우 교통 혼잡을 일으킨다는 점을 제외하고는 이상적 형태의 운송수단이다. 일부 동남아시아 도시는 신중한 도시계획을 통해 이 문제를 해결했다. 싱가포르는 이 문제를 탁월하게 해결한 사례로, 다운타운 구역의 혼잡 통행료와 함께 자동차에 무거운 세금을 부과하고, 그 자금을 이용해 정교한 대중교통 체계를 구축했다.[34] 쿠알라룸푸르 또한 계획도시나 자가용에 훨씬 더 많이 의존한다는 차이가 있다. 다른 동남아시아 수도들은 도시계획이 있어도 딱히 보여줄 것이 많지는 않다. 자카르타·마닐라·방콕은 교통 혼잡이 도시 접근성에 대해 숙고를 하게끔 하는 '자체조직된 도시들'이다. 일본 도시계획가들의 도움과 자금 지원을 통해 마닐라와 방콕은 지상 경전철 대중교통 체계를 새로 정비하는 등 어느 정도 성공을 거두고 있지만, 자카르타는 아직 버스 전용 차로를 넘어서지 못하고 있다.[35]

오스트레일리아 도시들은 영국으로부터 선거로 구성되는 도시 정부의 전통을 물려받았다. 1901년 연방이 출범한 이래로 시의회는 정부의 세 번째이자 가장 낮은 층위였다. 주도州都들이 규모와 복잡성에서 성장하면서, 지방정부는 권한과 재원 마련 모두에서 보조를 맞추지 못하고 있다. 주도 가운데 캔버라Canberra와 브리즈번Brisbane만이 단일한 지방정부 권한을 가지고 있다. 다른 모든 주도는 매우 파편화되어 있다. 이로 인해 도시 기반설비의 적절한 계획 및 자금 지원에 대해서 어떤 층위의 정부도 책임을 지지 않는 정치적 공백이 야기되었다. 역설적이게도, 오스트레일리아의 선도적 도시 시드니와 멜버른은 현재 많은 동남아시아 도시보다 덜 심각하긴 하지만 비슷하게 기반설비 부족 문제에 직면해 있다.

오스트레일리아의 도시 교통 문제가 더욱 다루기 쉬운 이유는 오스트레일리아가 싱가포르를 제외한 동남아시아의 어떤 국가보다 1인당 소득이 훨씬 높기 때문이다. 그럼에도 고정된 대중교통 노선이 여전히 19세기 후반의 단순한 방사형 도시에 배치되어 있어, 부상하는 다층적 노드의 도시 순환도로들이 필연적으로 도로 기반 교통수단에 크게 의존하게 됨으로써 급격한 인구성장에 따른 교통 혼잡이 심화되었다. 훨씬 더 에너지 효율적인 외곽순환 대중교통 기술과 훨씬 더 빠른 도시 간 철도 연결 기술이 있지만, 주 정부 및 연방정부는 지금까지 그러한 기반설비 건설에 필요한 자금을 동원하는 데서 훨씬 덜 지원을 받아온 동북아시아 국가 정부들조차 따라가지 못했다.

도시위계

2010년 유엔인구국United Nations Population Division은 동남아시아 도시권역urban agglomeration 가운데 인구 100만 명 이상의 도시를 23개로 집계했다.[36] 이 수치는 인구 1000만 명이 넘는 자카르타·마닐라·방콕 초거대도시를 포함하고 있으며, 그다음 500만 명 인구의 호찌민시티·싱가포르·쿠알라룸푸르·랑군이 따르고 있다([도형 31.2d]). 모두 인구 면에서 오스트레일리아 최대 도시인 시드니와 멜버른을 넘어서지만 중국의 최대 도시들과 또한 도쿄와 서울에는 한참 미치지 못한다. 그런데 유엔 같은 권위 있는 기관조차 도시 인구 측정의 잘 알려진 함정을 피할 수 없었다.[37] 행정적 경계는 일반적으로 기능적 도시 인구를 과소평가한다. 토머스 브링크호프Thomas Brinkhoff는 "예를 들어 지속적인 건설 지역이나 통근자에 의해 연결된 중심도시central city와 인접한 공동체를 포함하는 기능적인" 권역을 언급하지만, 이러한 기준도 탄력적이다.[38] 예를 들어, 자카르타 수도권 인구는 2010년에 960만 명이었으나 브링크호프는 1540만 명이라 주장한다. 이 도시지역urban region의 인구에 대한 우리 고유의 추정치는 마닐라와 유사하게 2000만 명 이상이 될 것이다.[39] 마찬가지로 동부 자바의 도시 수라바야의 인구도 자치체의 인구조사에 따르면 280만 명이다. 브링크호프는 300만 명으로 추산하고, 우리의 추정에 따르면 광역 수라바야Greater Surabaya 인구는 500만 명이다.[40] 싱가포르의 공식 인구인 490만 명 역시 컨테이너 항구container port(탄중펠레파스Tanjung Pelepas)와 대량화물, 제조업, 선박수리소dockyard, 관광객들의 휴양지 및 골프장에서 일하는 말레이시아(조호르바루Johor Bahru)와 인도네시아(리아우 제도Riau Islands) 같은 이웃 국가의 기능적 과잉인구를 제외한 과소평가된 수치다. 대상帶狀개발ribbon development[또는 띠상개발], 통근 구역, 주변부–도시 활동의 성격을 고려하면 확장된 거대도시지역metropolitan region을 정확하게 규정할 수 없는 것이 당연하다. 초거대도시의 기능적 규모에 대한 어떠한 추정치도 백만 명 단위의 근사치로 고려해야 한다([표 31.1] 참조).

오스트레일리아의 도시위계urban hierarchy는 매우 상이하다. 시드니는 2010년까지 인구 450만 명의 거대도시로, 멜버른은 400만 명, 브리즈번은 200만 명, 퍼스Perth는 170만 명, 애들레이드Adelaide는 120만 명의 인구를 가진 도시로 성장했지만, 국가의 수도로 내륙에 1913년에 만들어진 캔버라는 여전히 약 37만 명의 인구에 그치고 있다.[41] 연방의회가 개회하지 않을 때 정치인들과 그 보좌진은 고향으로 돌아가고, 캔버라는 다시 전원타운country town이 된다. 상업을 포함한 다른 모든 측면에서, 주도州都가 다양한 국민생활의 중심지다. 공통의 국민문화 및 연계 항공 여행과 근대적 통신을 공유하지만, 주도들은 여전히 서로 멀리 떨어져 있고 서로 다른 정체성을 유지하고 있다. 남서부의 퍼스와 동부 해안가 한가운데의 브리즈번 사이에는 약 4000킬로미터 해안선이 있으며, 항공편만이 한 곳에서 다른 곳으로 신속하게 이동할 수 있는 유일한 고속 교통수단이다. 이러한 대륙적 양상은 아시아의 어느 곳보다도 북아메리카와 더 유사하다. 오스트레일리아의 도시는 넓은 도시지역에 걸쳐 무질서하게 확산하는 경향이 북아메리카 도시와 유사하지만, 오스트레일리아에 미국 대부분에서 발견되는 빈민 내부도시 거주지는 없다(27장 참조).

인구만으로는 어떻게 국제적 규모에서 도시의 순위가 매겨지는지 잘 알 수 없을 것이다. 러프버러대학교 '세계화와 세계도시Globalization and World Cities GaWC' 연구집단이 '고차 생산자 서비스업advanced producer service'(회계, 광고, 은행/금융, 법률, 경영 컨설팅)을 기준으로 123개 도시를 평가한 결과, 동남아시아의 초거대도시들은 유럽과 동북아시아와는 대조적으로 세계를 '지휘·통제하는 중심지command and control centres'에 포함되지 못했다.[42] 반대로 도시국가 싱가포르는 홍콩과 함께 런던·도쿄·뉴욕 등 상위 10대 도시집단인 알파alpha그룹에 이름을 올렸다. 오스트레일리아 도시 가운데 가장 높은 순위를 기록한 시드니는 두 번째인 베타beta그룹에 속했으며 그 외에 이 그룹에 속하는 다른 동남아시아 도시는 없었다. 방콕·마닐라·자카르타는 쿠알라룸푸르와 함께 비주류 혹은 세계도시로 세 번째인 감마gamma그룹에 포함되며, 오스트레일리아의 멜버른이 이 그룹에 속한다. 남아 있는 동남아시아 도시 중에서 호찌민시티만 세계도시의 일부 특성을 가진 것으로 나타난다.

그럼에도 그와 같은 순위는 지표일 뿐이며 적용 기준에 따라 매우 가변적이다. GaWC 조사 결과는 유럽과 북아메리카 도시에 대한 우호적 시선과 오스트레일리아 및 동남아시아 도시에 대한 구체적 지식의 결핍을 함축한다. 일례로, 오스트레일리아의 애들레이드만을 주목한 연구는 브리즈번·퍼스 같은 더욱 역동적인 주도들을 누락했다. 또한 캄보디아(프놈펜)와 미얀마(네피도)의 수도나, 인도네시아(수라바야), 말레이시아(페낭), 필리핀(세부Cebu), 타이(치앙마이Chiang Mai)의 제2도시는 언급하지 않는다. 이후의 순위 개정으로 쿠알라룸푸르가 국제 주식시장에서의 강점에서 싱가포르·홍콩과 공통점이 많았다는 점에서

'글로벌도시global city' 후보로 격상되는 등 일부 보완이 이루어졌다.[43] 특히 GaWC는 금융 및 전문 서비스를 강조해 신新국제분업New International Division of Labour의 본질이자 도시 형태에 큰 영향을 끼치는 생산기지에 대한 주목을 다른 곳으로 돌린다. 화이트칼라 서비스는 고층빌딩이 밀집한 중심업무지구CBD에 집중되어 있으나, 새로운 경제를 뒷받침하는 산업단지는 종종 공식적 도시 경계를 넘어 주변부로 분산된다. 수출시장을 지향하는 이러한 산업단지들은 노동력 및 관련 서비스를 차례로 끌어들이며 해안과 주요 고속도로 주위로 대상帶狀 클러스터 형태를 보인다. 중심업무지구와 도시 변두리 사이에는 쇼핑몰을 핵심으로 하는 교외 노드들이 있으며, 이는 공공거리를 따라 집중적으로 제공되던 상업적·사회적 요소의 대부분을 통합하는 밀폐된 사적 공간이다.

도시 역학

아시아 실물경제의 호황은 재화·사람·정보의 흐름에 의해 더욱 잘 드러난다. 여기에 정보화informationalization 및 가상화virtualization를 통한 무역 흐름 네트워크의 비물질화dematerialization — 마누엘 카스텔Manuel Castells이 '유동공간space of flows'이라 부른 것 — 와 카스텔이 '장소의 공간space of places'이라 부른 도시 관문 및 도시 간 회랑을 통한 물질 흐름 구조의 중요성 증가 사이의 역설이 놓여 있다.[44]

동남아시아의 선도적 도시 관문은 컨테이너 운송, 항공 화물, 항공 승객, 인터넷 분야에서 세계 25위 안에 드는 중심지들에서 확인할 수 있다. 흐름에 따른 이러한 순위는, 싱가포르가 인터넷 사용량 기준에서는 상위 25위 밖으로 밀려났지만, 컨테이너 운송, 항공 화물, 항공 승객으로 대표되는 동남아시아의 중추적 지역 관문으로서의 싱가포르의 위상을 강조한다([표 31.2] 참조). 쿠알라룸푸르와 방콕도 이 세 범주에서 순위권에 든다. 국제 물류에 대한 이와 같은 강세는 생산현장

[표 31.2] 2008년 세계 상위 25위권 컨테이너 운송, 항공 승객, 항공 화물, 인터넷 중심지 중 동남아시아 도시

관문	컨테이너 운송		항공 화물		항공 승객		인터넷 이용	
	순위	백만	순위	백만	순위	백만	순위	gbps
	TEU		**kg**		**승객**			
싱가포르	1	29.9	7	1.9	7	36.3	–	–
탄중펠레파스	18	5.6	–	–	–	–	–	–
소계	–	35.5						
홍콩	3	24.5	2	3.7	4	47.1	19	380
선전	4	21.4	–	–	–	–	–	–
광저우	8	11.0	–	–	–	–	–	–
소계	–	127.9						
쿠알라람푸르/포트클랑	15	8.0	22	0.6	25	17.8	–	–
방콕/램차방	21	5.1	14	1.1	10	30.2	–	–
자카르타/탄중프리오크	25	4.0	–	–	–	–	–	–

TEU: 20피트(609.6센티미터)를 의미하는 화물 운송단위. Gbps: 국경을 가로질러 거대도시권 metropolitan area에 연결된 초당 기가비트 주파수 대역폭. 반경 10킬로미터 이내의 컨테이너 항구, 항공 화물, 항공 승객 허브들은 그룹화되며(방콕-램차방, 쿠알라람푸르-포트클랑), 유사한 반경 내 여러 국제 컨테이너 항구는 행정 경계와 무관하게 동일 영역으로 취급된다(싱가포르/탄중펠레파스)

출처: *Containerisation International Yearbook, 2010* (London: Informa Ltd, 2010); ACI, 2010. Annual Traffic Data, 2008. Airport Council International http://www.aci-na.org/stats/stats_traffic(accessed 7 Junr 2010); Telecommunications Geography International, *Telecommunications Geography* (Washington, D.C.: TeleGeography Inc., 2010)

으로서 동남아시아 도시들의 매력을 뒷받침하며 그들의 현지 도시지역 내에서 권역 경제를 창출하는 데 한몫한다. 인도네시아가 G20 국가라는 새로운 지위에도 자카르타는 전반적 물류 분야에서 크게 뒤로 밀려나 있지만, 항구 탄중프리오크는 컨테이너 운송 면에서 순위권에 든다.

　오스트레일리아는 교통 및 통신에 대한 이러한 네 가지 기준 가운데 어떤 것으로도 상위 25위 안에 드는 도시가 없으며, 이는 북아메리카와 유럽으로 향하는 주요 장거리 노선에 위치하는 아시아-태평양 관문들과 비교해 세계의 남쪽 막다른 곳에 위치하는 오스트레일리아의 지리적 입지를 반영한다. 오스트레일리아와 동남아시아를 연결하는 것은 컨테이너 운송, 항공 화물, 항공 승객, 그리고 유럽으로 가는 해양 관문 역할을 하는 싱가포르와의 통신 연결이다.

　동남아시아와 오스트레일리아의 관문도시gateway city들을 연결하는 교통 회랑은 국제 항공 교통의 집중도에 의해 드러난다([도형 31.3] 참조). 슈퍼 허브들인 싱가포르와 홍콩 사이의 직항 노선 중 하나는 하루 12회 이상의 비행을 기준으로 두 배의 호double arc를 그리며, 다른 하나는 이것을 자카르타에서 쿠알라룸푸르와 방콕으로 확장된 회랑을 따라 연결한다. 마닐라는 이 연결망에서 독립적으로 싱가포르와 홍콩을 모두 연결한다. 홍콩 북쪽에서 회랑은 도쿄, 서울, 베이징, 상하이로 펼쳐진다.

　하루 3~11편 사이 낮은 빈도의 항공 노선은 동남아시아의 수도들인 반다르스리브가완Bandar Seri Begawan(브루나이), 하노이·프놈펜·랑군·비엔티안Vientiane과 세부·사이공·수라바야 같은 제2도시들, 발리 Bali·랑카위Langkawi·푸켓Phuket·시엠레아프Siem Reap와 같은 관광 중심

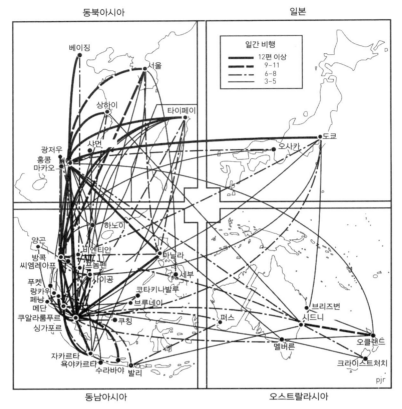

[도형 31.3] 동남아시아(홍콩 포함)와 오스트레일리아 공항의 일간 국제 직항 노선. (다음에 기반. *OAG Flight Guide; The Complete Guide to Air Travel in Alphabetical from/to Sequence*, vol.11: 8, February, 2010)

지들을 항공 네트워크로 연결한다.

두 가지 양상 모두 오스트레일리아에서 오는 승객들의 교통량이 얼마나 약소한지를 예시해준다. 더 낮은 빈도의 항공 노선에만 시드니·멜버른·브리즈번·퍼스 같은 오스트레일리아 주도들이 기록되며

이 노선에는 싱가포르·쿠알라룸푸르·방콕·홍콩이 유럽 각지를 오가는 승객들의 환승 지점으로 기능한다. 이러한 결과는 이상하지 않다. 오스트레일리아는 번영하는 G20 국가임에도 2300만 명의 인구는 이제 말레이시아보다도 적으며 지배적인 국내 허브도 없다.

동남아시아와 오스트레일리아 사이 관계는, 오스트레일리아가 아세안에 포함되지 않은 것이 반영하듯, 늘 미약했다. 제2차 세계대전과 미국과의 증가하는 관계, 1958년 이후의 일본, 이어 한국·홍콩·타이완·중국과의 무역 붐은 오스트레일리아의 영국에 대한 식민지적 지향성을 느리게 잠식했고, 반면에 전후의 오스트레일리아로의 〔유럽인의〕이주는 유럽과의 문화적 유대를 강화하게 했다. 동북아시아는 오랜 기간 오스트레일리아의 주요 수출시장이었지만, 1980년대 이후에야 비로소 아시아로부터의 이주가 더욱 두드러졌고, 주로 중국과 남아시아로부터의 이주였다. 중국과 베트남계를 제외하면 동남아시아의 요소는 근접성에 의해 예측되는 것보다 훨씬 적다. 미국으로의 멕시코인의 이주에 상응하는 것이나 유럽연합 내에서와 같은 사람들의 자유로운 이동은 없다.

결론

거의 틀림없이, 1800년 이전에는 동남아시아 전역의 1인당 소득이 유럽의 1인당 소득과 엇비슷했다. 식민주의colonalism와 이와 관련한 상품 생산 방식은 식민지의 인구 및 생산량의 꾸준한 증가를 가져왔으나 생활수준의 향상은 거의 없었다. 20세기 중반부터 탈식민화decolonization 와 경제적 민족주의economic nationalism는 수십 년 동안의 정치적 불안정 과 경제적 침체를 초래했다. 그러나 1965년 이래의 신국제분업은 전 례 없는 경제성장과 함께 동남아시아를 세계경제의 주류로 복귀시켰 다. 싱가포르는 현재 1인당 소득을 기준으로 세계에서 가장 부유한 나 라들 가운데 하나이고, 인도네시아는 G20 국가다. 중국·인도와 마찬 가지로 동남아시아의 미래에 대한 한 가지 확실한 것은 1인당 소득이 계속해서 증가할 것이고, 매년 수백만 명이 빈곤에서 벗어나 더 도시 화한 중산층의 생활방식으로 진입할 것이라는 점이다.

동남아시아 도시지역이 밀도 증가와 함께 계속해서 팽창할 것이라 고 보는 견해는 타당하다. 2050년 무렵이면 마닐라 인구는 약 4300만 명, 자카르타는 3800만 명, 방콕은 3500만 명, 사이공은 2000만 명에 도달할 것이 예상된다.[45]

오스트레일리아에서는 도시팽창urban expansion이 계속되는 높은 이 주민 유입률에 의해 추진될 것으로 보인다. 공식적 추정으로는 오스트 레일리아의 도시 인구가 2056년 무렵이면 멜버른이 750만, 시드니가 660만, 브리즈번이 450만 명일 것으로 보인다.[46] 이 도시들은 여전히 초거대도시는 아니나 싱가포르를 제외한 동남아시아 대개의 지역보다 소득과 생활 수준이 더 높을 것으로 보인다.

이러한 장기적 예측에 제기될 수 있는 의문은 지속가능성에 대 한 것이다. 오스트레일리아의 가장 큰 우려는 담수 부족과 농업 개척 지 축소다. 대도시big city들은 배후지에서 담수를 끌어오고 또한 화석 연료에 많이 의존해서 에너지 사용이 매우 비효율적이다. 이런 문제들은 현재로서는 정치적 의도가 없는 대규모 투자에 의해서만 극복될 수 있다. 대중적 압력은 따라서 이주와 인구성장을 줄이는 것에 집중되고 있다.

대부분의 동남아시아 도시는 기후변화와 해수면 상승이 가장 큰 취약점이다. 내륙의 하구도시river city 하노이·쿠알라룸푸르를 제외하고, 대도시들은 모두 조수潮水지대에 위치해 기후과학자들이 예측하듯 해수면 상승에 매우 취약하다. 이 취약성은 최근 몇 년 동안 지하수 추출과 고층 건물의 압력에 의한 침하로 악화되었다. 운하와 토양이 거대하고 단단한 표면으로 변하고 삼림이 파괴된 내륙 지역의 강우 유지량이 줄어들면서, 이들 도시는 또한 빈번하게 심각한 홍수를 일으키기 쉬운데, 이는 만조와 해수면 상승과 결합해 도시를 더 기능적이지 못하게 만들 뿐만 아니라 결국에는 어쩌면 밀집 거주 하기에 너무 위험하게 만들 것이다. 자카르타의 3분의 2는 이미 홍수가 발생하기 쉬운 곳으로 간주되고 있다. 방콕·호찌민시티·마닐라 모두는 광범위한 범람에 특히 취약한 것으로 파악되며, 2050년까지 GDP의 2~6퍼센트에 이르는 피해를 받을 수도 있다.[47]

여기에 역사적 아이러니가 하나 이상 존재한다. 특히 말레이제도를 비롯한 동남아시아의 많은 인구는 수상 또는 수면 바로 위에서 거주해왔다. 네덜란드가 바타비아(자카르타)를 점령한 것은 도시환경의 재앙으로 귀결되었다. 배후지의 사탕수수 경작을 위한 삼림 벌채가 운하를 침식해 주변의 양식장과 마찬가지로 도시를 말라리아모기의 번식지로 변모시켰기 때문이다.[48] 18세기 후반까지 자애로운 땅이었던 바타비아는 서아프리카의 노예요새slave fortress들만큼이나 악명 높은 죽음의 덫이 되었다.

기술과 적응을 통해 이러한 동남아시아 도시들이 물이 많은 환경과의 조화를 회복할 수 있으리라 생각할 수도 있으나, 옛 바타비아와 같이 인구밀도 그 자체가 도시를 너무 비위생적으로 만들고, 이에 도시 대부분을 배후지로 후퇴하도록 강제할 가능성이 더 크다. 사실 이들 도시가 영구적인 것처럼 보이는 장소를 획득한 것은 최근 몇 세기에 불과하다. 식민시대 이전 동남아시아의 왕실 수도들은 때로는 정복 때문에, 때로는 화산 폭발이나 자원 고갈 같은 환경적 이유 때문에, 때로는 그렇게 하는 것이 상서롭다는 생각 때문에 수시로 이전되었다. 이 수도들의 목조 구조물들은 철근콘크리트로는 불가능한 분해와 재조립을 가능하게 했다. 미얀마의 수도는 정치적이고 전략적인 이유에서긴 하지만 이미 내륙에 재건설되었다.

따라서 동남아시아는 콘크리트, 에어컨, 자동차 기술과 같은 환경적으로 가혹한 기술에 의해 임계점에 이르는 세계 최초의 지역 중 하나가 될 수 있다. 새 형태의 도시주의urbanism는 물과 토양, 태양, 바람과 조화를 이루며 살아가는 방법에 대한 잃어버린 지식을 재발견할 필요가 있을 것이다. 그렇게 된다면, 동남아시아의 도시들은 에너지 집약적 생활방식의 특권을 누릴 수 없는 사람들이 단지 생존을 위해 도시환경의 가장 부정적 측면을 감내하도록 강요받지 않는 더욱 행복한 장소가 될 것이다.

주

1 Paul Kratoska, Remco Raben, and Henk Schulte Nordholt, *Locating South East Asia: Geographies of Knowledge and Politics of Space* (Singapore: Singapore University Press, 2005).

2 Anthony Reid, *South East Asia in the Age of Commerce, 1450-1680, vol.1: The Land Below the Winds* (New Haven: Yale University Press, 1988).

3 Benedict Anderson, *Imagined Communities: Reflections on the Origin and Spread of Nationalism* (London: Verso, 1983; revised and enlarged 1991).

4 Max Weber, *The City* (New York: Free Press, 1968); Henri Pirenne, *Medieval Cities: Their Origins and the Revival of Trade* (Princeton: Princeton University Press, 1948).

5 Reid, *The Land below the Winds*.

6 Damian Evans, Putting Angkor on the Map: A New Survey of a Khmer Hydraulic City in Historical and Theoretical Context (PhD thesis, University of Sydney, 2007).

7 Robert R. Reed, "The Colonial Origins of Manila and Batavia: Desultory Notes on Nascent Metropolitan Primacy and Urban Systems in South East Asia", *Asian Studies*, 5 (1967), 543-562.

8 Song Ong Siang, *One Hundred Years' History of the Chinese in Singapore* (Singapore: University of Malaya Press, 1967).

9 H. Dick and Peter J. Rimmer, *Cities, Transport and Communications: The Integration of South East Asia Since 1850* (London: Palgrave Macmillan, 2003).

10 Peter J. Rimmer, "Hack Carriage Syces and Rikisha Pullers in Singapore: A Colonial Registrar's Perspective on Public Transport, 1892-1923", in Peter J. Rimmer and Lisa M. Allen, *The Underside of Malaysia History: Pullers, Prostitutes, Plantation Workers...* (Singapore: Singapore University Press, 1990), 129-160.

11 Ian Brown, *Economic Change in South-East Asia, c.1830-1980* (Kuala Lumpur and New York: Oxford University Press, 1997), 15-46; R. E. Elson, *The End of the Peasantry in South East Asia: A Social and Economic History of Peasant Livelihood, 1800-1990s* (London: Macmillan, 1997).

12 Dean Forbes, "Jakarta: Globalization, Economic Crisis and Social Change", in Josef Gugler, ed., *World Cities beyond the West: Globalization, Development and Inequality* (Cambridge: Cambridge University Press, 2004), 273.

13 Lea Jellinek, *The Wheel of Fortune: The History of a Poor Community in Jakarta* (Sydney: Allen and Unwin, 1991); Michael Pinches, *Anak-Pawis* [Microform]: Children of Sweat: Class and Community in a Manila Shanty Town (Clayton, Vic.: Monash University, 1984).

14 Alphonso J. Aluit, *By Sword and Fire: The Destruction of Manila in World War II, 3 February–3 March 1945* (Manila: National Commission for Culture and the Arts, 1994).

15 T. G. McGee, *The South East Asian City* (London: Bell, 1967).

16 Lee Kuan Yew, *From Third World to First: The Singapore Story, 1965–2000* (New York: Harper Collins, 2000).

17 Mohammad Ariff and Hal Hill, *Export-Oriented Industrialisation: The ASEAN Experience* (Sydney: Allen and Unwin, 1985).

18 T. G. McGee, "Urbanisasi or Kotadesasi? Evolving Patterns of Urbanization in Asia", in Frank J. Costa, Ashok K. Dutt, Laurance J. C. Ma, and Allen G. Nobel, eds., *Urbanization in Asia: Spatial Dimensions and Policy Issues* (Honolulu: University of Hawaii Press, 1989), 93–108; id., "The Emergence of desa-kota Regions in Asia: Expanding a Hypothesis", in Norton Ginsburg, Bruce Koppel, and T. G. McGee, eds., *The Extended Metropolis: Settlement Transition in Asia* (Honolulu: University of Hawaii Press, 1991), 3–25: and id., "Metrofitting the Emerging Mega-Urban Regions of ASEAN: An Overview", in T. G. McGee and Ira Robinson, eds., *The Mega-Urban Regions of South East Asia* (Vancouver: UBC Press, 1995), 3–26.

19 Joel Garreau, *Edge City: Life on the New Frontier* (New York: Doubleday, 1991).

20 Peter J. Rimmer and Howard W. Dick. *The City in South East Asia: Patterns, Processes and Policy* (Singapore/Honolulu: NUS Press/University of Hawaii Press, 2009), ch. 5.

21 Geoffrey Blainey, *The Tyranny of Distance: How Distance Shaped Australia's History* (Melbourne: Sun Books, 1968).

22 Lionel Frost, *The New Urban Frontier: Urbanisation and City-building in Australasia and the American West* (Kensington, Sydney: New South Wales University Press, 1991), 167.

23 Frost, *The New Urban Frontier: Urbanisation and City-building in Australasia and the American West*, 26-27.

24 ABS, 2914.0.55.002-2006 Census of Population and Housing Media Releases and Fact Sheets, 2006 (Canberra: Australian Bureau of Statistics), www.abs.gov. au/ausstats/abs@.nsf/7d12bof6763c78caca257061001cc588/5a47791aa683b719c a257306000d536c!OpenDocument

25 Anthony Reid, *South East Asia in the Age of Commerce, 1450-1680, vol.2: Expansion and Crisis* (New Haven: Yale University Press, 1993), 119-129.

26 Adolf Heuken, *Historical Sites of Jakarta* (Jakarta: Cipta Loka Caraka, 2007), 33-52.

27 Howard Dick, *Surabaya, City of Work: A Socioeconomic History, 1900-2000* (Athens/Singapore: Ohio University Press/Singapore University Press, 2002/3); Susan Abeyasekere, *Jakarta: A History* (Singapore: Oxford University Press, 1987).

28 Brenda S. A. Yeoh, *Contesting Space: Power Relations and the Urban Environment in Colonial Singapore* (Kuala Lumpur and New York: Oxford University Press, 1996).

29 James F. Warren, *Rickshaw Coolie: A People's History of Singapore, 1880-1940* (Singapore and New York: Oxford University Press, 1986); James F. Warren, *Ah Ku and Karayukisan: Prostitution in Singapore, 1870-1940* (Singapore and New York: Oxford University Press, 1993).

30 Dick and Rimmer, *Cities, Transport and Communications: The Integration of South East Asia Since 1850*, Part III.

31 Dulaypak Preecharushh, *Naypyidaw: The New Capital of Burma* (Chiang Mai: White Lotus 2009), xv.

32 Tim Bunnell, *Malaysia, Modernity and the Multimedia Super Corridor: A Critica Geography of Intelligent Landscapes* (London: Routledge, Curzon, 2004); Ross King, *Kuala Lumpur and Putrajaya: Negotiating Urban Space in Malaysia*

(Singapore: NUS Press, 2008).

33 Peter J. Rimmer and H. Dick, "Appropriate Economic Space for Transnational Infrastructural Projects: Gateways, Multimodal Corridors and Special Economic Zones", *No. 237 ADBI Working Papers from Asian Development Bank Institute* (ADBI: Tokyo, 2010). http://www.adbi.org/files/2010.08.06.wp237.asia.tr... uctural.projects.pdf

34 Sock-Yong Phang, "How Singapore Regulates Transportation and Land Use", in Shahid Yusuf, Weiping Yu, and Simon Everett, eds., *Local Dynamics on an Era of Globalization* (Washington, D.C.: The World Bank, 2000), 159-163; Phang Sock-Yong and R. Toh, "Road Congestion Pricing in Singapore, 1975-2003", *Transportation Journal*, 43(2) (2004), 16-25.

35 Peter J. Rimmer, "'Look East': The Relevance of Japanese Urban Planning and Technology to South East Asian Cities", *Transportation Planning and Technology*, 11 (1986), 47-87; id., *Rikisha to Rapid Transit: Urban Public Transport Systems and Policy in South East Asia* (Sydney: Pergamon Press, 1986); Rimmer and Dick, *The City in South East Asia: Patterns, Processes and Policy*, ch.8.

36 UNPD, *World Urbanization Prospects: The 2009 Revision Population Database*, United Nations Population Division, 2010. http://esa.un.org/unpd/wup/unup/ index_paneh.html

37 Gavin W. Jones and Mike Douglass, eds., *Mega-Urban Regions in Pacific Asia: Urban Dynamics in a Global Era* (Singapore: NUS Press, 2008).

38 Thomas Brinkhoff, *The Principal Agglomerations of the World*, www.citypopulation. de/world/Agglomerations.html. 유엔의 100만 명 이상의 도시권역 중 다음 네 곳은 Brinkhoff의 목록에 포함되지 않는다. [말레이시아] 클랑(110만)과 [인도네시아] 보고르Bogor(100만)는 각각 쿠알라룸푸르와 자카르타에 편입된다. [베트남의] 하이퐁(200만)과 미얀마의 네피도Naypyitaw(100만)는 모두 빠져 있다. 그러나 [말레이시아의] 조지타운/페낭은 포함된다.

39 Rimmer and Dick, *The City in South East Asia: Patterns, Processes and Policy*.

40 Dick, Surabaya, *City of Work: A Socioeconomic History, 1900-2000*.

41 ABS 3218.0: Regional Population Growth, Australia, 2008-09 (Canberra, Australian Bureau of Statistics, 2010).www.abs.gov.au/ausstats/abs@.nsf/Latestproducts/

42 Jonathan V. Beaverstock, Richard G. Smith, and Peter J. Taylor, "A Roster of World Cities", *Cities*, 16 (6) (1999), 445-458.

43 Peter J. Taylor, David R. E. Walker, Gilda Catalano, and Michael Hoyles, "Diversity and Power in the World City Network", *Cities*, 19 (4) (2002), 231-241; Peter J. Taylor, "Shanghai, Hong Kong, Taipei and Beijing within the World City Network: Positions, Trends and Prospects", 2006. http://ebookbrowse.com/the-world-city-network-positionstrends-and-prospects-doc-doc-d12195562

44 Manuel Castells, *The Information Age: Economy, Society and Culture, vol.1: The Rise of the Network Society* (Oxford: Blackwell), 1996, 2nd edn. 2000; Kathy Pain, "Global Cities, Gateways and Corridors: Hierarchies, Roles and Functions", International Conference on Gateways and Corridors, Vancouver, 2-4 May 2007. www.gatewaycorridor.com/roundconfpapers/.../Pain_Kathy_Vancouver.pdf

45 SCF, Your City by the Year 2050? Skyscraper City Forums, 2010. www.skyscrapercity.com/showthread.php?t=521990&page=9

46 ABS, 3222.0-Population Projections, Australia, 2006 to 2101 (Canberra, Australian Bureau of Statistics, 2008). www.abs.gov.au/Ausstats/abs@.nsf/mf/3222.0 (2010년 11월 18일 검색).

47 World Bank, *Climate Risks and Adaptation in Asian Coastal Megacities*, 2010 http://digitalmedia.worldbank.org/CoastalMegacities (2010년 11월 18일 검색).

48 Leonard Blusse, *Strange Company: Chinese Settlers, Mestizo Women and the Dutch in VOC Batavia* (Dordrecht: Faris, 1986).

참고문헌

Bishop, Ryan, Phillips, John, and Yeo, Wei Wei, eds., *Postcolonial Urbanism: South East Asian Cities and Global Processes* (New York: Routledge, 2003).

Blainey, Geoffrey, *The Tyranny of Distance: How Distance Shaped Australia's History* (Melbourne: Sun Books, 1968).

Bunnell, Tim, Drummond, Lisa B. W., and Ho, K. C., eds., *Critical Reflections on*

Cities in South East Asia (Singapore: Times Academic Press in association with Brill Academic Publishers, 2002).

Dick, H., and Rimmer, Peter J., *Cities, Transport and Communications: The Integration of South East Asia since 1850* (London: Palgrave Macmillan, 2003).

Frost, Lionel, *The New Urban Frontier: Urbanisation and City Building in Australasia and the American West* (Sydney: NSW University Press, 1991).

Goh, Robbie B. H., and Yeoh, Brenda S. Y., eds., *Theorizing the South East Asian City as Text: Urban Landscapes, Cultural Documents, and Interpretative Experiences* (Singapore: World Scientific Publishing, 2003).

Jones, Gavin W., and Douglass, Mike, eds., *Mega-Urban Regions in Pacific Asia: Urban Dynamics in a Global Era* (Singapore: NUS Press, 2008).

Kratoska, Paul H., Raben, Remco, and Nordholt, Henk Schulte, *Locating South East Asia: Geographies of Knowledge and Politics of Space* (Singapore: Singapore University Press, 2005).

McGee, T. G., *The South East Asian City* (London: Bell, 1967).

McGee, T. G., and Robinson, Ira M., *The Mega-Urban Regions of South East Asia* (Vancouver, UBC Press, 1995).

Reid, Anthony, *South East Asia in the Age of Commerce, 1450–1680*, vol. 1: *The Land below the Winds* (New Haven: Yale University Press, 1988).

Reid, Anthony, *South East Asia in the Age of Commerce, 1450–1680, vol. 2: Expansion and Crisis* (New Haven: Yale University Press, 1993).

Rimmer, Peter J., and Dick, H., *The City in South East Asia: Patterns, Processes and Policy* (Singapore/Honolulu: NUS Press and University of Hawaii Press, 2009).

제32장

중동

Middle East

메르세데스 볼레(I부)

Mercedes Volait (Part I)

모하마드 알아사드(II부)

Mohammad al-Asad (Part I)

중동 도시들은 […] 단순히 중동에 있는 도시들이다.[1]

중동의 도시들은 특정한 역할, 사회조직, 그리고 일부 경우에는 상당한 물리적 구조와 함께 19세기에 접어들었으며(이스탄불은 건축 면적이 1700헥타르[17제곱킬로미터]로 1880년에 세계에서 네 번째로 큰 도시였다), 이는 근대 초기 시기와 오스만 통치 시기 모두에서 계승한 것이었다([지역지도 II-2] 참조). 오랫동안의 추측과는 다르게 오스만 시기는 제국의 아랍 지역에서의 상당한 도시화율, 도시 세계와 농촌 세계 간 강한 상호의존성, 제국을 가로지르고 제국 너머 이란과 인도까지 이어지는 활발한 무역로가 특징이었다.[2] 이러한 도시체계urban system는 프랑스의 짧은 이집트 점령(1798~1801)을 시작으로 이 지역이 직간접적인 유럽의 경제적·정치적·문화적 패권에 노출되면서 급격한 변화를 맞았다. 중앙정부의 농촌권에 대한 통제의 권리 재확인, 보건 상태 개선, 서유럽의 팽창하는 공업 경제와 중동을 결합하려는 상업적 연결의 증대는 모두 도시의 부유한 거주민들에게 유리하게 작용해 경제적 세력 균형balance of power에 영향을 끼친 한편으로 농촌 생산자들을 무력화시켰다.[3] 항구도시들과 유사 '도시국가'들은 이전의 지역 중심지들을 희생시키면서 장기長期 19세기the long 19th century 내내 엄청나게 성장했다. 탈식민시기 국가 건설의 강화와 함께 도시위계urban hierarchy가 다시 변화했다. 어떤 수도들은 극적 비대화를 경험했고, 어떤 수도들은 거의 맨땅에서 발전을 이루었다. 도시화는 가속화했다. 1800년에는 중동 지역 인구의 10퍼센트가 도시에 살았고, 이 수치는 1950년에 27퍼센트(2500만 명)에 이르러 세계 평균에 근접했으며 1990년에는 58퍼센트(1억 3800만 명)에 도달했다([지역지도 III.2] 참조).[4]

이번 장에서는 중동 지역을 대상으로 정치적·경제적 차원에서 일어난 변화를 설명하고, 인구학적 역학을 살펴보며, 그에 따른 사회적·공간적 변화를 강조한다. 최근 연구에 따르면, 식민지 아프리카나 인도에서의 지배적 상황과는 대조적으로, 중동의 도시들은 외부 세력과 내부 기관을 결합한 특정한 양상을 따라 사회적, 문화적, 물리적으로 변모했다. 결과적으로, 식민시대 이전, 반半식민, 식민, 탈식민 시대의 서양식 근대성Western-style modernity과 시간에 따른 그 표현의 변화(예컨대 오스만 유럽주의Ottoman Europeanism, 전후戰後 미국주의Americanism, 식민지 해방 이후 소비에트주의Sovietism)에 대한 지역적 참여가 이 장의 반복되는 주제다. 글은 두 부분으로 나뉜다. 사적 소유권을 도입한 1858년의 오스만 토지법Ottoman Land Law of 1858부터 1950년대의 독립까지가 중동 지역에 영향을 끼친 초기 도시 변화의 첫 번째 일관성 있는 기간을 형성하며, 국가주의statism의 성장과, 이후 오일머니〔오일달러〕가 촉발한 대규모/도시 부동산 개발 프로젝트의 증가로 예시되는 경제적 자유주의economic liberalism로의 전환 과정으로 특징지어지는 탈식민화decolonization가 개시한 시대는 두 번째 일관성 있는 기간을 형성한다.

I. 1850년대~1950년대

오스만 제국의 개혁 시대

제1차 세계대전 전까지 이집트에서 아르메니아에 이르는 중동 지역 대부분은 오스만 제국의 영토였다. 18세기 후반과 19세기 초반의 대혁명들(프랑스혁명과 산업혁명)은 오스만 제국에 깊은 영향을 끼쳤다. 첫 번째는 유럽의 근대 기술과 진보에 보조를 맞추려는 탄지마트Tanzimat(문자 그대로 '재조직reorganizations')로 알려진 내부 개혁을 고무했고, 두 번째는 지역경제의 완전한 변화를 시작하게 한 무역의 커다란 증가를 가져왔다. 중동의 세계경제 체제로의 통합은 3단계 과정으로, 즉 첫 번째는 상업, 두 번째는 금융과 상업, 마지막으로는 정치 및 금융과 상업 과정으로 묘사되었다. 오스만 제국의 통치자들은 (비효율적인) 과세를 통해 얻은 내부 세수입을 보완하고자 더 많은 외채를 들여

왔고, 이는 결국 파산으로 이어지고, 이 지역에서 처음에는 영국·프랑스의, 나중에는 독일의 경제적 침투가 심화되는 결과를 가져왔다. 외국무역[대외무역]의 가치는 19세기에 10배가 증가한 것으로 알려졌다.[5] 제1차 세계대전 이후 오스만 제국의 해체로 발생한 위임통치와 보호령은 이러한 과정을 강화했다.

탄지마트(1839~1876)가 법률적·행정적 문제들에 부과한 하향식 변화는 제국 전역에 걸쳐 다기하게 정착했고, 그 적용 범위는 지역적 맥락과 근대성의 주요 통로(수도, 항구도시, 새 타운, 행정 중심지까지의 거리)에 따라 다양했다. 게다가 서양화westernization, 근대화modernization, 도시화urbanization는 각각의 시간성, 내구성, 관성을 가진 현상들이다. 그러나 공통적 양상은 인구학demography, 이주, 거버넌스, 경제성장, 도시팽창, 도시재생urban renewal의 차원에서 구별된다. 지역의 주요 경제적 자원인 토지의 관리 변화는 시골countryside뿐만 아니라 도시city에서도 사회의 모든 차원에서 영향을 끼쳤다. 1858년 부동산 사적 소유권의 제도화와 1867년 외국인에게 부여된 부동산 소유권은 다른 이들(예컨대 농민)을 희생시키며 사회집단(예컨대 비무슬림 소수집단)을 강력하게 만들었다. 탄지마트의 또 다른 사회적 산물은 에펜디야effendiya(글을 읽고 쓸 줄 아는 젊은 남성을 지칭하는 튀르키예어식 명칭인 에펜디effendi에서 유래했다)라는 신흥 전문직 도시 중산층의 부상이었다. 에펜디야는 서구식 교육을 받고 영어·프랑스어·이탈리아어에 익숙한 점에서 전통적 학자들인 울레마ulema[또는 울라마ulama. 이슬람의 신학자와 법학자]와 구별되었고, 행정조직에 참여했다는 점에서 길드 및 상인과 구별되었는 바, 이들은 새 질서의 확산에 중요한 역할을 했고 그 대가로 새 질서로부터 혜택을 받았다.[6] 범세계주의cosmopolitanism는 이 시기의 또 다른 사회적 특징이었다. 오스만 제국 말기 이스탄불의 무역 체제에서 그리스인, 유대인, 페르시아인 상인들은 아주 중요했다. 19세기의 이집트 도시는 상당수의 서유럽인과 동유럽인의 존재는 말할 것도 없고, 터키[튀르키예]-체르케스인, 아르메니아인, 그리스인, 시리아-레바논인의 대규모 공동체 외에도, 상당한 규모의 마그레브인과 페르시아인 집단의 본거지였다. 비이슬람교도는 1900년에 이즈미르Izmir 인구의 3분의 2를 차지했다. 주로 큰 규모의 타운에 수십만이 거주했던 이탈리아 이민자들은 이 지역에서 가장 큰 유럽인 집단을 형성했다. 1893년에 바그다드인의 3분의 1은 이웃한 시리아, 쿠르디스탄Kurdistan, 이란에서 탄압을 피해 도망친 유대인들이었다. 이란 카자르Qajar 왕조(1796~1925)에서는, 수십 년의 시차를 두고, 유사한 서양화 과정과 이와 관련된 다문화 및 다민족 사회의 발전이 있었다. 1830년대 이후 증기 항법의 발전, 20년 후 철도의 도입, 운송비의 급락과 함께, 자본과 노동력은 전례 없는 규모로 국경을 넘어 흘러들어왔고, 중동 도시들은 무역, 이동(성)mobility, 이주를 통해 점점 상호 연관되기 시작했다.

도시 인구와 위계

1789년부터 1945년까지 모로코에서 아프가니스탄에 이르는 중동의 도시 인구는 280만 명에서 2600만 명으로 거의 10배 증가했다.[7] 성장은 부분적으로 자연 증가의 결과였다. 감염병 대유행은 19세기 내내 계속되었다. 카이로Cairo에서만 1831년에 3만 명이 콜레라로 사망했고, 1835년에는 7만 5000명이 페스트로 사망했으며, 1889년에 바그다드Baghdad는 거주민의 5퍼센트, 1903년과 1904년 사이 테헤란Tehran은 거주민의 10퍼센트가 콜레라 유행으로 사망했다. 그러나 공중보건의 증진(백신 접종과 방역 등)을 위한 중앙정부의 지속적 노력으로 위생 상태가 개선되면서 높은 출산율이 사망률을 점점 앞질렀다. 동시에 노동에 대한 높은 수요(원재료 및 유럽 상품의 교역만 아니라 막 등장한 산업에서도)가 시골에서 제1의 도시 중심지urban centre 및 제2의 도시 중심지로의 연속적 이주migration의 흐름을 형성했다. 1850년대부터 카이로 주민들의 징병 면제가 농민들을 이 도시로 유입시키는 또 다른 유인 요소로 작용했다. 동부 지중해의 급성장하는 경제는 유럽의 노동자들과 하청업자들을 유인했다. 전쟁(1856년 크림전쟁, 1877년~1878년의 러시아-터키전쟁, 1894~1895년의 아르메니아인 대량학살massacre, 1915년의 아르메니아 제노사이드genocide 등)은 한 지역에서 다른 지역으로의 대규모 인구 이동을 발생시켰다. 이와 같은 이주 움직임의 주요 수혜자는 18세기에 지중해 횡단무역에 서비스를 제공하며 출현해 다음 세기에도 계속해 번창한 항구도시pot city들의 네트워크였다. 1869년 수에즈운하의 개통으로 새 무역로가 등장했고, 이와 함께 페르시아만의 유사 '도시국가city-state'들은 바스라Basra와 같이 신흥 국제적 중심지들이 생겨났고, 증기선은 바스라를 바그다드와 봄베이[지금의 뭄바이]를 등거리로 만들었고, 이는 1920년대 오스만 제국을 분리하는 계획을 발전시켰다.[8]

　　주요 고대 수도capital들은 계속해서 성장했다([표 32.1] 참조). 이스탄불은 1896년에 인구가 약 100만 명에 도달했고 30년 후 카이로 또한 인구가 약 100만 명에 도달했는바, 이스탄불은 글로벌 무역의 중심지였고 카이로는 과잉-중앙집중된 정부 중심지였다. 다른 수도들은 경제활동이 해안도시[연안도시]coastal city들로 옮겨갔기에 어려움을 겪었다. 베이루트Beirut는 다마스쿠스Damascus의 희생으로 성장했는데, 다마스쿠스는 유럽산 의류의 범람과 해상海商의 성장으로 치명타를 입은 섬유산업과 지역무역의 오래된 중심지였던바 도시가 입은 타격은 사회 갈등과 1860년의 종파 분쟁으로 번져 다마스쿠스 내 기독교도 수천 명이 죽고 약 7000명이 도시를 떠나는 결과로 이어졌다. 19세기 말에 발칸반도, 크레타섬, 캅카스Kavkaz[코카서스Caucasus] 지역에서 대규모로 이주한 덕에 시리아의 수도는 인구와 역동성을 회복할 수 있었다.

[표 32.1] 주요 중동 도시의 인구성장, 1800~1950년

	1800년	1880~1900년	1950년
이스탄불	360,000	950,000	1,035,000
카이로	270,000	570,000	2,420,000
이즈미르	150,000	180,000	480,000
알레포	120,000	127,000	400,000
다마스쿠스	90,000	154,000	563,000
앙카라	50,000	74,000	290,000
바그다드	약 30,000	145,000	580,000
테헤란	20,000	200,000	1,300,000
예루살렘	8,750	55,000	123,000
알렉산드리아	8,000	232,000	700,000
베이루트	6,000	140,000	350,000
텔아비브	–	30,000	567,000

출처: B. Hourcade, "The Demography of Cities and the Expansion of The Urban Space", in Peter Sluglett, ed., *The Urban Social History of the Middle East, 1750-1950* (Syracuse: Syracuse University Press, 2008), 164-181

1859년부터 국제적 위상의 민간회사가 수에즈운하를 따라 3개 도시를 건설하면서 그랬던 것처럼 완전히 새로운 대규모의 도시개발urban development은 거대한 기반설비과 함께 등장했다. 궁극적으로 1930년대부터의 국가 형성은 거의 처음부터 근대의 기능적 경향에 따라 설계된 근대적 수도들(리야드Riyadh[사우디아라비아], 앙카라Ankara[튀르키예], 암만Amman[요르단])과 같은 또 다른 새 도시들의 형성을 추동했다.

구舊거버넌스와 신新거버넌스

중동의 도시들은 이 장에서 살펴보는 시기에 그 유형이나 규모 면에서 각기 크게 달랐다. 카이로, 페스, 이스탄불과 같이 오래된 도시들과 역사적 중심지가 그 규모가 작거나 아예 없는 카사블랑카Casablanca, 포트사이드Port Saïd 같은 준식민의 혹은 식민의 산물인 곳들을 비교하기는 무의미하다. 그러나 중앙권력의 재천명은 공통적 틀을 형성했다. 새 형태의 거버넌스governance는 탄지마트의 과정을 통해 오스만 영향권의 도시들로 전파되었다. 1885년에 이스탄불의 범세계적 지구(갈라타Galata/페라Pera)에 구의회 같은 기관이 창설된 이후, 정부 관리, 유럽인 대표자 및 현지 명사가 결합한 자치체 기관이 증가했다. 자치체 위원회가 1863년 베이루트, 1868년 알레포, 1870년 바르바리Barbary 지역의 트리폴리, 1860년대 초반에 예루살렘에서 설립되었다.* 북아프리카 도시들은 식민시대 이전에 유사한 혼합 위원회를 경험했으며(튀니스Tunis는 1858년 이후), 이는 나중의 프랑스나 이탈리아 통치 시기에도 계속 기능했다. 어떤 경우, 이들 기관은 도시 수준에서 이전의 합의적 의사결정 형태로부터 발전했고, 바르바리 지역의 트리폴리와 예루살렘의 경우에서처럼 도시에서 권력을 중재하는 고전적 방법을 계속해서 만들어냈다.[9] 일부 자치체 구조는 영국 통치 시기(1882~1922)의 알렉산드리아처럼 식민적이긴 했으나 중앙권력으로부터 상당한 자치권을 얻었다. 현지인 명사와 외국인 명사로 이루어진 공동체는 진정한 의미에서 이집트 최초의 자치체를 구성했다. 곧 지역에서 선출되고, 법적 책임을 지며, 재정적으로 자율적인 도시 정부는 1890년에 만들어졌다.[10] 사실 몇몇 예외가 있었는데, 다마스쿠스 시의회는 오로지 오스만인들로 구성되었고 카이로는 1949년까지 중앙정부의 통치를 받았다.

부동산 보유권 및 소유의 변화도 결정적 요인이었다. 와크프waqf 기금(물 배분이나 빈곤 구제 등 중동 도시에서 필수적 서비스를 제공할 수 있게 한 이슬람의 독특한 제도)의 점진적 세속화 및 중앙화가 한편에서, 1858년 토지법에 따른 부동산의 강화가 다른 한편에서 도시사회 및 도시경관 urban landscape을 변화시켰다. 카이로의 경우, 이와 같은 과정은 1860년대와 1870년대에 건축 공사를 촉진하고자 2년간 국유지(미리miri)를 무상으로 분배한 것을 포함했다. 이 할당제는 1879년 프랑스-영국의 이집트 재정 통제와 함께 사라졌고, 현지의 부유한 토지소유주들과 유럽의 금융가들이 주도한 투기성 개발이 이를 대체했다. 유럽 기업들에 대한 토지사용권 허가는 와크프 체계와 길드(이집트에서는 1890년에 폐

---

* "바르바리"는 아프리카 북서 해안 지역의 옛 지명으로 16~19세기에 유럽에서 베르베르 Berber인이 살던 지역을 지칭한다. 지금의 모로코, 알제리, 튀니지, 리비아 서부가 여기에 속한다.

지되었다)를 통해, 전문 업체(자발린zabbaleen)가 여전히 — 오늘날의 카이로에서 — 관리하는 고형폐기물 처리는 제외하고, 이전의 유기적 도시 서비스 제공을 점진적으로 넘겨받았다〔'자발린'은 카이로의 쓰레기 수거·분류로 생계를 이어가는 민간인들로, 쓰레기 또는 쓰레기통을 뜻하는 아랍어 '지발라zibala'에서 파생했다〕. 파이프를 통한 수돗물 공급은 1868년 카이로의 프랑스 기업인에게 허가되었고, 가스 조명과, 나중의 전기 조명은 1865년부터 프랑스의 르봉Lebon사가 제공했다. 유사한 허가권이 베이루트·다마스쿠스·이스탄불·테헤란에서도 개발되었다. 자선 정책은 진화했다. 이슬람권에서는 빈곤층 구제가 의무였으나, 기존의 종교재단, 심지어 이스탄불의 황실 무료 급식소(이마레트imaret) 또는 수피sufi파〔이슬람교의 신비주의적 경향을 띤 종파의〕 수도장(테케tekke)과 같이 자금을 지원받던 곳도 점차 병들고 어려운 사람들에게 충분한 안전망을 제공할 수 없게 되었다. 새 국가 지원 기관들(구빈원, 보육원, 병원 등)이 카이로의 이슬람자선협회Islamic Benevolent Society 같은 자선단체들을 대체했다. 통치 당국은 빈민과 소외 계층에 대한 치안 유지를 수행했다. 1830년대부터 카이로 거리의 가난한 떠돌이들을 정리하는 공동의 시도가 이루어졌다. 거지들은 자신들의 마을로 되돌려 보내졌고, 이슬람 사원들은 가난한 사람들의 쉼터로 변했다. 1834년 5월 카이로에서는 매춘부와 공공 무용수의 거주를 금지하고, 이들을 상上이집트Upper Egypt〔나일강 상류〕 지역으로 추방하는 법령이 통과되었다.[11] 궁극적으로, 배제된 사람들을 보호하는 불안정한 주택이 대개의 주요 도시 외곽에서 증가했고, 이는 자치체의 우려를 불러일으켰다. 일찍이 1896년 초반 알렉산드리아 자치체는 슬럼 철거slum clearance를* 고려했다.[12]

글로벌 모델에 따른 도시팽창과 도시재생

중동 지역에서 1870년대부터 도시 중심지 주변에서, 인접한 농지와 아울러 기반설비(도로와 다리)와 동력 운송의 급속한 발전에 따라 더 멀리 떨어진 곳에서도 교외suburb가 성장했다. 벨기에 회사가 운영하는 민간 운영 전차가 1870년 이스탄불, 1894년 카이로, 1897년 알렉산드리아, 1907년 다마스쿠스, 1911년 테헤란에 등장했다. 자동차는 1903년에 카이로와 1912년에 테헤란에서 운행되기 시작했다. 1868년과 1906년 사이에 카이로는 역사적 도시와 인접한 고대 나일강 지류였으나 이전 시기에 매립되었던 땅을 구획해 도시의 크기를 두 배 가까이 늘렸다. 19세기 말 이스탄불에서는 넓은 주변부 토지가 유사하게 도시화되었는바, 탁심Taksim 열병식장이 그 시작이었으며, 어떤 경우에는 보스포루스Bosphorus해협을 따라 수변 지역에 주거지가 팽창된 사례처럼 이전의 〔도시〕 역학을 따르기도 했다. 1910년대까지 이런저런 규모의 정원교외garden suburb나 '누벨빌nouvelles ville'〔신도시〕은, 소규모의 포부르faubourg(〔교외〕, 베이루트의 에투알Etoile 구역이나 카이로의 정원도시 Garden-City 동네 등)에서부터 거주민 3만 명을 목표로 삼는 새 위성도시 satellite city(예컨대 1905년에 건설된 카이로의 헬리오폴리스Heliopolis)에 이르기까지, 가장 중요한 주변부에서 번성하며 도시 스프롤urban sprawl을 주도했다. 또한 재개발을 통해 공간을 새로 확보하기도 했는데, 이스탄불

---

* '슬럼 철거'는 환경이 열악하고 낙후된 건축물 밀집 지역이나 저소득층 정착지를 강제적으로 수용해 철거하고 재개발하는 방식을 말한다.

이 딱 들어맞는 사례로, 이스탄불은 화재(1853~1922년에 300건 기록)로 인해 자주 모든 동네neighbourhood가 소실되었다가 이후 다시 완전히 재건되었다.

유럽식 도시계획 모델, 특히 [프랑스의 파리 및 센Seine 지사] 조르주-외젠 오스만Georges-Eugène Haussmann의 파리[모델]는 19세기 내내 새 도시경관에 영향을 끼친 것으로 알려져 있다. 페르시아의 통치자 나세르 알딘 샤Naser al-Din Shah는 유럽을 방문하고 돌아와 건물을 팽창하려 1870년과 1871년 사이에 테헤란의 옛 사파비 왕조의 도시 성벽을 허물기 시작했다고 전해진다. 이집트 총독(케디브khedive)은 1867년에 파리를 방문하고 새로운 카이로에 대한 자신의 구상을 발전시켰다고 한다. 이즈미르는 '레반트의 작은 파리Petit Paris du Levant'로 알려지게 되었다.[13] 중동 도시들의 기존 도시 조직체 안에서 새롭게 생긴 거리 대부분은, 일반적으로 인정된 모델과 공유하는 부분이 거의 없더라도, 항상 [파리의 거리 이름인] '리볼리 거리Rue de Rivoli'로 알려졌다. '오스만주의Haussmannism'의 척도는 확실히 이 지역의 타운 대부분에 도입되었으며, 구舊 조직의 구조에서 새로 도로를 내어 아케이드 형태의 간선도로를 만들고, 건축선建築線, building alignment[공원, 도로, 광장 따위를 침범하지 못하도록 정해놓은 건축물의 경계선]의 실행을 통해 기존의 좁고 불규칙한 거리, 또는 공공 광장 및 정원을 개선하는 방식이었다. 이집트의 변화 양상은 주요 도시(카이로와 알렉산드리아)에 국한되지 않고, 국가 개입을 통해 지방으로 체계적으로 확장된 초기의 사례를 보여준다. 알렉산드리아부터 아스완Aswan까지 대부분의 행정 중심지는 도시 미화 및 철도 도입과 관련된 재구성의 과정을 겪었다. 도시 외곽에 위치하는 역에서부터, 새 도로가 바로 인접한 역사적 중심지를 향해 만들어지고, 격자형 새 구역이 건설되고, 나일강을 따라 수변공간이 만들어졌다.[14] 오스만 행정부는 1908년 다마스쿠스에,[15] 1914년 바그다드에 새롭고 넓은 직선도로를 개통하기 시작했다. 그러나 대개의 상황에서 이와 같은 개입은 최소한의 규모로 유지되었고, 기존에 구축된 도시구조를 아주 조금만 정비했을 뿐이다.

오스만의 파리와는 대조적으로, 중동의 기존 도시 대부분은 다층화한 과거로부터 그리고 종교재단을 위해 건축 자산을 양도하고 영속시키는 와크프 체계(어떤 경우는 역사적 구조물의 75퍼센트 이상을 차지한다)로부터 물려받은 상당한 크기의 역사적 중심지를 — 오늘날까지 — 유지할 수 있었다. 역사적 구조물의 이런 방대한 보존 구역(예컨대 페스의 경우는 280헥타르)은 결과적으로 20세기까지 자신들이 속해 있던 도시의 형태와 미래를 결정했다. 통치 당국은, 식민적이든 그렇지 않든, 역사적 중심지에 대해 변화하는 방식으로 대응했다. 초기의 중요한 해체(일례로 1830년대와 1840년대에 알제, 1870년대에 카이로)는 역사적 기념물과 구역의 가치에 대한 우려를 불러일으켰는데, 당시 유럽의 골동품 연구가들은 '옛 파리Vieux Paris' 또는 '옛 상트페테르부르크Vieux St Petersbourg'의 보존에 참여했었다. 1883년까지 유럽의 관련 애호가들은 800개의 기념물 목록을 작성해 카이로에서 감시 활동에 나섰고, 1881년 '아랍 예술 기념물 보존 위원회Comité de conservation des monuments de l'art arabe'를 결성해 복원 작업을 감독했다. 20세기 초반 페스와 모로코 제국의 도시 네트워크는 엄격한 용도지구 지정과 이른바 '도시 아파르트헤이트urban apartheid' 정책을 시행해 도시의 고풍스러운 특성을 보전했다ㅡ원주민 구역과 외국인 정주민 구역이 엄격히 구분되었다.[16] 이러한 보존 운동은 1900년 이후 지역 전체에 신이슬람 건축의 부흥을 통해 새 구조물들에도 흔적을 남겼다.

파리의 오스만화는 모델로 언급되기는 했지만, 중동 지역에서는 그와 상응하는 게 거의 없었다. 식민 지배 이전에 시작된 카이로의 발전은 영국의 카이로 점령(1882) 이후 가속화되었고 독립 이후(1922)에도 계속되었으며, 이는 도시주의 활동과 정치적 연대기 사이의 단절을 시사했다. 테헤란은 훨씬 이후에야 완전히 재설계되기 시작했다. 최초의 대로는 1933년과 1940년 사이에 건설되었다. 그때까지 파리 모델은 많은 매력을 잃었고, 영국과 미국의 도시계획 모델이 탄력을 받고 있었다. 1920년대에서 1950년대까지 이란 석유산업을 통해 만들어진 뉴타운들은 에드윈 루티언스Edwin Lutyens가 뉴델리에 정원도시와 도시미화Garden City and City Beautiful의 이상을 적용한 데 영감을 받은 영국 건축가이자 도시계획가 제임스 몰리슨 윌슨James Mollison Wilson이 주로 설계했다. 텔아비브는 1925년에 인도에서 구현된 정원도시의 또 다른 옹호자 패트릭 게데스Patrick Gaddes에 의해 설계되었다. 카이로의 첫 번째 마스터플랜masterplan〔종합기본계획〕은 1929년에 "정원도시 운동의 진정한 원칙"을 미래의 도시팽창urbann expansion에 적용하는 것을 목표로 했다. 초기 성과는 1948년부터 나일강 왼쪽 강둑 위 농지에 구현된 완전히 새로운 동네인 마디나트 알아와카프Madinat al-Awqaf로, 현재 무한디신Muhandisin인 이곳에는 공동 정원 주변의 저밀도 주택 결집, 넓은 거리의 네트워크와 풍부한 공공공간이 제공되었다.

근대성의 새로운 도시문화

중동 지역에서 도시개발은 도시에 새로운 유형의 건물들을 등장시켰다. 예컨대 카이로의 새 대로boulevard에는 프랑스의 봉마르셰Bon Marché 백화점과 빈의 슈타인Stein 은행과 같이 유명 유럽 기업의 지점들이 늘어서 있었다. 주거 건축은 가족 생활과 구조에서 발생하는 사회적 변화를 반영해 개인 및 집합 주거와 같은 새 형태로 촉진되었다. 초기 타운하우스town house, 방갈로bungalow, '아파트빌라apartment vill'(한 건물에 분리된 출입이 가능한 아파트형 주택의 중첩)와 같은 복합형 건물들이 오스만화 이후의 아파트 형식인 돔 형태의 각진 원형 건물로(20세기 전환기), 이후 북아메리카 규모의 아파트 구역으로(1930년대부터) 대체되었다. 일반적으로 나세르주의Nasserism(이집트 대통령 가말 압델 나세르(재임 1956~1970)가 주창한 아랍민족주의)와 관련되어 있지만, 노동자 주택 및 보조금 지원 주택(벽면 공유 연립주택back-to-back row housing과 4층짜리 아파트 건물)에 대한 실험은 이집트 도시에서 1910년대까지 거슬러 올라갈 수 있으며, 그 이후 수십 년 동안 저소득 가구를 대상으로 일련의 계획을 통해 구현되었다.

탄지마트와 이후 나흐다Nahda(르네상스) 운동을 통해 도입된 새 편의시설들은 운송, 공공조명, 물 공급과 하수도(1907년 영국이 카이로에 도입), 또는 새 소비 장소로 제한되지 않았다. 공공여가public leisure도 근대 중동 도시에서 공간과 사회를 재규정하는 요소였다. 극장, 오페라극장, 경마장, 공원 및 산책로, 온천시설 등은 1860년대부터 국영 사업체로(카이로에서) 또는 상업적 사업체로(이스탄불에서) 등장했다. 카이로의 오페라극장은 1869년에 설립되었다. 이즈미르에는 1883년 네 곳의 극장이 있었고, 이스탄불에는 1900년까지 페라Pera 구역이 극장 전용 구역이 되었다. 영화관은 1895년에 시네마토그래피cinematography〔영화촬영기〕가 발명된 직후에 등장했다. 카이로에서 영화는 일찍이 1897년에 상영되었다. 1916년 오스만 정부는 다마스쿠스에 주로 영화 상영용 첫 번째 극장의 건축을 지원했다. 1922년까지 베이루트와 알레포에는 각각 3~4개의 영화관이 있었다. 여성들은 이러한 시설에 별도의 일정을 잡거나 남녀 분리 구역으로 출입했다. 야외 영화관은 1930~1940년 대에 널리 지어졌다.

　식민도시colonial city와는 달리, 동부 지중해 도시들은 제한적인 유럽 정주민과 재在외국민expariate들의 요구가 아니라 에펜디야와 상인, 지주, 이슬람교도 및 소수 종파 같은 집단의 요구를 충족시켰다. 박물관, 프리메이슨Freemason 집회소, 남성클럽, 학회, 정치카페는 20세기 초반 수십 년 동안 대규모와 중간 규모 도시에서 찾아볼 수 있는 젠더화한 근대성의 장소를 상징했다. 카이로의 고대 유물박물관은 1869년 설립되어 1902년에 건축된 박물관 건물에 자리를 잡았고, 이스탄불 고고학 박물관은 1891년 고고학자이자 화가로 국제적 지명도가 있는 오스만 관료 오스만 함디Osman Hamdi의 주도하에 세워졌으며, 비슷한 기관이 1925년 바그다드에, 1939년 테헤란에 건설되었다. 1935년 아타튀르크Atatürk〔케말 아타튀르크, 곧 튀르키예 초대 대통령 케말 파샤Kemal Pasha〕가 금지하기 전까지 프리메이슨이 지역 대부분의 다른 수도에서처럼 이스탄불에서 번창했었다. 여성 문학 살롱은 남녀 모두가 함께 어울릴 기회를 제공했다. 카이로(1913~1933)에서는 팔레스타인 시인 메이 지아데

May Ziadé의 살롱이 좋은 평판을 얻었다. 예루살렘·알레포·다마스쿠스에도 비슷한 모임이 만들어졌고, 작가, 현지 언론인, 관료, 장교, 정치인, 유럽의 외교관들이 이곳으로 모여들었다.

젊은 세속적 엘리트의 근대적 열망은 거리에서 정기적으로 표현되었다. 예를 들어, 1923년 오스만 제국 붕괴 이후 터키〔튀르키예〕가 되는 지역에서 1908년에 청년튀르크당Young Turks의 시위가, 1919년에 영국에 대항하는 주요 격변과 함께 시작된 이집트 에펜디effendi〔신흥 지식인〕 후속 세대들의 시위가 전개되었다. 많은 경우 시위대는 일반적으로 정치인들이 얻지 못한 것을 성취했으며, 반복되는 반란은 1950년대 독립으로 가는 길을 닦았다. 1952년 1월 26일의 봉기로 시작된 카이로의 대화재는 1922년부터 이집트를 통치한 입헌군주제를 종식시켰다. 이 사건에서 카이로 시민 대부분이 감당할 수 없었던 배제적 근대화의 신호인 지나치게 비싼 술집, 영화관, 레스토랑, 호텔과 백화점을 비롯한 건물 수백 채가 불탔고, 수도와 전체 중동 지역의 역사에 새 장을 열었다.

II. 1950년대~현재

경제적, 정치적 배경

20세기 중반에 중동 지역에서 도시들의 발전을 크게 변화시킨 일련의 정치적, 경제적, 사회적 변화가 발생했다. 이 변화를 살펴보기 전에 여러 일반적인 문제와 경향을 살펴볼 필요가 있다. 정치적으로 중동은 식민시기의 종식 이후에 등장한 15개 이상의 국가를 포함했고, 이 모든 국가는 국민국가nation-state로 기능하는 데서 서로 경쟁했다.[17] 이슬람(수니파나 시아파)으로 통합되었으나, 언어적으로 정의된 국가 정체성에 따라 지역을 이란, 튀르키예, 아랍 국가들로 세분화할 수 있다.[18]

중동 지역의 국가들은 모두 탈식민시대를 시작으로 하는 여기서 살펴보는 기간 동안 서양과의 상호작용에 큰 영향을 받았고, 이에 더해 서양과의 상호작용으로 형성되기까지도 했다. 식민시기에 중동에 정치적 영향력을 행사한 열강은 영국과 프랑스였다. 이후, 영국·프랑스의 영향력은 매우 빠르게 미국에 넘어갔고, 소련은 동구권의 국가들과 함께 1989년에 소비에트 체제가 붕괴할 때까지 〔미국과〕 영향력을 놓고 경쟁했다.

이 기간에 정치적 수준에서 중동 국가들을 연결한 한 가지 특성은 중앙집중적 권위주의 체제로 묘사될 수 있는 것에 의해 통치되었다는 점이다. 무엇보다, 이는 중국 국가들의 자지체 구조에서 분명하게 드러난다. 튀르키예는 지난 10년 동안 분명한 민주화 과정을 거치며 예외로 부상하고 있다. 그러나 이전에 튀르키예는 군사쿠데타와 군부 통치를 거쳤다. 레바논은 또 다른 예외다. 하지만 레바논은 약한 중앙정부, 종파주의, 1975년부터 1990년까지 지속된 내전 및 내부 갈등과 관련된 다른 정치적 문제로 고통을 받아왔다. 2011년 이래 아랍권 곳곳에서 일어나고 있는 대중봉기의 결과로 이러한 권위주의는 심각한 도전을 받고 있으나 그 결과를 평가하기는 아직은 시기상조다.

경제적으로 중동의 국가들은 극단으로 치닫고 있다. 이는 국민총

생산과 1인당 국민소득을 고려할 때 명백하다. 튀르키예와 사우디아라비아는 세계 25위권의 경제 대국이다. 중동에서 경제 규모가 가장 큰 튀르키예는 현재 세계에서 가장 높은 경제성장률을 기록하는 점점 더 산업화industrialization를 이룬 국가가 되고 있다. 대표적으로 아랍에미리트·카타르·쿠웨이트 등 걸프만Gulf[페르시아만]의 석유가 풍부한 왕국들은 세계에서 가장 높은 1인당 국민소득을 자랑한다. 다른 극단에 있는 예멘·수단·이집트 등은 매우 낮은 1인당 국민소득으로 고통받고 있다. 그사이에 위치하는 요르단·시리아·레바논 같은 중위소득 국가가 있는데 경제 규모가 작다. 이들 국가의 대부분은 수입원으로 석유 및 가스 생산에 크게 의존한다(튀르키예는 주목할 만한 예외다). 이는 사우디아라비아, 이란, 걸프만의 부유한 나라들만이 아니라 이집트, 시리아, 예멘, 수단과 같은 나라들에도 적용이 된다.

도시성장과 인구이동

중동 지역에서 1950년대부터 급속도로 이루어지기 시작했고 특히 1970년대에 두드러졌던 주요 물리적 발전은 도시 스프롤이 증가했음과 종종 도시 주변의 농경지가 건설 활동으로 사라졌음을 뜻했다. 이것은 일반적으로 기존 대중교통 체계의 비효율성과 도시 교통의 주요 수단으로서 자가용 자동차가 지배적이라는 사실과 연계되어 있다. 동시에 토지의 이용 양상과 환경 보호와 같은 문제를 다루는 도시관리urban management 및 도시계획 체계를 개발하려는 명확한 전략은 마련되지 않았다. 이러한 전략이 고안되었을 때에도, 이용가능한 제도적 구조들만이 아니라 재정 및 인적 자원도 대개 그것을 구현할 충분한 능력이 없었다. 이와 같은 현상은 걸프만의 부유한 도시에서도 명백하다. 걸프만 도시들에서는 필요한 재원이 확보되더라도 도시관리에 대한 포괄적 전망과 중요한 지역전문가 집단이 부족하다. 이로 인해 도시 스프롤과 자가용 자동차가 도시를 장악하게 되었다.

중동 지역은 대규모 인구이동population movement에 영향을 받았으며 그 대부분은 도시로 유입되었다. 이러한 유입의 많은 부분은 정치적 격변으로 비롯했다. 관련 사건 가운데 가장 극적인 사건은 1948년과 1967년 아랍-이스라엘 간 전쟁으로 팔레스타인 사람들이 쫓겨난 것을 들 수 있다. 이런 갈등 때문에 많은 사람이 팔레스타인 밖으로 이동했고, 결국 이들은 중동 전역의 국가들에서 난민으로 전락했다. 팔레스타인 디아스포라Palestinian Diaspora는 중동 지역의 집합정신collective psyche과 도시개발에 아주 강한 영향력이 있다. 암만Amman과 같은 지역의 도시성장urban growth과 도시의 특성은 팔레스타인 난민들의 이동과 큰 관련이 있다.

내홍civil strife과 불안은 중동의 다른 곳에도 영향을 끼쳤다. 이는 상당한 인구가 자국 내에서 이주하거나 국외로 이주해야 했던 이라크와 레바논의 사례에서 명백하게 드러난다. 예컨대 베이루트 남부에서 발전했던 광범위한 비공식 정주지에는 주로 레바논 남부에서 온 시아파 주민들이 거주했다. 이에 더해 1990~1991년 걸프전쟁Gulf War 이후, 이라크의 불안정성으로 이라크인 수백만 명이 근거지를 떠나게 되었다. 이들은 이라크 내부와 아울러 외부로, 흔히 요르단·시리아·이란의 도시들로 이동했다.

이러한 이동이 모두 분쟁에서 기인하는 결과는 아니었다. 경제적 요인들은 중동의 가난한 국가 출신 사람들이 더 부유한 국가에서 더 나은 경제적 기회를 찾는 데 영향을 끼쳤다. 이집트는 주로 농업·건설·서비스 분야에서 일하는 미숙련 또는 반*숙련 젊은 남성 노동력의 주요 수출국이었다. 더 나은 삶의 추구는 이들을 주로 걸프만 지역의 여러 도시와 함께 요르단·레바논 같은 중위소득 국가들의 도시로도 이끌었다. 노동자에서부터 고도로 숙련된 전문직에 이르기까지, 그리고 중동의 각국 내부와 외부에서 온 재외국민들이 걸프만의 수많은 도시에서 인구의 다수를 구성한다.

실제로, 수십 년 동안 중동의 몇몇 도시의 분명한 특징은 많은 국외 재외국민들의 존재였다. 비록 이것이 장기적 추세였고 국외 재외국민의 많은 수가 무기한은 아니더라도 오랜 기간 살게 되었지만, 이들은 여전히 임시 거주민으로서 인식되고 있다—이는 걸프만 도시들에서 특히 두드러진다. 이 중 대다수는 시민권을 부여받지 못했고, 정체성과 소속감과 관련된 복잡한 상황을 만들어내고 있다.

중동 지역에서도, 개발도상국의 다른 지역과 마찬가지로, 농촌권 rural area과 더 작은 규모의 도시 및 타운에서 더 큰 규모의 도시로의 상당한 내부 이동이 발생했다. 이 지역 인구 증가의 중요한 하나의 원인은 세계 평균보다 높은 출산율이다.[19] 이들 다양한 요소의 결과로, 중동 도시 일부는 거대한 도시 복합체urban conglomerate로 성장했다. 보수적 추산에 따르면, 오늘날 카이로와 이스탄불의 인구는 1000만 명이 넘고 테헤란의 인구는 800만 명을 넘는다. 통제되지 않는 높은 도시성장

수준은 20세기 후반에 중동 도시들을 형성하는 일관된 요인이었다. 1970년대와 1980년대까지 이러한 성장은 도시관리를 담당하는 자치체, 지역, 국가 할 것 없이 기존 기관들의 능력을 자주 압도했다. 이런 조건은 개발도상국에서 일반적으로 볼 수 있으며, 개발도상국에서 도시 '쇠퇴decline'는 인구 감소보다는 과도한 인구성장과 그에 수반하는 과밀화한 비공식적 거주지와 관련 있다.

놀랍게도 중동 지역의 주요 현대 도시 일부는 1950년대 소규모 타운이나 심지어 마을village에 불과했다. 이는 특히 걸프만 도시들에 해당하며, 이들 도시 모두는 이후 상당한 규모의 도시 중심지로 부상했다. 두바이Dubai는 그 가장 놀라운 사례다. 두바이는 20세기 중반에 약 2만 명이 거주하는 소규모 무역기지에서 성장해 인구가 거의 300만 명(2010년)에 이르는 중동의 주요 글로벌 업무 중심지가 되었다.

20세기 후반에 중동은 점점 더 '역사'도시'historic' city와 '근대'도시 'modern' city 사이의 강력한 이원성duality을 표현해왔다. 이스탄불, 카이로, 다마스쿠스, 예루살렘, 바그다드, 이스파한, 사나Sana'a 등 많은 도시가 매우 깊은 역사적 뿌리를 가지고 있는 반면에, 걸프만 도시들은 역사가 훨씬 짧다. 중동 지역 역사도시의 역사적 건물과 지구를 다루는 것은 도시관리와 관련해 상당한 기회와 도전을 제시하는 문제로 남아 있다.

국민국가에서의 도시 거버넌스와 도시 엘리트

우리가 고찰하는 기간에 중동 지역은 정치적, 경제적, 문화적 차원에서 국민생활에 대한 수도capital city의 거의 완전한 지배로 정의되었다. 심지어 위대한 역사적 도시 중심지들도 이러한 국가 수도에 의해 어느 정도 주변화되었다. 카이로와 관련된 알렉산드리아, 바그다드와 관련된 바스라와 모술Mosul, 테헤란과 관련된 이스파한과 타브리즈Tabriz, 베이루트와 관련된 트리폴리, 다마스쿠스와 관련된 알레포 등이 그 사례다.

　여기서 예외는 튀르키예로, 튀르키예에서는 1923년 공화국이 수립되었을 때 최대 규모의 도시인 이스탄불이 정치적 수도로서의 기능이 중단되었다. 경제적 권력은 이스탄불에 계속 집중되었으나 통치의 국가적 중심은 앙카라에 있다. 사우디아라비아 또한 같은 현상에서 부분적으로 예외다. 수도 리야드가 역사적으로 아라비아반도의 주요 거대도시 제다Jeddah를 확실히 따라잡으며 사우디아라비아의 최대 규모의 도시 중심지로 성장한 것은 사실이다. 동시에 제다와 서쪽의 메카Mecca와 메디나Medina, 동쪽의 담맘Dammam과 다란Dhahran 등 다른 사우디아라비아의 도시 중심지들도 경제적으로 활발한 중요한 도시로 남아 있다. 이와 같은 현상은 중동의 다른 국가에서는 불가능한 수준으로 도시개발을 지원할 수 있었던 사우디아라비아의 상당한 재정 지원 덕분이다.

　중동 지역 국가 수도들의 지배력은 국가의 압도적 힘의 상징이자 정권의 권위주의적 성격과 관련이 있다. 자치체 당국들은 여전히 정치권력의 국가적 영향력에 완전히 종속되어 있으며, 도시 자치의 개념은 여전히 빈약하다. 그러나, 특히 지난 10년 동안, 중동에서 지방선거가 더욱 넓게 확대되었다. 카타르는 1999년 첫 지방선거를 치렀다. 바레인은 2002년에, 사우디아라비아는 2005년에 첫 지방선거를 치렀다. 그러나 시장과 시의원을 선출하는 완전한 선거는 이 지역 대부분의 국가에서 규범이 아니며, 보통 중앙집권적 정부기관이 지방공무원들의 권한을 통제한다.

중동의 많은 도시는 지난 60년 동안 도시 엘리트의 정체성 측면에서 상당한 균열을 겪었다. 이는 어떤 경우에는 이집트·시리아·이라크·이란 등 쿠데타나 폭력 사태로 정권이 교체된 국가들처럼 정치적 위기의 결과였다. 기성 정치 엘리트들이 강제로 퇴출되면서 대개는 강력한 농촌의 뿌리와 연줄을 가진 새 엘리트들이 자리를 잡았다. 이와 같은 파열은 매우 중요하다. 새 통치계급들은 지배적이었고 종종 깊게 자리를 잡은 도시의 가치를 대체하는 뚜렷하게 다른 사회적, 문화적 규범을 도시로 가져왔다. 농촌 인구의 도시로의 이주 또한 마찬가지로 중요하다. 많은 수의 이주민은, 오랜 정치 엘리트들이 무력으로 전복되지 않았음에도, 결국 자신들의 존재를 사회적·문화적·경제적·정치적 권력으로 전환할 수 있었다. 전반적으로, 전통적 도시 엘리트들의 대체—또는 적어도 분명한 약화—와, 농촌의 뿌리를 가진 새로운 영향력 있는 계층의 부상이 중동 지역의 기존 도시 중심지에서 발생했다.

새로운 환경 형성하기

중동 지역에서 1950년대 이후의 많은 도시계획이 앞서 언급한 다양한 요인과 변화를 설명하고 명확히 한다. 1950년대와 1960년대는 중동의 희망과 낙관주의가 이어진 오랜 시간이었다. 식민주의colonialism는 종말을 고하고 있었고, 독립국가의 새 시대가 가까이 있었다. 또한 주로 산업화를 통해 경제 발전과 풍요를 가져다줄 기술 변혁의 힘에 대한 강한 믿음이 있었다. 건축과 도시 근대주의urban modernism는 이러한 전체적 전망의 필수적 부분을 구성했다. 여기에는 과거 건축과 도시에 대한 부정(또는 적어도 관심 부족), 근대화에 대한 믿음, 개발도상국이 경제적으로나 정치적으로나 세계의 선진 산업국가들과 대등해지는 미래를 향한 행진이 포함되어 있었다.

이 새 시대의 주요 도시 사례는 1960년대에 만들어진 나스르시티 Nasr City다('나스르'는 [아랍어로] '승리'를 뜻한다). 나르스시티는 카이로 동쪽 사막 지역의 광범위한 도시개발이었다. 사회주의적 공공주택 단지를 따라 건물을 지은 나스르시티는 약 250제곱킬로미터에 이르며, 카이로에서 가장 큰 규모의 지구가 되었다. 카이로의 오래된 지역 대부분에 널리 확산되었던 보다 비공식적 거리 배치와는 대조적으로, 나스르시티는 명확한 직교 형태의 격자 체계에 따라 조직되었다. 나스르시티의 격자 체계는 과거로부터의 탈주와 과거에 대한 거부를 표현했으며, 이는 외국에 대한 예속 그리고/또는 저개발과 관련된 것이었다.[20] 이 기간에 이집트 건축가들과 도시계획가들은 중동 지역의 아랍 국가들에서 아주 활발하게 활동했다. 가장 많은 작품을 만든 사람은 사이드

쿠라임Sayyid Kuraym이었다. 이집트 외부의 그의 많은 작품에는 1950년대 리야드에 건설된 정부 건물의 새로운 지구가 포함되었다.[21]

아울러, 1950년대와 1960년대에 중동 지역의 도시들에서 많은 야심 찬 도시 마스터플랜[종합기본계획]이 설계되었으나, 반드시 실행된 것은 아니었다. 이러한 계획은 주로 유럽과 미국의 계획가들을 통해 수행되었고, 종종 전근대적 도시 조직체를 희생하며 도시를 근대화하는 것을 목표로 했다. 더 활동적인 계획가들 중에는 1950년대와 1960년대 레바논·이라크·수단·사우디아라비아에서 마스터플랜을 수행한 국제적으로 알려진 그리스 출신의 콘스탄티노스 독시아디스Constantinos Doxiadis가 있다. 1955년에 독시아디스는 바그다드를 비롯해 많은 이라크 도시의 마스터플랜을 만들었다. 1960년대에는 독시아디스의 계획이 폴란드의 도시계획 회사 폴서비스Polservice가 개발한 계획으로 대체되었고, 이는 중동에서 공산주의권 국가들의 성장하는 존재감을 보여주었다.[22]

중동 지역에서 활동한 또 다른 근대주의 도시계획가는 프랑스의 미셸 에코샤르Michel Ecochard다. 그는 이미 식민시기에 다마스쿠스와 베이루트에서 활동했었다. 독립 후 1950년대와 1960년대에 그는 베이루트와, 다른 레바논 도시인 다마스쿠스와 타브리즈의 마스터플랜을 의뢰받았다. 그는 계속해서 1970년대에 이란의 메셰드Meshed[마슈하드 Mashhad]와 테헤란의 마스터플랜을 담당했다.[23] 또한 테헤란의 마스터플랜 구상에는 오스트리아계 미국인 건축가 빅터 그루엔Victor Gruen이 활동했다.[24]

비록 1970년대가 중동 지역의 상당한 정치적 격변으로 특징지어졌더라도, 1973년 석유 금수 조치 이후 유가의 급격한 상승은 해당 지역에서 엄청난 건축 활동을 낳았다. 석유 금수 조치는 이란·이라크와 걸프만 국가들 같은 석유 수출국에 상상할 수 없는 뜻밖의 수익을 만들어주었고, 새로운 부의 일부는 지역 내 비非산유국들에도 영향을 끼치는 낙수효과를 가져왔다. 거대한 규모의 건축물은 주로 석유가 풍부한 국가들에서 건설되었다. 여기에는 공항, 대학 캠퍼스, 모스크mosque 같은 공공건물이 포함되었다. 일부는 세계 최대 규모의 건축물의 하나였다. 1970년대는 도시계획보다 건축 활동의 과잉으로 더 많이 기억된다. 그럼에도 이 기간에 중동 지역 도시들의 변화는 압도적이었다. 인구성장은 폭발적 수준에 도달했다. 이러한 성장을 관리하는 일은 점점 더 어려운 과제가 되었다.

1980년대는 1970년대에 일어난 많은 발전의 연속이었다. 폭력적 분쟁은 이란·이라크·레바논 등에 계속해서 영향을 끼쳤다. 그러나 유가는 1970년대의 마지막 10년 동안 약세를 보였고, 1970년대 중반 이후로 정신없이 진행된 건설 활동 역시 그러했다. 하지만 도시 인구는 줄어들지 않고 계속 증가했고, 이는 도시에 엄청난 압력을 가했다. 1970년대와 1980년대 많은 관심을 받은 도시관리 분야는 도시 교통이었다. 도시가 급격히 팽창하고 자동차 소유 수준이 치솟으면서, 혼잡 문제는 압도적 수준에 이르렀다. 그러나 도시 교통에 대한 많은 관심은 기존 도로를 넓히거나 새 도로를 건설해 자동차의 이동을 손쉽게 하는 데 집중되었다. 이는 문제를 해결하기보다는 악화시켰다. 반면 대중교통에 대한 투자는 뒤처졌다. 이러한 정책의 한 사례는 이스탄불의 보스포루스해협을 가로지르는 두 개의 대교 건설로, 1973년에 첫 번째 다리가 완공되었고, 1988년에 두 번째 다리가 완공되었다. 다리는 도시 전역과 유럽 및 아시아 지역 사이 자동차 이동을 편리하게 함으로써 도시 동네의 지역 자율성을 위태롭게 하고 이스탄불의 교통 혼잡을 더욱 증가시켰다. 교통 혼잡은 중동의 도시 전역에서 만연했고, 도시 생활의 질을 크게 떨어뜨렸다. 테헤란에서는 교통 혼잡이 도시를 둘러싼 높은 산악 지형 등의 다른 요인과 함께 매우 높은 오염 수준을 초래했다. 어떤 날에는 대기오염 수준이 너무 높아 도시의 많은 상점이 문을 닫기까지 한다.[25]

중동 지역에서 개선된 대중교통을 통해 도시 교통 문제를 해결하려는 시도가 1980년대 후반에 등장했다. 초기 사례는 1987년에 개통된 카이로 지하철로, 이때 43킬로미터의 첫 번째 노선 구간이 완공되었다. 마찬가지로 이스탄불은 1989년에 첫 경전철 노선이 완공되었다.[26] 더욱이, 1990년대 일련의 새로운 대규모 도시계획이 실현되기 시작했다. 이는 부분적으로 중동 지역 도시들이 직면한 문제를 다루는 데는 단편적인 것이 아닌 종합적인 도시 개입이 필요하다는 인식의 결과였다. 그러나 경제적 맥락도 있었다. 1990년대는 해당 지역 정부들이 국가경제에서 민간 부문이 훨씬 더 큰 역할을 하도록 허용하면서, 경제 자유화를 목표로 한 수많은 정책이 개시되었다. 이는 개발자들에게 막대한 재정적 보상을 약속한 민간 투자를 포함한 도시개발의 길을 놓았다. 이러한 현상은 특히 2003년 무렵 발생한 유가 급등을 따라 어디서든 볼 수 있었다. 모델 역할을 한 계획은 베이루트 중심 지구의 개발과 재건을 담당한 레바논 회사 솔리데레Solidere의 중앙 베이루트 개발이었다. 솔리데레는 1994년 레바논의 전 총리 라피크 알하리리Rafik al-Hariri

가 설립한 공적 출자 회사였다. 이 회사는 1975~1990년 레바논내전 Lebanon Civil War 동안 파괴된 베이루트의 중심권central area을 다시 활성화하는 데 집중했다.[27]

그 이후로 대규모 도시 부동산 개발 계획은 공공 부문과 민간 부문 사이 일종의 동반 관계 또는 적어도 조정을 포함하는 다양한 재정 및 소유 형태를 따라 확산되었다. 이 가운데 많은 곳에서는 정부가 토지를 제공하고, 민간 투자자가 자본을 제공한다. 일례로, 암만의 중앙에 위치하는 약 36헥타르의 정부 소유지를 개발하는 압달리Abdali 부동산 개발 계획이 진행 중이다. 이스탄불에서는 도시의 아시아 쪽과 유럽 쪽 모두에 적합한 대규모 도시개발이 설계되었다.[28] 이런 프로젝트는 일반적으로 국제적 명성이 있는 건축가들과 계획가들이 참여하고, 부동산 개발의 글로벌 체계와의 연결을 강조한다.

이와 같은 유형의 개발은 석유가 풍부한 걸프만 지역에서 급증하고 있다. 두바이는 많은 방법으로 도시를 개척했고, 에마르Emaar사 같은 많은 부동산 개발 회사는 세계에서 가장 큰 회사 중 하나가 되었다.[29] 두바이는 특히 야자수 모양과 세계지도 모양의 인공섬들로 알려진 독특한 계획으로 유명하다. 금융기관과 기업뿐만 아니라 컨벤션센터, 호텔, 주거 및 휴양 구역이 들어설 리야드의 1.5제곱킬로미터 규모의 킹 압둘라King Abdullah 금융 지구와 마찬가지로, 많은 걸프만 도시에 새 지구들이 구상되고 있다.[30]

성공한다면 현재 계획 중이거나 시행 중인 대규모 개발 프로젝트 중 일부는 해당 국가에서 수도의 지배를 완화하는 데 도움이 될 것이다. 많은 프로젝트가 지방 도시들에서의 경제활동을 촉진하거나 새 도시를 처음부터 만드는 것을 목표로 한다. 예컨대 걸프만에서는 일련의 새 도시가 건설되거나 계획되고 있다. 사우디아라비아의 홍해 연안을 따라 있는 킹압둘라 경제도시King Abdullah Economic City와 자잔 경제도시Jazan Economic City, 아부다비Abu Dhabi 토후국土侯國, emirate의 마스다르Masdar 제로탄소배출도시zero-carbon-emission city, 쿠웨이트의 실크시티 Madinat al-Hareer는 국제적 무역의 중심지로 계획되었다.[31]

기존의 도시 중심지에 대한 광범위한 재고再考를 포함해 다른 개발 또한 진행이 되고 있다. 이에 따라 2005년에 이스탄불의 통합적 도시계획 전략을 개발하는 목적의 이스탄불 거대도시계획 및 도시 디자인 센터Istanbul Metropolitan Planning and Urban Design Centre가 설립되었다.[32] 암만에 대한 야심 찬 마스터플랜 개발은 2006년에 시작되었다. 이는 토지이용 규제의 개정, 고층 건물의 무분별한 확산 통제, 도시 대중교통망의 확충 등의 문제를 담당하고 있다.[33] 아울러 건축물의 개별적 수준보다는 도시 전체 유산 보존 개념이 정착하고 있다. 카이로, 알레포, 시밤Shibam(예멘)과 같은 다양한 도시의 역사지구에 대한 포괄적 보존 계획이 시행되고 있다.[34]

또한 중동 지역에서 도시와 주변 녹지공간의 환경 보호를 목표로 한 새로운 노력도 중요하다. 하나의 사례는 중동공과대학교Middle East Technical University가 앙카라 외곽에서 실행하고 있는 산림 복원 계획으로, 세계 최대 규모의 인공 산림 생태계를 만들고 있다. 이는 도시 기후를 개선하는 데 기여했고, 거주민에게는 휴양공간을 제공했으며, 도시 스프롤 현상을 억제하는 데 도움을 주었다. 또 다른 사례는 리야드의 와디 하니파Wadi Hanifa 복구 사업이다. 1990년대 시작된 복구 사업은 도시와 접한 계곡을 복구해 농업 구역으로 복원했거니와 리야드 주민들에게 살아 있는 녹지공간을 제공했다.[35]

　마지막으로, 중동 지역의 도시들이 직면한 가장 심각한 난제 중 하나인 대중교통에 상당한 관심이 쏠리고 있다. 이에 따라 카이로의 지하철 체계는 계속 확장되고 있다. 지난 10년 동안 테헤란·이스탄불·두바이에서도 지하철 체계가 도입되었다. 다른 지하철 체계와 경전철 계획 또한 중동의 여러 도시에서 설계 중이거나 시행 중에 있다. 버스가 전용 차선을 차지하는 급행버스Bus Rapid Transit, BRT는 이스탄불과 테헤란 등에 2000년대에 도입되었고, 암만에는 BRT 체계가 건설 중에 있다.

세계화의 주기들

19세기 초반부터 중동 지역의 도시들은 완전한 순환을 겪어왔다. 많은 도시가 19세기와 20세기 초반 동안 글로벌 상거래 체계의 한 부분으로 등장했고, 탈식민시대 국민국가의 출현과 함께 더욱 제한적인 국경 안으로 후퇴했다. 1990년대부터 이 지역의 도시들은 투자 활동의 자유화뿐만 아니라 정보기술의 발전과 연결된 세계화globalization의 새 흐름에 접어들었다. 2008년 글로벌 금융위기와 함께, 이러한 세계화의 두 번째 시대는 중동 도시들에 불확실한 결과에 대한 스트레스를 주고 있다.

주

1 Peter Sluglett, ed., *The Urban Social History of the Middle East, 1750-1950* (Syracuse: Syracuse University Press, 2008), 3.

2 Andre Raymond, *Grandes villes arabes à l'époque ottomane* (Paris: Sindbad, 1985), 54-66. 이 책의 15장도 참고하라.

3 Roger Owen, *The Middle East in the World Economy, 1800-1914* (London: I. B. Tauris, 2005), 56; Sluglett, *Urban Social History*, 28.

4 Bernard Hourcade, "The Demography of Cities and the Expansion of the Urban Space", in Sluglett, *Urban Social History*, 164-181.

5 Owen, *The Middle East in the World Economy*, 287.

6 Jens Hanssen, *Fin de siècle Beirut, The Making of an Ottoman Provincial Capital* (Oxford: Clarendon Press, 2005).

7 Hourcade, "The Demography of Cities".

8 Reidar Visser, *Basra, the Failed Gulf State: Separatism and Nationalism in Southern Iraq* (Berlin: LIT Verlag, 2005).

9 Nora Lafi, *Une ville du Maghreb entre Ancien Régime et réformes ottomanes, Genèse des institutions municipales à Tripoli de Barbarie 1795-1911* (Paris: L'Harmattan, 2002); Vincent Lemire, *La soif de Jérusalem* (Paris: Publications de la Sorbonne, 2010).

10 Robert Ilbert, *Alexandrie 1830-1930, histoire d'une communauté citadine* (Le Caire: IFAO, 1996).

11 Mine Ener, *Managing Egypt's Poor and the Politics of Benevolence, 1800-1952* (Princeton: Princeton University Press), 2003.

12 Ilbert, *Alexandrie*, 388-390.

13 Hervé Georgelin, *La fin de Smyrne, Du cosmopolitisme aux nationalismes* (Paris: Editions du CNRS, 2005).

14 Mercedes Volait, *Architectes et architectures de l'Egypte moderne (1830-1950), genèse et essor d'une expertise technique locale* (Paris: Maisonneuve et Larose, 2005).

15 Stefan Weber, *Damascus, Ottoman Modernity and Urban Transformation (1808-1918)*, (Proceedings of the Danish Institute in Damascus, v, 2009).

16 Janet Abu-Lughod, *Rabat: Urban Apartheid in Morocco* (Princeton: Princeton University Press, 1980).

17 이 지역은 이란, 튀르키예[터키], 아랍 국가들로 구성된다. 이러한 아랍 국가들에는 예컨대 이집트·수단 같은 아프리카 나일계곡의 아랍 국가와 아시아의 아랍 국가가 포함된다. 후자는 아라비아반도와 비옥한 초승달지대 국가로 구성된다. 아라비아반도 국가로는 사우디아라비아, 쿠웨이트, 바레인, 카타르, 아랍에미리트, 오만이 있다. 흔히 '걸프Gulf'국가로 지칭되며 상당한 석유 자산이 특징이다. 아라비아반도의 남은 국가로는 이들보다 훨씬 더 가난한 예멘이 있다. 비옥한 초승달지대에는 이라크, 시리아, 레바논, 요르단이 있다. 또한 서안지구와 가자지구로 구성된 팔레스타인 영역이 있는데, 아직 팔레스타인 국가로서 정치적 독립을 달성하지 못했으며 이스라엘의 지배를 받고 있다.

18 이 지역에 포함된 또 다른 민족은 쿠르드족이다. 튀르키예[터키], 이라크, 이란, 시리아에는 상당수의 쿠르드족이 존재한다. 쿠르드족은 아랍인·투르크인·이란인과 달리 자신의 국가를 갖지 못하고 있는데 1990년대 초반부터 이라크 내에서 자치권을 획득했다. 이스라엘은 지리적으로는 이 지역의 일부지만, 정치적·경제적·문화적·사회적 구성이 이스라엘을 이 지역의 맥락에서 연구하기보다는 서양 국가로 더 적합하다는 점에서 이 개요에 포함하지 않는다.

19 중동의 인구 증가율에 대해서는 Ragui Assaad and Farzaneh Roudi-Fahimi, *Youth in the Middle East and North Africa: Demographic Opportunity or Challenge?* (Washington, D.C.: Population Reference Bureau, 2007). 이 보고서는 다음 사이트에서 확인가능하다. http://www.prb.org/pdf07/youthinMENA.pdf.

20 1950년대와 1960년대 카이로의 발전에 대해서는 Janet Abu-Lughod, *Cairo*. 1950년대 이래 카이로의 도시개발 개요에 대해서는 Ghislaine Alleaume and Mercedes Volait, "The Modern Metropolis", in Andre Raymond, ed., *The Glory of Cairo* (Cairo: AUC Press, 2002), 439-464.

21 Sayyid Kuraym과 그의 연구성과에 대해서는 Mercedes Volait, *L'architecture moderne en Egypte et la revue al-ʾimâra (1939-1959)* (Cairo: CEDEJ, 1988).

22 독시아디스에 대한 보다 제세한 정보에 대해서는 독시아디스 재단 웹사이트를 참고하라. http://www.doxiadis.org.

23 Michel Ecochard에 대해서는 Nathalie de Mazieres, "Homage", in *Environmental Design: Journal of the Islamic Environmental Design Research Centre* 1 (1985), 22-

25. 이 논문은 온라인에서 열람할 수 있다. http://archnet.org/library/documents/one-document.jsp?document_id=4841.

24 그루엔에 대해서는 M. Jeffrey Hardwick, *Mall Maker: Victor Gruen, Architect of an American Dream* (Philadelphia: University of Pennsylvania Press, 2003).

25 테헤란의 교통에 대한 외국통신원들의 시각에 대해서는 Ian Williams, "Tehran's Roads-A Chance to Dismiss Authority", 2007. 이 기사는 MSNBC 웹사이트에 실렸다. http://worldblog.msnbc.msn.com/_news/2007/03/20/4376325-tehrans-roads-a-chance-to-dismiss-authority.

26 여러 도시의 도시철도 체계 개요는 다음의 웹사이트를 보라. www.urbanrail.net.

27 솔리데레에 대한 보다 자세한 정보는 다음의 웹사이트를 보라. www.solidere.com.

28 암만의 압달리 프로젝트에 대해서는 다음의 웹사이트를 보라. www.abdali.jo. 이스탄불의 대규모 도시개발 프로젝트 구상에 대해서는 Suha Ozkan, "Transformation of Workplaces in Istanbul: Some Macro Urban Form Suggestions", Mohammad al-Asad, ed., *Workplaces: The Transformation of Places of Production: Industrialization and the Built Environment in the Islamic World* (Istanbul: Bilgi University Press, 2010), 199-208.

29 에마르 프로젝트에 대한 더 많은 정보는 다음의 웹사이트를 보라. www.emaar.com.

30 킹 압둘라 금융지구에 대해서는 다음의 웹사이트를 보라. www.kingabdullahfinancialdistrict.com.

31 킹 압둘라 경제도시, 자잔 경제도시, 마스다르 도시, 실크도시에 대해서는 다음의 웹사이트를 보라. www.kingabdullahcity.com/en/Home/index.html, www.jazanecity.com, www.masdar.ae/en/home/index.aspx, www.madinat-al-hareer.com.

32 개발 중인 이스탄불 도시계획 전략에 대해서는 Ozkan, "Transformation of Workplaces in Istanbul".

33 암만 마스터플랜에 대한 보다 자세한 정보는 다음의 웹사이트를 보라. www.ammaninstitute.com/project/amman-plan-o.

34 옛 사나의 보전과 시밤의 회생에 대해서는 아가칸건축상Aga Khan Award 웹사이트를 보라. www.akdn.org/architecture/project.asp?id=1380. http://78.136.16.169/pages/po2942.html. 카이로의 역사 보존 프로젝트에 대해서는 *Historic Cairo* (Cairo: The Supreme Council of Antiquities, 2002).

35 중동공과대학교Middle East Technical University의 재再산림 프로그램 및 와디 하니

파 습지 프로젝트에 대해서는 아가칸건축상 웹사이트를 보라. www.akdn.org/architecture/project.asp?id=1364. www.akdn.org/architecture/project.asp?id=2258.

참고문헌

Abu-Lughod, Janet, *Cairo: 1001 Years of the City Victorious* (Princeton: Princeton University Press, 1971).

Bouman, Ole, Khoubrou, Mitra, and Koolhaas, Rem, eds., *Al Manakh*. A Special Issue of vol. 12 (Amsterdam: Stichting Archis, 2007).

El-Sheshtawy, Yasser, ed., *Planning Middle Eastern Cities: An Urban Kaleidoscope in a Globalizing World* (London: Routledge, 2004).

El-Sheshtawy, Yasser, *The Evolving Arab City: Tradition, Modernity and Urban Development* (London: Routledge, 2008).

Hanssen, Jens, Philipp, Thomas, and Weber, Stefan, eds., *The Empire in the City: Arab Provincial Capitals in the Late Ottoman Empire* (Beirut: Orient Institut der Deutschen Morgenländischen Gesellschaft, 2002).

Nasr, Joe, and Volait, Mercedes, eds., *Urbanism: Imported or Exported? Native Aspirations and Foreign Plans* (Chichester: Wiley-Academy/UK, 2003).

Nielsen, Hans Chr. Korsholm, Skovgaard-Petersen, Jakob, eds., *Middle Eastern Cities 1900-1950, Public Places and Public Spheres in Transformation* (Aarhus: Aarhus University Press, 2001).

Sluglett, Peter, ed., *The Urban Social History of the Middle East, 1750-1950* (Syracuse: Syracuse University Press, 2008).

Watenpaugh, Keith David, *Being Modern in the Middle East: Revolution, Nationalism, Colonialism, and the Arab Middle Class* (Princeton: Princeton University Press, 2006).

제33장

아프리카: 1000~2010년
Africa: 1000-2010

빌 프로인드

Bill Freund

모든 대륙 중에서 십중팔구 아프리카가 도시city와 가장 적게 연관된 곳이며, 오늘날에도 가장 도시화urbanization되지 않았을 것이다. 이러한 편견을 반영하면서 근대 초기 유럽 지도에는, 실제로, 알려지지 않은 공간을 채우기 위해 타운town을 대신하는 코끼리를 비롯한 다른 짐승들이 중요한 역할을 했다. 사실 무지는 항상 유럽 중심의 구성과 관련 있다. 데이비드 매팅리David Mattingly와 케빈 맥도널드Kevin MacDonald가 4장에서 밝힌 것처럼, 타운은 아프리카 일부 지역에서 오랜 역사를 지니고 있다. 이번 장의 첫 페이지는 이 과정 초기의 다양한 역사를 보여주고자 한다.

근대 초기의 수 세기에 걸쳐 아프리카가 국제 상업 네트워크에 더

[표 33.1] 20세기 말 아프리카의 가장 큰 규모의 도시들

도시	인구(백만)	추산 혹은 통계 연도
카이로, 이집트	12	1994
라고스, 나이지리아	10.5	2002
킨샤사, 콩고민주공화국	5~7	2002
카사블랑카, 모로코	3.535	2000
카노, 나이지리아	3.329	2003
알렉산드리아, 이집트	3.328	1996
요하네스버그, 남아프리카공화국	3.226	2001
이바단, 나이지리아	3.140	2003
에테퀴니Ethekwini/ 더반, 남아프리카공화국	3.090	2004
루안다, 앙골라	3	2003
케이프타운, 남아프리카공화국	2.893	2001
아비장, 코트디부아르	2.878	1997
하르툼, 수단	2.7(광역 하르툼 4.8)	
알제, 알제리	2.562	1998
에쿠르훌레니Ekurhuleni/이스트랜드East Rand, 남아프리카공화국	2.480	2001
아디스아바바, 에티오피아	2.3	1994
프리토리아/ 츠와니Tshwane, 남아프리카공화국	1.986	2001
아크라광역권, 가나	1.781	1990
코나크리Conakry, 기니	1.767	2003
다카르, 세네갈	1.659	1996
카두나, 나이지리아	1.510	2003
나이로비, 케냐	1.5	1994
두알라, 카메룬	1.448	1999
하라레, 짐바브웨	1.42	1992
다르에스살람, 탄자니아	1.4	1996
라바트Rabat, 모로코	1.386	1994
타나나리브Tananarive, 마다가스카르	1.359	2001
루사카, 잠비아	1.327	1995
튀니스, 튀니지	1.2	
포트하커트Port Harcourt, 나이지리아	1.093	2003
트리폴리, 리비아	1.083	
베냉, 나이지리아	1.082	2003
포트엘리자베스, 남아프리카공화국	1.006	2004
모가디슈, 소말리아	1	2000

출처: Bill Freund, *The African City: A History* (Cambridge: Cambridge University Press, 2007), 145. 캠브리지대학교출판부에 감사를 표한다. 원천 자료는 원저에 기재되어 있다.

많이 연결되면서, 도시화가 심화되었고 경제적 인과성도 더욱 보편적인 것이 되었다([지역지도 II.3] 참조). 이번 장에서는 식민시대로 옮겨가면서 시간의 흐름에 따른 도시화의 계층적 특성이 일부 도시 네트워크에서 감소하지만, 자본주의적 성향과 인종주의 사상의 힘을 반영하는 새로운 경제력의 노선을 따라 도시들이 급속히 성장했음을 시사한다. 실행 형태에 문제를 제기하기 시작한 도전들 속에서, 아프리카의 대중은 도시재건urban reconstruction 과정을 시작했다.

이번 장의 마지막 부분에서는 식민주의 종말 이후의 반세기가량을 고찰한다. 아프리카의 도시화는, 유럽이나 북아메리카의 도시화와 견주어서는 훨씬 뒤처져 있고 중동과 남아메리카의 도시화와 견주어서는 다소 뒤처져 있었지만, 그럼에도 본격적으로 진행되고 있다. 오늘날 아프리카의 인구는 도시 거주지의 방향으로 빠르게 이동하고 있으며, 인구 100만 명 이상의 수많은 도시를 포함한다([표 33.1]과 [지역지도 II.3] 참조). 오늘날 대다수의 아프리카인이 젊은 성인의 시기에 도시공간urban space에서 살아갈 것으로 예측할 수 있다. 모든 국가가 그렇지는 않지만, 많은 국가가 종주도시의 지배라는 특성을 나타내고 있다. 종주宗主도시primate city는 그다음의 도시보다 10배 이상 큰 규모의 도시로서 국가의 매력과 이에 관련된 활동, 부를 과시하고 소비할 수 있는 능력을 드러낸다. 이들 종주도시는 무엇보다 국가적 차원에서 운영되며 국가 형성에 중요한 역할을 한다. 그러나 지역 수준에서 종주도시는 투자를 유인하고 유동적 자원을 가진 초국가적 기업체를 유치하려 서로 간에 경쟁한다. 그런데 매우 제한적인 산업활동과 폭발적 성장은 통치자와 도시 거주민에게 극심한 문제를 야기하는 거대도시적인metropolitan 심각한 역기능을 만들어냈거니와 일부 사람들이 '탈식민post-colonial'으로 지칭하는 사회적, 문화적 주도성initiative 또한 증가시켰다. 동시에 이주migration와 현대적 형태의 의사소통은 전 세계에 걸쳐 도시사회와의 연결이 전례 없이 빠르고 강렬하다는 것을 의미한다. 이러한 발전에 대한 반응으로 압둘말리크 시모네Abdulmaliq Simone의 표현인 '아직 오지 않은 도시the city yet to come'의 토대가 마련되었을 것이다.

아프리카의 초기 도시

아프리카에서 도시의 추진력은 다양한 이유로 서서히 그리고 점진적으로 나타났다. 상업은 이러한 추진력의 하나였으나, 환경적, 정치적, 성례적聖禮的, sacral 요소들 또한 아프리카인들이 대규모 인구 중심지를 개념화하는 방식에, 아울러 이를 실제로 발전시키는 방식에 작동한 전형적인 요소였다. 사하라 이남 아프리카Sub-Saharan Africa는 특히 사하라 사막을 가로지르고 인도양의 몬순〔계절풍〕바람을 통해 다른 지역 및 대륙과 오랫동안 정기적으로 연결되어왔다는 점에서, 침략자들과 정주민들의 유입에 대한 의존도는 내부 요인들을 배제하는 것으로 과장될 수 있다(초기 아프리카 도시에 대한 더 많은 논의는 4장을 참조하라). 그러나 이것은 도시사회urban society, 카르타고, 그리스-로마, 특히 이슬람의 도시사회에 대한 모델이 아프리카 대륙으로 옮겨져 아프리카의 용법에 맞게 조정되었음을 의미한다. 이 책의 다른 장에서 이슬람 모델과 변형을 살펴보는데(14장 참조), 이슬람의 도시사회 모델이 대륙의 사하라 이남 지역 아랍어권의 범위 훨씬 너머까지 침투했다는 점에 주목하는 것이 중요하다. 초기 모델에 기반을 둔 것으로 보이는 이슬람 무역 상인들은 9세기 동아프리카 해안에서 발견되는 고고학적 증거를 통해, 그리고 바로 얼마 지나지 않은 시점에서 사하라 무역과 연결된 사하라 이남 타운을 방문한 무역 상인들이 지리를 기록한 보고서를 통해 확인된다. 최초의 유럽인들이 오늘날 탄자니아에 있는 킬와Kilwa를 방문하기 이전에, 이 14세기의 도시는 해안에서 오랜 시간에 걸쳐 발전해온 지역 양식을 압축하는 거대한 모스크mosque의 장소였다. 오늘날의 짐바브웨와의 금 거래를 지배했던 통치자들은 스와힐리Swahili어의 한 형태를 사용했고, 주화를 발행했으며, 시장 판매용 면포를 포함한 다양한 경제 분야를 관장했다. 서아프리카 타운에서 이슬람의 영향은 아마도 나이저Niger강 중류의 팀북투Timbuktu와 가오Gao 같은 사막 근처의 '항구port'에서부터 시작되었을 것이지만, 이후에는 예컨대 나이지리아 북부의 성벽으로 둘러싸인 타운의 구조화에 중요한 역할을 했다. 최근에 발견된 보존 기록물들은 팀북투가 수 세기 동안 아프리카 학문의 중심지로서 중요한 역할을 했음을 확인해준다. 나일강을 활용한 까닭에 사하라에는 어떤 경우에도 장벽이 없었다. 도시 생활은 의심의 여지가 없이 누비아Nubia와 메로에Meroë에서부터 기독교 시대를 거쳐 이슬람 시기까지 두 지류가 합류하는 강의 중간 부분에서 연속체continuum를 보여준다.

하지만 15세기나 16세기부터 아프리카의 도시 생활의 속도가 빨라졌다는 것에는 의심의 여지가 없다. 무역은 항상 사람들을 공간적으로 하나로 묶는 경향이 있었으나, 이 시기에 무역은 많은 새 인구 결집체를 탄생시키는 모태가 되어 오래된 인구 결집체의 의미를 변화시켰다. 유럽인들은 해당 시기에 이슬람 문명이 역동성을 잃고 점차 종속되고 약해졌다고 생각하지만, 사실 당시에 이슬람 무역 상인들과 전도자들의 아프리카 진출, 그리고 아프리카의 이슬람화는 물론이고 이슬람의 아프리카화가 이전보다 훨씬 빠르게 진행되었다. 흥미롭게도 우리는 이러한 과정을 하르툼Khartoum에 초점을 맞춘 현대 수단의 기초를 형성한 무함마드 알리Muhammad Ali〔오스만 제국의 이집트 총독〕가 19세기 초반에 확장한 이집트 국가의 경우나, 이보다 약간 이후에 잔지바르 술탄의 기치 아래 아프리카대호수Great Lakes〔동아프리카 지구대 주변에 위치한 호수들〕나 그 너머까지 갔던 대상隊商, caravan의 광범위한 확장(덧붙여 모두 현대의 탄자니아 도시인 타보라Tabora, 탕가니카Tanganyika호의 우지지Ujiji, 인도양 해안의 바가모요Bagamoyo 같은 새 상업 중심지의 출현)의 경우에서 볼 수 있으며, 이는 값싼 면직물과 확실한 총기銃器의 효과를 동력 삼은, 유럽 제국주의의 경제적 보호와 산업혁명Industrial Revolution 초창기의 영향을 받은 것이었다. 동시에 18세기 초반에 시작된 서아프리카의 이슬람 성전聖戰, jihad은 아프리카 신앙의 불순물과 왕의 부패로부터 자유로운 이슬람 연방Islamic commonwealths을 만들려는 것으로, 상업적 확장의 발판을 마련하기도 했다. 19세기 중반 나이지리아 북부 중심부에 위치한 카노Kano는 수만 명이 거주한 도시로, 거주민은 북아프리카 특히 이집트에서 온 수백 명의 상인뿐만 아니라 대서양과 인도양에 이르기까지 아프리카 북부 사바나 지대savana belt 전역의 계절적 사업에 유인되어 이주해온 사람들이었다(20세기 초반 사진인 [도판 33.1] 참조). 직물과 가죽 무역은 노예와 상아의 판매, 그리고 에미르emir〔총독

[도판 33.1] 서아프리카 중부 사바나central savanna에 있는, 나이지리아 카노 **구舊**도시 항공사진 (출처: Walter Mittelholzer, *Tschadseejlug*, 1932)

이나 군사령관]의 보호 아래 장거리 대상들에게 필요한 모든 것을 결합했다. 하르툼에서 나일강 바로 너머까지 성전국가jihad state는 1885년부터 수단의 이집트 통치자를 몰아내는 데 성공했고 옴두르만Omdurman에 새 수도와 경제 중심지를 건설했다.

새로운 역동적이고 폭력적인 내부 행위자 혹은 비유럽 행위자의 출현과 유럽 자체의 그림자가 더욱 커가는 제국주의적 요소 모두가 발견된 이러한 모순은, 20세기 초반 아프리카에서 유일하게 정복되지 않은 국가의 수도로 남아 있던 아디스아바바Addis Ababa의 등장에서도 볼 수 있다. 처음에 아디스아바바는 상아, 노예, 여타 상품의 확장된 무역으로 얻은 총기의 숙달을 통해 1896년 아두와Adwa전투에서 이탈리아인들을 결정적으로 물리친 에티오피아의 황제 메넬리크 2세Menelik II

(재위 1889~1913)의 통치하에 새롭게 정복된 남부 지역의 수도로 부상했다. 새 중심지는 에티오피아 왕정의, 오히려 야영지에 더 가까운, 전형적인 임시 왕실타운royal town의 특징을 띠었다. 그러나 아두와전투 이후에 아디스아바바는 새 종류의 영속적 수도이자 귀족 및 교회 관료들이 사용할 부동산을 구분하면서 진정한 도시로 변했다. 에디오피아의 역사학자 바흐루 제우데Bahru Zewde는 이것이 첫째로 새 중심지에 자신들의 지분을 확립한 유럽 대사관들의 문화적 영향력 증대, 둘째로 영구적으로 장작을 쉽게 공급할 수 있는 유칼립투스 식목 덕분이라고 설명한다. 아울러 그는 새 세기 초반에 철도가 해안에 도래한 것이 도시의 미래를 '완성'했다고 주장한다.

여기서 선례先例를 언급함은 식민시대가 아프리카 도시와 좀 더 일반적으로 경제발전에 끼친 형성적 중요성을 제거하는 것이 아니다. 다만 식민시대 이전 형태의 영향력이 종종 식민지 도시개발urban development에서 상당히 중요했음을 환기하고자 하는 것이다.

식민도시들: 1880~1960년

그럼에도, 아프리카 식민타운colonial town의 몇 가지 명백한 공통점을 강조하는 일이 십중팔구 중요할 것이다(일반적인 식민도시colonial city에 대해서는 40장 참조). 가장 큰 규모의 타운은 행정권력이 지배하는 권위주의적 체제의 맥락에서 행정부의 소재지였다. 국가의 힘으로 국민에게 깊은 인상을 주는 구조물들을 설치하는 것이 도로와 개방공간open space〔공지空地〕 경관을 지배했다. 또한 군대와 경찰 시설의 배치도 중요했다. 많은 식민타운은 사실상 새로운 것이었다. 아프리카에서 가장 인구가 많은 단일 영토인 나이지리아의 오래된 노예 거래 항구도시port city 라고스Lagos는 국가의 수도〔1960~1991, 현재는 아부자〕로 남았지만, 지방의 수도〔주도〕로 동쪽의 에누구Enugu(주요 석탄 매장지 근처)와 북쪽의 카두나Kaduna가 새로 만들어졌다. 프랑스인들은 콩고Congo강 주위에 프랑스령 적도아프리카French Equatorial Africa의 수도로 브라자빌Brazzaville을, 세네갈 해안에 프랑스령 서아프리카French West Africa의 수도로 다카르Dakar를 만들었다. 1950년대 경제적 중요성으로 다카르와 경쟁하기 시작한 프랑스령 서아프리카 코트디부아르의 수도 아비장Abidjan과〔지금의 수도는 야무수크로〕 사하라 이남 아프리카에서 라고스 다음으로 큰 규모의 도시인 벨기에령 콩고〔지금의 콩고민주공화국〕의 수도 레오폴드빌Léopoldville은 제1차 세계대전 이후 진정한 도시 중심지urban centre로 자리를 잡았다〔'레오폴드빌'은 벨기에 국왕 레오폴 2세의 이름에서 유래된 지명으로, 지금의 킨샤사Kinshasa를 말한다〕. 케냐의 수도 나이로비Nairobi는 해안과 빅토리아Victoria호의 중간 지점에 있었다. 나이로비의 기초는 1899년 철도의 도래와 연결되었으며, 북로디지아Northern Rhodesia의 첫 번째 수도 리빙스턴Livingstone(1935년에 루사카Lusaka로 명칭을 변경했다)도 마찬가지였다. 남로디지아Southern Rhodesia 솔즈베리Salisbury와 독일령 남서아프리카German South West Africa의 빈트후크Windhoek는 경제활동을 장악하고 행정적으로 영토를 통제하기에 좋은 위치에 있었다. 다시 철도의 도래는, 토머스 R. 멧캐프Thomas R. Metcalf가 다른 곳에서 지적한 대로, 이들 도시의 개화에 중요한 역할을 했다

(40장 참조). 가능한 범위에서 식민타운은 20세기 초반 유럽에서 강조된 '기준 관행best practice'과 근대성modernity을 정의하는 구조들, 곧 자신들의 통치자들에게 영감을 준 질병과 야만에 대한 진보의 전망을 자신에게 부과하려 노력했다. 식민타운은 순찰을 손쉽게 하는 넓은 거리, 공식적 통제를 강조하는 도시계획 조례, 바람직한 개방공간 등을 도입하고자 했다.

더욱이 식민타운은 도시 노드〔결절점〕node들의 위계로 연결되는 경향이 있었는바, 여기에는 행정력만 아니라 항구까지의 경로를 편리하게 만들어준 도로 및 철도와 연결되고 당시 전형적이었던 광물 및 농산물 등 천연자원의 운송에 기초한 발전을 제공한 새 경제적 과정이 반영되어 있었다. 나이지리아 북부의 주요 고원 지역에는 조스Jos와 같은 광산타운mining town이 있었고, 또한 전간기戰間期, interwar years 동안 기업의 후원으로 수익성이 높은 주석을 채굴했거나, 북부 탕가니카Tanganyika의 아루샤Arusha와 케냐의 엘도레트Eldoret와 같은 정주민 농경 공동체의 사업 중심지였던 타운들이 있었다. 모든 도시가 번창한 것은 결코 아니었다. 일례로, 독일 지배하의 탕가니카에서는 탕가니카 호수가의 우지지 및 해안가의 바가모요 같은 카라반타운〔대상무역타운〕caravan town들은 새 철로에서 떨어진 곳에 자리해 쇠퇴했다. 인도양 해안에서 떨어진 모잠비크의 항구타운port town의 수백 년 된 섬 상권 또한 쇠퇴했다.

그러나 식민적 도시화의 기능성을 과장하거나 도시구조에서 너무 많은 공통점을 가정해 도시의 특성을 제거하는 일은 실수일 것이다. 새로운 범위의 도시들 사이에서 차별화가 가능하다면, 십중팔구 두 가지 종류의 차이점을 강조할 필요가 있을 것이다. 한편으로는 앞서 주장한 것처럼, 많은 아프리카 도시는 식민시대 이전부터 도시 연속성continuity에 관련된 중요한 요소를 가지고 있었고, 식민 관료들이 마음대로 사용할 수 있는 빈 공간이 아니었다. 이 문제를 다루는 가장 전형적인 방법은 발달 옥죄기로, 오랜 거주지 주변과 근처에 새 식민도시를 조성해 그곳을 다소 다채로운〔소수민〕 거주지enclave로 변모시키는 것이다. 나일강의 두 지류가 만나는 수단의 세 도시 복합체〔복합단지〕Three cities complex(하르툼–북하르툼Khartoum North–옴두르만)가 그 예다. 옴두르만은 급성장하는 도시 중심지에서 방치되어 상대적으로 생기 없고 조용한 구역으로 축소되었다. 아크라Accra에서는 시간이 지나면서 각각 네덜란드, 덴마크, 영국의 요새 주변에 흩어져 있던 3개 타운이 영국령 골드코스트Gold Coast의 수도로 기능했던 영국인이 만든 확장된 도시에 의해 지배되었다.

이 주제에 대한 변형은 나이지리아의 체계에 존재하는데, 이는 일반적으로 자신들의 족장과 관습을 통한 일종의 간접통치가 제공되는 '원주민'에게 적합한 거버넌스governance 구역이 그 목적에 따라 구별되었다. 상업적 성장에 유인되었으나 식민주의자들이 에미르 혹은 추장oba이 통치하는 것을 원하지 않았던 '외국 태생' 식민주의자들을 위한 구역이 있었고, 사업이 펼쳐지고 독립적인 외국인들이 거주하는 구역이 있었으며, 관공서 동네neighbourhood로 여가 및 장식 목적의 넓은 띠 모양 녹지와 함께 정부 사람들이 거주하는 공무원 동네 등이 있었다. 역사학자들은 마지막 범주에 대한 도시계획을 강조하면서 열대지방에서 건강과 신체의 안전에 관한 두려움이 얼마나 중요한 역할을 했는지

보여주었다.

이 명백한 논리적 체계가 모든 문제를 해결했다고 생각하기는 오류일 것이다. 이바단Ibadan은 19세기에 이른바 요루바족의 내전이 한창일 때 나이지리아 남서부의 피난처이자 권력의 중심지로 부상했다. 이바단은 군주 없이 권력자 연합이 통치했다. 올루바단Olubadan(이바단의 군주)을 만들어내려는 영국인들의 시도는 일찍이 1861년 초반에 식민지로 합병된 라고스 통치자의 남은 권력에 대한 끝없는 싸움과 마찬가지로 매우 염려스러운 것이었다. 1920년대 엘레코Eleko(전통적 통치자)는 위생 상태 개선에 필수적인 것으로 여겨지는 수도의 요금을 지지하도록 유권자들을 설득하는 데서 행정부에 도움을 주는 일을 거부했다. '나이지리아 민족주의의 아버지' 허버트 매콜리Herbert Macauley는 수도 요금을 "라고스인의 지갑을 털어 유럽인들에게 이익을 주고자 고안된 것"이라고 규탄하며 이에 대항함으로써 자신의 경력을 쌓았다.[1]

일반적으로 이런 종류의 갈등은 아주 흔했고 형태가 다양했다. 처음에는 독일령이었고 이후 프랑스령이 된 카메룬의 대규모 항구타운 다카르에서 레부Lebou족에게 부여되었거나, 두알라Douala에서 두알라족에게 부여된 권리는 식민주의colonialism의 근대적 도시계획 전망에서 골칫거리가 되었다. 식민주의는 자치체의 일부 권한을 선출된 아프리카인의 손에 넘겨준 개혁으로 약해졌다. 토고의 수도 로메Lomé, 다카르, 라고스와 같은 도시에서는 엘리트들의 부에 절대적으로 중요한 뒤얽힌 지역 재산권 체제의 인정을 완전히 무시하기가 어려웠다. 골드코스트의 수도 아크라의 경우 한때 가Ga족이 방어를 조직하는 데 중요했던 아사포asafo(전사) 집단이 식민정부에 대항하는 정치적 반대 세력의 기초가 되었다. 이 집단은 아프리카인들이 필수적이라고 생각하지 않고 자신들이 부담을 질 것으로 예상한 식민정부의 자지체 개혁에 저항했다.

새 도시를 계획하는 일이 항상 순조롭지는 않았다. 대부분의 경우에 뚜렷했던 특성은 유럽인 구역 및 생활 편의시설의 광범위한 규모였다. 나이로비나 솔즈베리(오늘날의 하라레Harare)는 주로 방어와 행정의 필요성을 넘어 아주 거대하게 계획되어 부동산 투기꾼과 교외suburb의 매력적인 가족생활을 찾는 백인 양쪽 모두를 유인했다. 나이로비는 명백한 영국식 거버넌스 모델이었지만. 대표자들은 인종적이고 특권을 가진 백인들과 이들보다는 덜한 정도의 인도인들이었다. 남로디지아의 도시들과 케냐의 도시들을 장식하는 줄지은 꽃 핀 가로수들의 아름다움을 이길 수 있는 곳은 거의 없었다. 운동시설과 아름다운 공원이 특징인 그린벨트green belt도 도입되었다. 이들 타운의 경제생활에 필수적인 아프리카 노동자들이 거주하는 비참한 판자촌은 도시가 팽창함에 따라 철거할 수 있는 오래된 단순한 소모품이었다. 잔 펜벤Jeanne Penvenne에 따르면, 모잠비크 수도 로렌수마르케스Lourenço Marques의 도시환경에서 "아프리카 노동자들은 굴욕감과 속임수를 느꼈다."[2]

중요도를 고려하면, 여기서 남아프리카공화국의 모델을 살펴봐야 한다. 남아프리카공화국에는 근본적으로 유럽 혈통인 대규모의 오래된 인구집단과, 이에 더해 많은 이주 인도인, 상당한 규모의 혼혈집단이 있었거니와 엄청나게 풍부한 광물 매장량, 특히 금 매장량이 더욱 부유하고 경제적으로 복잡한 사회를 만들 수 있게 했다. 그러나 1910년부터 남아프리카공화국은 정부가 백인 사회를 경계가 설정된 지배적이고 헤게모니적인 중핵으로 만들 결심을 한 독립국가였다. 도시들은 이러한 양상을 반영했다. 백인 모두가 부유하거나 권력이 있지는 않았으나, 정치적 발전은 경제적·사회적 정책들을 낳아 대부분의 주거지가 백인 전용으로 고안된 교외 개발을 이끌었다. 처음에는 철도 연결과 전차에 의존했던 교외 스프롤suburban sprawl은 시간이 지나면서 미국처럼 자동차에 기반을 둔 것으로 변화했다. 민간 자산은 주거공간 대부분을 차지했고, 보호주의 정책과 지하 광산 수요는 도시성장urban growth과 고용에 큰 영향을 끼치는 광범위한 산업 개발을 가능하게 했다. 수도인 프리토리아Pretoria는 국가 주도 산업 또는 국가 장려 산업의 중요한 장소가 되었지만, 비교적 계획적인 성격을 드러냈다. 철도로 단 한 시간 거리이고 1886년에 금이 발견된 요하네스버그Johannesburg는 어디에도 없는 주도였고 거대한 비트바테르스란트Witwatersrand 금광지대에 건설된 광산타운들의 중심지로서 극적으로 빠르게 성장한 아주 거대하고 더욱 역동적인 도시였다. 이곳은 미국식 사업 중심지가 있었지만, 녹지공간이나 공공 편의시설이 상대적으로 부족하고, 동네를 쉽게 연결하는 도로들이 없는 신흥 타운이었다. 오래된 식민지 항구 케이프타운Cape Town은 시간이 갈수록 요하네스버그와 프리토리아에 훨씬 가까운 인도양의 더반Durban보다 항구로서 덜 중요하게 되었고 더 많은 지역 정체성을 띠게 되었다. 1921년의 인구를 보면 비트바테르스란트 지역의 일련의 타운들은 53만 7707명, 케이프타운은 22만 562명, 더반은 16만 8743명, 프리토리아는 7만 4347명이었다.* 30년 후의 인구는 요하네스버그를 포함한 비트바테르스란트는 167만 242명, 케이프타운은 54만 7648명, 더반은 47만 9974명, 프리토리아는 28만 5379

명이었다. 반면 새로운 산업 복합체 베리니깅Vereeniging/밴더바일파크 〔판데르바일파크〕Vanderbijlpark와 자동차 조립 도시 포트엘리자베스Port Elizabeth 또한 인구가 10만 명을 넘어섰다.

그러나 번창하는 도시 상업이 먼 지역 출신의 상인들을 유인한 것은 남아프리카공화국에서만 발생한 일이 아니었다. 멧캐프가 40장에서 지적하는 대로, 이는 식민타운의 특징이었다. 동아프리카의 도시들 또한 인도 출신으로 구성된 내부적으로 다양한 중요한 공동체를 포함하고 있었는데, 이들 공동체는 일반적으로 백인들의 공동체보다 더 많았고 아프리카 대륙의 해당 지역에서 오래된 뿌리를 가지고 있었다. 서아프리카에서는 도시 생활에서 핵심 역할을 한 이슬람교도와 기독교도 레바논 사람들이 상업적 경제 부문을 지배했다. 유럽인 가운데서도 그리스인과 포르투갈인은 모험적인 무역〔교역〕 디아스포라trading diaspora를 형성했고, 벨기에령 콩고와 영국-이집트의 통치를 받은 수단의 외딴 타운에서도 아프리카 사람들에게 소비재를 공급했다.

식민 구조와 아프리카인의 목소리

1929년 대공황과 함께 아프리카산 광물 및 열대성 작물 수요가 급격하고 빠르게 줄어들었다. 그러나, 예컨대 벨기에령 콩고의 엘리자베스빌

---

* '비트바테르스란트'는 남아파르카공화국 하우텡Gauteng주의 고원분지로 19세기 중반 금광이 발견되어 일련의 광산타운이 들어섰고 이들 타운이 현재의 요하네스버그를 형성했다.

Elisabethville(오늘날 루붐바시Lubumbashi)의 구리 광산 중심지에서처럼, 아프리카 인구는 이로 인해 감소하지 않았다. 벨기에인들은 경제 안정과 성장에 필요하다는 생각에 부합한다는 점에서 아프리카인들이 이미 준비된 구획된 부지를 따라 거주지를 건설할 수 있도록 허락했다. 벨기에인들은 일자리가 없을지라도 타운에 남을 준비를 한 아프리카인 도시 공동체의 출현을 예상하지 못했었다. 그럼에도 이 아프리카인 도시 공동체는 1930년대 초반 수만 명의 아프리카인에게 영향을 끼치는

[표 33.2] 식민 후기 사하라 이남 아프리카의 가장 큰 규모의 도시들 인구

도시	인구조사 연도	인구 추정치
이바단, 나이지리아	1953	459,000
아디스아바바, 에티오피아	1951	409,815
레오폴드빌, 벨기에령 콩고	1953	283,859
라고스, 나이지리아	1953	272,000
하르툼-북하르툼-옴두르만, 수단	1953	241,000
다카르, 프랑스령 서아프리카	1951	229,400
타나나리브, 마다가스카르	1951	182,982
루안다	1953	168,500
오그보모쇼 Ogbomosho, 나이지리아	1953	140,000
아크라, 골드코스트	1948	135,925
카노, 나이지리아	1953	130,000
오쇼그보 Oshogbo, 나이지리아	1953	123,000
나이로비, 케냐	1948	118,976
이페, 나이지리아	1953	111,000
이오 Iwo, 나이지리아	1953	100,000
다르에스살람, 탕가니카	1952	99,140

주: 남아프리카공화국을 제외한 당시 인구 10만 명 이상 도시에 대해 포괄적 정보. [표 33.1]과 비교하면, 나이지리아는 예외적인 사례. 대도시들이 종주도시이자 행정구역의 수도였다는 점은 놀라운데, 이는 지역에서 이미 고착된 현상이었다. 출처: G. D. Hudson, ed., *Encyclopaedia Britannica World Atlas*, 1956 edn

현상으로 남아 있었다.

1930년대 중반에 식민지 상품에 대한 좋은 가격의 수요가 다시 생겨났고 아프리카의 많은 지역에서 흔히 호황의 흐름이 나타났다. 식민 타운들의 제한된 네트워크를 도시들로 변모시킨 그러한 개선은 아프리카 대부분을 독립 또는 독립 직전으로 이끌었다([표 33.2] 참조).

빠르고 극적이었던 도시화는 거의 보편적이었고 남아프리카공화국에 영향을 끼쳤으며 전례 없는 산업화와 기반설비의 확장을 낳았다. 대공황으로부터 인구학적 회복이 시작되었을 때 3만 2000명이었던 레오폴드빌의 인구는 1953년 식민지 인구조사 당시 28만 3000명에 이르렀고, 1960년 독립 당시에는 40만 명으로 추산되었다. 나이로비의 인구는 1936년에 3만 6000명으로 추산되었고 1948년 인구조사에서 11만 8000명으로 증가했으며 1964년 독립 직전에는 35만 명에 이르렀다. 빠르고 극적인 도시화는 명확하게 계획된 공공건설과 상업적 건설을 확장했고, 백인 정주민 인구를 매우 빠르게 증가시켰다. 그러나 이때는 시골에서 온 아프리카인들이 도시에 본격적으로 정주하던 시기이기도 했다. 아프리카인 도시 정주의 많은 부분은 상업회사와 아울러 공업회사에서 일자리를 찾을 가능성이 증가했음을 반영하는 것인 동시에 갈수록 복잡해지는 국가의 요구에 의한 것이었다. 이에 더해 당국에 봉사하는 공무원들의 거주지에서 아무런 논리적 근거도 없이 스스로 살아가는 인구가 추가되었다. 초기 식민타운들은 아프리카인들에 관한 한, 이주민migrant으로 정의되는 독신 남성에 의해 종종 인구가 밀집되어 있었고, 종종 취약한 인구 안정성 형성에 중요했던 소수의 여성은 매춘부로 분류되었다. 제2차 세계대전 동안과 그 이후 타운들의 남녀 비율에서 남성 비율은 점점 떨어졌고, 이런 상황에서 가정생활이 발전하기 시작했다. 이주민 남성들은 산업적으로 중요한 금속이 채굴되는 북로디지아의 구리광산지대Copperbelt 같은 장소에서 거주 기간의 연장을 제안받으면 해당 타운에서 아내를 얻었다.

유럽에서 산업혁명 시대까지 농장을 떠나 도시로 이주하는 것은 건강 지표에서 특히 더 낮은 아동 생존율과 더 높은 사망률의 덜 건강한 환경에 목숨을 거는 일이었다. 1920년대에 요하네스버그에서 이와 같은 점을 발견할 수 있지만 1940년대에는 상황이 역전되었다. 도시들은 일반적으로 다른 어느 곳보다 더 나은 교육 및 보건 서비스를 제공했다. 더욱이 도시들은 아프리카인들에게 전문적 스포츠, 영화, 수많은 소비재를 제공했다. 어떤 방식에서건 마을 생활에 만족하지 못하거나 소외된 사람들, 특히 여성들에게 타운은 새 직업과 아울러 정체성을 재구성하는 방법을 제공했다. 토머스 호지킨Thomas Hodgkin이 콩고인의 말을 인용하며 썼듯이, "브라자빌에서는 당신은 잘 자고 잘 먹는다. 당신이 다른 사람의 아내와 함께 있을 때도 아무런 문제가 일어나지 않는다. 브라자빌에서는 아무도 자신과 상관없는 일에 참견하지 않기 때문이다."[3]

호지킨은, 아프리카 사회의 부족 분석과 구조적 친족 기반 평가를 결합하는 인류학자들과는 대조적으로, 타운의 증가하는 유인 요소에 자극받은 드문 사례의 초기 영국인 관찰자였다. 그가 파악한 프랑스인들은 이러한 새 경향성에 흔히 더욱 개방적이었다. 프랑스인 클로드메이야수Claude Meillassoux는, 말리의 미래 수도에 대한 글에서, 링구아프랑카Lingua franca〔모국어를 달리하는 아프리카인이 상호 이해를 위해 습관적으로 사용하는 언어), 바나바Banaba어[차드와 카메룬에서 사용하는 메사족의 메사Massa어와 이와 유사한 뮤지Musey어를 통칭] 또는 밤바라Bambara어[아프리카 니제르강 상류 유역에서 교역 용어로서 쓰이는 만데Mande어군의 하나] 확산의 중요성을 서술했다. 언어 확산은 범세계적cosmopolitan 인구를 유인하는 많은 도시의 전형이었다—루사카의 냔자Nyanja어, 레오폴드빌의 링갈라Lingala어, 카두나의 하우사Hausa어, 동아프리카 전역과 벨기에령 콩고 동부 및 남부의 스와힐리어 등이 그 사례다. 메이야수는 또한 춤의 중요성에 대해 광범위하게 언급했다. 음악, 무용, 의식ceremony은 농촌의 문화적 표현을 적용하더라도 급성장하는 도시에서 스스로를 변화시켰다. 조상 및 땅과 관련된 종교적 관습은 범세계적 공동체에서는 그다지 의미가 없었고 조상의 친족 구조를 강화하는 경향의 주술 신앙도 의미가 없었다.

바마코Bamako[말리의 수도]는 재능 있는 아프리카 사진작가를 유인하는 중심지로 인정받고 있으며 매혹적인 대중음악을 탄생시킬 것이다. 갱gang문화는 유럽의 모더니스트modernist 이상에는 맞지 않는, 공식적인 정치적 또는 문화적 역할을 하지 못한 많은 아프리카 도시들에서 가난하나 역동적인 동네의 젊은이들을 흡수했다. 빌리즘Billisme 곧 남성적인 행동의 더 전통적인 아이콘들을 대체할 미국 카우보이영화 속 호전적인 히어로를 동경하는 갱단의 숭배가 레오폴드빌 거리를 휩쓸었다. 주트 정장zoot suit[상의는 어깨가 넓고 길이가 길며 바지는 통이 넓은 남성복. 1940년대에 유행했다]과 미국식 의복은 요하네스버그에서 옷차림새가 맵시 있는 젊은이들의 특징이었는바, 이는 자신이 본대로 자기 정체성을 지키면서 도시경제urban economy의 부산물로부터 자신들이 얻을 수 있는 것을 얻어내고, 자신들의 구역을 지키려 필사적으로 애쓰며 소토Sotho어를 사용하고 담요 같은(게다가 군복 같은) 차림을 했던 광부들과 극적으로 대비되었다. 게리 카이녹Gary Kynoch은 마라시아Marashea("러시아인"이란 뜻) 갱단을 아파르트헤이트apartheid의 시작 시점에서 살아남으려 발버둥을 치는 "범죄 성향이 있는 이주민 단체"로 평가했다.[4]

종족성[민족성]ethnicity은 새 특징을 띠게 되었고 이것은 새 도시들의 범세계적 성격에도 불구하고 또는 그것에 의해 종종 발생했다. 두알라의 두알라족, 다카르의 레부족, 아비장의 에브리에Ebrié족처럼 소규모로 남은 종족집단만이 도시의 '원주민'으로서 자신들의 권리를 행사한 것은 아니었다. 앞서 언급했듯, 이바단의 하우사족, 남아프리카공화국 더반의 나이지리아인[5] 또는 인도인 노동자계급 등 다른 집단들은 경제적 틈새 측면에서 자신들의 곤경을 방어하기도 했다. 이러한 정체성의 정의는 종종 응집적이었고 그 기원에 관심이 있는 언어학자나 인류학자에게 의미하는 것과는 다소 달랐다. 동향인 단체들은 신출내기가 처음으로 타운으로 이주하고 새로운 삶의 기초를 시작할 수 있게 해주었다. 다른 경우에는, 종교적 정체성인 이슬람교 또는 기독교가 우선이었다. 케냐에서 1950년대는 식민 당국인 영국 정부와 이른바 마우마우Mau Mau 운동 사이의 폭력적인 농촌 분쟁으로 특징지어졌다. 마우마우 운동이 근본적으로 중부 케냐의 키쿠유Kikuyu어 사용자에게만 제한적 호소력을 가진다는 것을 확인하면서 [영국군의] 앤빌작전Operation Anvil으로 1954년 나이로비에서 수만 명의 키쿠유족이 추방되었다.[*] 노동자로서 그들은 케냐 동부 출신의 루오Luo족 및 다른 이들로 대체되었다. 이것이 현대 케냐와 현대 나이로비의 분쟁을 발생시키는 종족 정책의 핵심 원천의 하나다.

그 결과는 계획 자체가 계속해서 광범위해지고 정교해졌음에도 이전에 수립된 계획과 식민 당국에 대한 엄청난 도전이었다. 이전 시대는 명확하게 부정적 특징을 띠었다. 도시는 노동자, 거주민, 또는 소비자로서 아프리카인이 주로 사용하도록 의도된 적이 없었다. 나이로비나 로렌수마르케스 같은 도시의 아프리카인들은 국가의 의도에서 주변부를 차지할 뿐이었다. 1940년대는 아니더라도 1950년대에는 아프리카인이 도시 거주민의 대다수가 되었고, 프레드 쿠퍼Fred Cooper의 용어인 '도시를 위한 투쟁struggle for the city'으로 간주될 수 있는 활동이 이어졌다. 이것은 쿠퍼가 말한 '거주 제한restrictions on residence'의 형태를 취했고, 노동 투쟁과 거의 틀림없이 도시에서 탄생한 민족적 연대의 징후였다. 쿠퍼는 다음과 같이 말했다. "전쟁 이후, 영국과 프랑스 관리들은 인종보다는 계급에 따라, 무엇보다 아프리카인을 '현대modern' 도시공간에 통합하고, 위생 및 도시계획에 대한 최고의 아이디어에 따라 조직하려는 그들의 욕망을 구체화하고 상징화하는 다른 유형의 도시를 상상했다."[6]

분명히 이는 아프리카인 엘리트들이 식민지 관리 및 정주민들과 연계된 사치품들에 접근하길 원함에 따라 점점 더 정당화되었다. 이에

---

*   '마우마우'는 영국으로부터 독립하기 위해 케냐 중부의 키쿠유족을 중심으로 1950년경 결성된 무장단체로, 1950∼1960년대 영국을 상대로 비타협적 무장독립운동을 펼쳤다. 앤빌작전은 영국군의 마우마우 운동 탄압 군사작전으로 1954년 4월 14일부터 2주간 마우마우 가담자 2만여 명을 수용소에 가두고 3만여 명을 추방했다. "앤빌"은 "모루"라는 뜻이다.

반대하는 것은 식민지 구상에 스며든 인종적 사고 때문만 아니라 엄청난 규모의 내부 이주, 새 도시 거주민의 빈곤, 도시 생활의 많은 필요조건에 대한 생소함 때문이기도 했다. 많은 사람에게 이는 지주들, 시장 상인들, 나중에는 택시 사업가들에게 손짓한 공식적 식민 경제와는 무관한 작은 축적의 충동이었다. 노동자용 주택(그러나 결코 충분치 못했던)은 전기 같은 편의시설과 가용성可用性, availability을 가능하게 해주는 상품들을 더욱 감당할 수 있는 소부르주아들의 재산이 되었다. 당국은 아프리카 도시 변두리에 민간 차원에서 건설된 비공식적 주택에 결코 보조를 맞출 수가 없었다.

독립 이후

아프리카 지역에서 독립이 도래함에 따라 역사적으로 독특한 세 단계를 고려해 매우 광범위하고 특별한 발전을 결합하려고 시도할 수 있다. 첫 번째는 특히 수도capital city와 관련 있으며 민족주의nationalism 기획의 일환으로 공간적 위치의 중요성과 관련 있다. 아프리카가 시골 깊숙이 뻗어 있는 여러 세습적 네트워크의 확산을 통해 '작동'한다면, 그것이 어쩌면 결코 민족적 용어로만 정의되는 것이 아니라면, 이러한 네트워크의 소재지는 거대하고 다소 형식화한 시장이나 전시 및 실행의 명백한 가능성에 상관없이 경제활동이 소비에 우선적이고 가장 먼저 집중되는 대도시big city에 자리한다. 도시는 권위 있는 새 정부 구조물, 엘리트들이 중요한 외국인과 만나는 고급 호텔, 대중적 스포츠 행사와 정치적 지지를 확인하는 경기장이 위치하는 장소가 되었다. 일반적으로 식민주의가 때때로 몇몇 자치체 정부의 대표성을 허가했던 곳에서 큰 타운big town의 거버넌스는 중앙정부에 의해 직접 인수되었다. 이는 소득의 원천을 확보하고 반란을 일으킬 수 있는 잠재적 대중 세력을 통제하려는 것이었다. 민족주의의 발흥과 관련된 많은 동요가 도시, 빈곤한 동네, 대학과 학교와 직장에서 일어났다. 이런 기관들에서는 국가 주도의 질서를 확립하고 더 나은 삶을 위한 노력과 연관시키는 일이 관건이었다.

일부 경우에는 1975년 말라위 수도 릴롱궤Lilongwe, 1991년 나이지리아 수도 아부자Abuja 등 완전히 새로운 도시들이 만들어졌다. 코트디부아르는 1983년에 수도를 장기 집권한 펠릭스 우푸에-부아니Félix Houphouet-Boigny 대통령[초대. 재임 1960~1993]의 고향 야무수크로Yamoussoukro로 옮겼고, 탄자니아는 아주 점진적으로 국가의 지리적 중심지 도도마Dodoma에 1973년부터 새 중심지를 건설했다. 특정 종류의 행정적 변화가 발생한 곳에서는 가시적으로 새 수도를 만들어야만 했다. 루안다우룬디Ruanda-Urundi 해체 이후 르완다의 키갈리Kigali, 남아프리카공화국에서 관리했던 베추아날란드Bechuanaland 보호령 보츠와나의 가보로네Gaborone가 이러한 경우다.

어떤 경우에는 수출 주도 성장의 지속적 성공으로 이와 같은 유형의 질서가 일정 기간에 번성할 수 있었다. 일례로, 잠비아에서는 좋은 구리 가격이 교통의 개선과 아울러 교육 및 보건 체계의 전국적 확산을 가능하게 했다. 잠비아는 구리 광산을 국유화하고 이 자원을 활용해 육지에 둘러싸여 있으며 인구가 적은 이 나라에서 다양한 산업체를 설립했다. 나이로비는 케냐의 아프리카 농민들이 재배하는 커피 및 차의 번영에 기반을 둔 아프리카 중산층이 급속한 발전을 이루는 데서 핵심이었다. 코트디부아르에서는 다양한 1차 농산물 수출품, 특히 코코아와 커피가 국가와 정부에 새 자금원이 되었다. 아비장은 고원에 수많은 고층 빌딩을 세우며 대규모의 범세계적 인구를 유인하는 '석호의 진주pearl of the lagoons'가 되었다. 과거 프랑스인이 거주한 교외 코코디Cocody는 국립대학교와 대통령궁 및 상징적인 스케이트장이 있는 궁전 같은 호텔 이부아르Hotel Ivoire가 있었다. 1970년대 아비장은 서아프리카 프랑스어권 도시 가운데 가장 부유한 최대 도시로 오랜 연방의 수도 다카르를 능가하고 있었다. 일반적으로 사용가능한 제한적인 공공주택public housing은 주로 중간 계층의 공무원들이 거주했다. 불가피하게 노동인구는 스스로 자신의 거처를 만들었다. 불법 거주민 구역의 무단점유인squatter들이 코트디부아르의 호황에 필수적 노동 요소였음에도 이 거주 구역은 끊임없이 철거의 위험을 받았다. 위생적이고 안전한 도시질서를 확보하려는 결정때문이었다. 남아프리카공화국은 아파르트헤이트 시기에 수행된 강제적 도시 재배치로 악명이 높았다. 이 시기에는 백인들이 어떤 규모에서도 더는 다수를 형성하지 않는다는 현실에도 불구하고, 백인화한 도시를 유지하려는 시도로 주변화marginalization와 2등 계급 지위를 법적으로 인종과 결부했다. 다른 곳들의 경우, 아비장뿐만 아니라 악명높은 다르에스살람Dar es Salaam과 마푸투Maputo(이전의 로렌수마르케스)에서는 통제되지 않는 무단점유인 주택squatter housing들이 개발 계획과 깨끗하고 질서 있는 도시에 대한 이상을 방해한다고 여긴 좌파 정권에서 철거되었다.

위기와 재건의 시작

〔아프리카 지역에서 독립 이후〕 두 번째 단계는 1980년까지 거의 모든 지역에서 명백해졌다. 냉전의 중요성이 줄어들었음을 나타내는 쉬운 개념인 대외원조foreign aid 감소는 아프리카에서 생산되는 1차상품의 체계적인 가치 하락과 함께 발생했다. 가장 산업화한 아프리카 국가인 남아프리카공화국에서도 대부분의 2차산업은 수출이 아주 적은 상황에서 보호주의 체제와 안보를 목적으로 한 정부 자금으로 유지되었다. 여기에서도 1980년 직후 일시적인 금 호황이 끝나면서 수십 년 동안의 체계적 성장 끝에 경제가 점점 더 어려움을 겪었다. 이는 대부분 도시 노동자 중심의 흑인 저항을 추동했고 어려움을 겪는 정부를 압박했다. 이와 같은 현상은 경제적 기반으로 아주 제한적인 산업 발전만을 경험했던 아프리카 도시들이 직면한 늘어나는 문제들을 노출했다. 그러나 도시로의 이주가 다소 줄어들고 성비性比가 정상화하기 시작했을지라도, 다른 곳들보다 더 좋은 생활 조건을 가진 도시들에서 자연적인 인구성장population growth이 빨랐다.

정체 상태의 예산은 정치체계를 정당화하는 교육 및 보건 체계에서 돈을 회수하는 것을 의미했고, 공공주택은 더는 아프리카의 어느 곳에서도 건설이 되지 않았다. 도시의 기반설비는 낡고 붕괴하고 황폐해졌다. 정치적 위기는 복구되지 않은 피해가 명백하게 남아 있는 일부 도시에서 일련의 폭력 사태로 이어졌고, 다른 도시들에는 상대적으로 안전지대가 되어 폭력의 위험으로부터 도망친 난민들이 늘어났다. 예를 들어, 중앙아프리카에서 레오폴드빌(지금의 킨샤사)은 가난한 도시 신규 이주민들의 통제되지 않은 정주지들을 기반으로 엄청나게 성장했고, 도시는 원도심urban core에서 더 남쪽으로 뻗어 도시 기반설비 (하수도·전기·수도 등)가 마련되지 않거나 일부만 마련된 주변 언덕으로 확장되었다. 이런 문제들을 사실상 고칠 수 있는 정도를 넘어선 것으로 노출시킨 것은 구리 가격의 붕괴와 아울러 어리석게도 잘못 관리된 유럽 자산의 국유화였다. 브라자빌은 결국 콩고〔콩고공화국〕 전역에서 시 중심지city centre에 극심한 피해를 남긴 내전의 현장이 되었다. 앙골라에서 벌어진 수년간의 폭력적 대립은 수십만 명의 대규모 난민을 제3의 중앙아프리카 도시 루안다로 이주하게 했고, 루안다에서 난민 대부분은 불결한 무스케mousseques(판자촌)에 거주했다.

게다가 대부분의 아프리카 도시에서는 도시문제를 새 방식으로 생각할 능력이 거의 없었다. 시대에 뒤떨어진 〔도시〕 계획 법령과 조례는 식민시대부터 변하지 않은 상태로 남아 있었고, 때로는 가능한 경우 법령 및 조례를 위반해 운영되기도 했다. 모잠비크해방전선 FRELIMO 체제의 명백한 혁명적인 성격에도, 마푸투는 포르투갈인들을 위해 설계된 오래된 사업지구와 거주지구가 있는 전형적인 식민도시였고, 1975년 포르투갈의 철수까지 부분적으로는 전쟁 기간에 시골에서의 생명 위협 때문에 몰려든 이주민들의 계획되지 않은 판자촌이 엄청나게 확장된 비공식적 도시이자 쇠퇴에 빠진 '시멘트도시cement city'였다. 도시 장비들은 파괴되었고 불충분해졌다. 아프리카 대륙은 마이크 데이비스Mike Davis가 영향력 있는 논쟁에서 '슬럼 행성planet of slums'이라고 언급한 것과 결합하고 있었다(케냐 나이로비 외곽의 광범위한 키베라Kibera 빈민촌에 대해서는 [도판 33.2]를 참조하라).[7] 문화 중심적 관찰자들

[도판 33.2] 케냐 나이로비 외곽의 키베라 빈민촌

에게 아프리카가 더는 농촌 대륙이 아니라면, 도시는 한때 시골에 뿌리를 내리고 있던 오래된 사회의 문화를 흥미롭고 종종 격정적인 방법으로 수용한 문화에 의해 과잉 성장하고 있었다.

1980년대의 가혹한 구조조정 체제는 아프리카가 수출을 통해 자립해가는 개방경제를 요청하는 국제적 차원의 요구를 방해하지 않는 선에서 이른바 빈곤 완화 조치의 장려를 통해 시간의 흐름에 따라 어느 정도 수정되었다. 처음에는, 확대하는 국제 거버넌스 기관들(자칭 정책 확립의 기조를 설정하는 국제 거버넌스 기관들)이 '도시편향urban bias'의 개념을 밀어붙였다.* 개혁된 거버넌스는 공정한 '농장출고' 가격 'farmgate' price을 받는 근면한 농촌 거주민들이 경제적으로 더 중요해질 것을 의미했다. 도시들 그 자체, 특히 비대해진 아프리카 수도들은, 적어도 폭등한 지폐가 가치를 상실하는 것과 마찬가지로, 아마도 규모가 줄어들거나 최소한 급격한 성장이 축소될 것이었다. 그런 꿈들은 현대 아프리카 사회의 피할 수 없는 도시화의 특성을 수용하고, 보통 사후死後 경직rigor mortis된 상태의 도시 지방정부를 구하려 노력하며, 비정부기구NGOs 개입의 형태로 개발 노력을 도시의 거리로 유도하는 경향을 보였다. 여기에는 거리의 아이들을 지원하고, 도시 농업을 장려하고 (때때로 식민 도시계획이 공원이나 정리된 도로변을 선호한 구역에서), 여성을 상대로 한 폭력과 싸우고, 위생 및 영양 문제에 비싸지 않고 쉽게 적용 가능한 현지화한 해결책을 찾으려는 시도들을 포함할 수 있다. 물론 임시방편적이고 국지적인 해결책은 경제적 취약성과 지방정부의 무능함 또는 탐욕에 기초하는 체계적 문제를 해결할 수 없다. 아프리카에서 도시가 점점 규모가 더 커짐에 따라 환경문제 또한 대두되고 있다. 물 공급을 어떻게 확장할 것인가? 어떻게 도시를 먹여 살리고, 이것이 전체 인구 밀집 지역에 어떤 사회적 결과를 가져올 것인가? 장작이나 플라스틱 쓰레기의 급증은 어떻게 해야 할까?

여기에서 아프리카 도시에 알맞은 지방정부 모델이 없다는 점을 알 수 있을 것이다. 식민시대에 있던 대의정치는 인구 대다수를 배제했다. 탈식민 행정부는 진정한 도시의 시민 대표를 초빙하기보다 도시를 착취하거나 탄압하기를 원했다. 이러한 대표성이 공식적으로 존재

---

*   '도시편향'은 도시에 이해관계를 가진 집단이 정부를 압박해 도시에 과도한 정책적 투자를 하게 하고 자신의 이익에 저해되는 경제 발전을 방해하는 것을 말한다. 흔히 포화 상태 도시 노동 시장, 농촌 지역의 기회 감소 등 과잉도시화의 구조적 조건이 된다.

했을 때에는 흔히 전문성과 자원이 부족했고, 도시 전망을 공식화하는 것은커녕 중요 문제들조차 다룰 수 없었다. 오늘날 가장 긍정적인 설명은 다양한 형태로 등장하는 비공식적 행위자의 확대를 강조한다.

진취적인 아프리카인들은 종족 결사체들을 포함할 수 있는 네트워크를 통해 효율적인 지방정부의 결핍에 대처할 수단을 찾는데, 이와 같은 네트워크는 종종 도시성장의 초기 단계에서 매우 중요했으나, 종교적 유대 또는 다른 유형의 유대를 통해 더 그러할 가능성이 크다. 새 종류의 근본주의 이슬람(이슬람주의Islamism)은 바우치Bauchi와 카노 같은 나이지리아 북부 도시에서 인기를 얻는 한편, 미국 매체의 설교 운동을 따르는 오순절Pentecostal 종파는 라고스나 킨샤사에서 번영의 꿈을 보증할 새로운 도덕성을 장려하려고 노력한다. 이러한 네트워크는 또한 아프리카인들의 이동(성)mobility이 증가한 것에 도움을 받는다. 전자 기술과 휴대전화의 도움을 받는 어느 도시에서건 아프리카인들은 더 작거나 더 규모가 큰 다른 많은 도시와 연결되었고, 자신들의 국가 외부 및 자원이 있는 아프리카 외부와도 연결이 된다. 문화적 이상은 한 세대 전 영화계가 할 수 있던 것을 훨씬 더 뛰어넘어 텔레비전과 비디오의 더 큰 확산을 통해 유통된다. 라고스는 아주 적은 자본이 투입되는 비디오영화 산업의 중심지가 되었고, 킨샤사는 한때 커다란 콩고민주공화국 음악 산업의 중심지였다. 이곳에서 종료된 사업은 대부분 유럽으로 이동했고 확산은 계속되고 있다. 대부분의 아프리카 국가들은 지역마다 다양한 힙합이 있고, 빠르게 아프리카 거리에서 감정적으로 울려 퍼질 형태를 재빠르게 포착한다. 지역 축구팀에 대한 죽기 아니면 살기 형태의 충성도는 유럽 응원 관중 앞에서 경기를 펼쳐 큰돈을

버는 아프리카 스타 축구 선수들 다수의 성공과 동일시되기 시작한다.

광범위한 연속성이 없는 것은 아니지만 최근 몇 년 동안 세 번째 단계라 할 수 있을 정도로 상황이 다시 변화했다. 아프리카 상품들, 특히 국가가 지대地代소득자rentier 역할을 하는 광물 상품들은 아프리카 도시에 영향을 끼치는 아프리카인 정부들에 점점 더 많은 금액을 가져다준다. 극도의 원조 의존도는, 적어도 일부 국가에서, 이 분야에 주도권을 잡을 수 있는 더 많은 능력을 제공해왔다.

'빈곤 완화poverty alleviation'에 초점을 맞추는 사람들에게 거의 논의되지 않고 점점 더 눈에 띄는 점은 소수의 부유한 사람들을 중심으로 점차 성숙해가는 중산층이 도시를 재설계하고, 도시를 탈식민화하며, 자신들이 필요로 하는 것에 집중할 수 있는 능력을 찾기 시작했다는 것이다. 물론 이런 현상은 다카르나 다르에스살람 같은 비교적 평화로운 중심지나 많은 성공적인 가나 에미그레émigré(이주민)들이 상당수의 주택을 건설하는 아크라 같은 도시에서 가장 두드러진다. 그러한 도시들은 때때로 지역적 규모의 더 큰 혼란과 불안을 경험하는 다른 도시들을 희생시켜 이익을 얻는다. 서양의 자원이 부패하고 독단적 정권에 대량으로 투입된다는 비난을 받았던 민족주의 시대는 많은 경우에 일당一黨 국가의 후원과 복지 여건 개선을 통해 사회를 재건하려는 진실한 열망인 진정한 포퓰리즘populism에 연결되어 있었다. 오늘날 가장 성공적인 아프리카 정부는 특별한 어떤 것을 제공할 수 있기보다 석유로 얻은 부를 통해 성장하거나, 혹은 국제 금융기관들의 '좋은 거버넌스good governance'에 대한 요구—국가원수 중임제, 여성의 명백한 권력을 가진 관료 및 선출직 진출, 경쟁선거election contested(과거에는 여러 아프리카 국가에서 단독 후보 선출 등으로 경쟁 선거가 실시되지 않았다), 언론 자유와 같은—를 통해 스스로 합법화한 정부로, 이러한 정부는 국민에게 제공할 것에 크게 관심이 없다. 오히려 체제와 '세계화globalization'의 가능성으로부터 이익을 얻는 사람들이 상당한 비용을 지출해 사립학교와 병원을 설립하고, 도로, 공항, 가족들이 높은 벽 뒤 또는 '출입통제 공동체gated community'에서 살 수 있는 은밀한 교외 건설에 집중한다. 혹자는 이것을 아프리카의 현대화 비전이라고 부를지도 모른다. 이와 같은 과정은 우푸에-부아니 독재 체제가 무너지고 코트디부아르가 격렬한 대립 끝에 결국 내전에 빠지면서 다소 어려운 경제 상황을 맞은 아비장에서 광범하게 진행 중이다. 여기서 주목할 특징은 더 먼 교외를 선호함에 따른 고원Plateau의 중요성 감소와, 때때로 의심스러운 화재 이후, 보통 레바논인들이 소유하는 쇼핑센터로 대체된 시장의 약화다. 나이지리아에서 새 수도 아부자는 더 오래된 도시의 가능성을 넘어 부르주아적 구조조정에 개방되어 있으며, 중산층 소비자 또는 통근자의 관점에서 훨씬 더 잘 운영되고 있다.

거주하기에 매우 문제가 많은 아프리카 도시에서 수많은 작가는, 대개 엘리트 출신이며 종종 여성들에게 지도력을 발휘하고 기본적 욕구를 충족할 기회를 제공해주는 활기찬 아프리카인 집단들이 특정한 상황에서 차이를 만들어낼 수 있음을 보여주었다. 보통 이 계층이 집중된 새로운 형태의 결사체는 도로, 다리, 학교, 보건, 이에 더해 위생 문제까지 다루면서 실질적 문제 해결책을 함께 만드는 데 적극적이다. 라고스에 관한 한 연구는 자연재해 및 산업재해의 결과와 범죄와의 전쟁 같은 문제를 이 목록에 추가했다.

그러나 이러한 매우 두드러진 추세가 보편적이지 않다고 단언하는 아프리카 비관론자가 될 필요는 없다. 예를 들어 분쟁으로 황폐화한 몇몇 도시가 남아 있는바, 소말리아의 모가디슈Mogadishu는 진정한 중앙정부가 없으며, 시에라리온의 프리타운Free town과 라이베리아의 몬로비아Monrovia는 전기가 여전히 사치인 실정이다. 아비장에서도 2001년 이후 재건의 진행은 사실상 불가능해졌다. 〔콩고민주공화국의〕킨샤사는 최소한의 도시 서비스 부족과 600만~800만 명 인구의 대다수가 극심한 빈곤 상황이라는 점에 여전히 압도되어 있다. 그곳에서 해결책 찾기는 훨씬 더 대단하지 않은 '생존주의자survivalist' 차원에서 일어난다.

또한 주목할 만한 탈식민 도시사의 특징은 '외국인혐오xenophobia'라 불리는 현상이 정치적 위기나 경제적 압력 속에 남아프리카공화국인들에 의해 전형적으로 출현한다는 점이다. 식민주의의 종식에도, 식민 지배 기간과 관련된 소수민족은 많은 아프리카 국가에서 여전히 중요한 존재감을 가지고 있다. 우간다 타운 진자Jinja—나일강의 전략적인 오웬스Owens폭포 수력발전 프로젝트의 부지이자 한때 산업 및 설탕 가공의 중심지—에서 볼 수 있는 빈집과 상점들은 거의 40년 전에 이디 아민Idi Amin〔우간다 대통령. 재임 1971~1979〕에 의해 내쫓긴 인도인들이 소유했던 것으로, 이런 종류의 조악한 민족주의적 승리주의가 초래한 피해를 우울하게 증언한다. 그러나 많은 도시는 국경 내부에서 민족집단 사이의 긴장을 경험하며, 특히 긴장이 정치적으로 발생하고 두드러진 곳들에서 그렇다. 게다가 상업과 관련한 디아스포라와 난민 집단은 아프리카의 국경을 넘어 쉽게 이동하며 유리한 교역 조건에 유인된다. 이 조건들이 뒤바뀌면 이들 집단은 외국민으로 지목되어 폭력과 추방을 당한다. 이는 2001년 이후 코트디부아르의 도시들을 훼손해왔지만, 나이지리아·세네갈·가나를 포함한 거의 모든 서아프리카 국가에서 반복되는 요소였다. 때로는 소말리아인 상점 주인들을 대상으로 때로는 짐바브웨인 노동자들을 대상으로 수십 명의 목숨을 앗아갔고, 수천 명을 수용소로 몰아넣었으며, 아프리카의 다른 곳에서 온 수많은 전문직 계층 이주민들의 미래를 위협했던 (그리고 계속해서 미묘하게 위협하고 있는) 외국인혐오 공격은 2008년 남아프리카공화국의 특징이었다. 압도적으로 이것은 도시문제다. 확산이 된 외국인 공동체를 유인하는 경제적 이익에도 불구하고, 여론 조사는 사실 대부분의 도시 거주민이 외국인들에 강한 분노를 지니고 있음을 드러낸다.

아프리카 도시들의 재건이 직면한 주요 문제 중 하나는 토지와 그 처분이다. 많은 경우, 모든 사람이 받아들일 수 있는 보편적 체계에 근거한 토지의 완전한 사유화privatization에 대한 아프리카인들의 저항은 여전히 매우 강하다. 남아프리카공화국에서도 아프리카인 대다수에게 집을 사고파는 것은 역사적으로 새로운 경험이며, 부동산 사업은 아프리카 전 지역에서 진정한 주택시장을 만들고 확장하려 끊임없이 노력하고 있다. 루사카Lusaka에서 이루어진 한 조사는 최근에야 반전된 잠비아의 장기적 경제 쇠퇴의 맥락에서 이동(성)이 거의 없는 곳으로 보였던 타운의 중심지 근처에 자리한 원래 비공식적 정주민 주택에서 거의 반세기 넘게 장기간 거주한 가족에 관해 기록하고 있다.

토지 재산권은 아프리카 도시들에서 종종 논쟁과 혼란을 겪는다. '전통적인' 토지 권리를 가진 사람들은 아크라, 라고스, 아비장에서 강력한 요구를 한다. 킨샤사에서는 부동산에 종종 판매용이 아니라는 표지판이 붙어 있다. 재산권은 잠재적인 다른 상속인과 영향력 있는 상속인 사이에 격렬한 논쟁의 원인이 된다. 체계적이고 예측가능한 부동산 체제를 수립하는 데서 어려움을 겪는 일은 중앙아프리카 국가들에서 더욱 전형적이다. 나이로비의 최근 선거와 관련된 폭력은 권리의 원천으로서 우파 민족집단 겸 정당 혹은 정파에의 가입이 증가하는 민족적 동네를 만들기 시작하는 효과를 가져왔다. 그러나 나이로비·킨샤사·다르에스살람 같은 도시에서는 지주제와 임대 사업이 점점 더 널리 퍼지고 있다. 나이로비에서는 흑인 투자자들이 최대 6층의 특정 목적의 콘크리트 공동주택 건설을 조직하고 있는데, 다른 지역에서는 사실상 도달하지 못한 단계다.

아울러 이와 같은 양상은 특정 국가와 아마도 특정 지역에서까지 사회적·경제적 전망이 다기해지고, 현재 종종 두 세대에 걸친 탈식민 개발을 통해 해당 국가와 지역들이 마주하고 있는 방해물 또한 다양해짐에 따라, 시간이 지나면서 점점 더 많은 다양성과 개성이 나타나고 있다는 점에 주목하는 것이 중요하다. 우리의 새로운 세기〔21세기〕에는 '아프리카 도시'에 대해 이야기하기가 더는 가능하지 않을 것이다.

콩고민주공화국에서는 킨샤사가 어느 때보다도 더 확고하게 국가 전체의 중심적인 도시장소가 되었으나 다른 중심지들은 성장이 제한되거나 심지어 파멸에 이르렀다. 〔콩고민주공화국이 1960년 독립하기 전에〕 벨기에가 행정 및 추출 논리에 기초해 만든 도시 네트워크urban network는 붕괴했다. 한때 콩고민주공화국에서 세 번째로 큰 규모의 도시였고, 북쪽과 서쪽으로 흐르는 강과 함께 수송로가 이 거대한 지역의 동쪽과 동쪽 중심지를 연결한 국가 중앙의 키상가니Kisangani(옛 스텐리빌Stanleyville)의 쇠퇴와 붕괴는 한 명 이상의 작가에 의해 극적으로 묘사되었다. 대조적으로, 다이아몬드타운 음부지마이Mbuji Mayi(1984년 인구 추산 48만 6000명)는, 다른 지역에서 발생한 폭력 사태로부터 탈출한 루바Luba족 난민들을 카사이Kasaï〔카사이오리앙탈Kasaï-Oriental〕주로 끌어들여 현재 이 주에서 두 번째로 큰 규모의 도시로 자리매김했다. 트시카파Tshikapa(1984년에 인구 추산 11만 6000명)는 소규모 도시로 변모한 또 다른 다이아몬드 호황 타운이고, 부템보Butembo(1984년 인구가 10만 1000명으로 추산)는 아마도 콩고민주공화국에서 7번째로 큰 규모의 도시권역urban agglomeration으로 국가 동부의 폭력 사태로부터 이익을 얻은 난데Nande 무역상과 관련 있고, 현지 주민들이 조직한 새로운 도시 기반설비를 성장시키고 발전시켰다. 르완다 국경의 곰베Gombe는 통제되지 않은 국제시장에서 수익을 올린다.

남아프리카공화국은 콩고민주공화국의 고통에 대해 거의 알지 못하며 다양한 궤적의 도시를 보여준다. 수도 프리토리아와 요하네스버그 인근의 사업 중심지는 도시화를 훨씬 쉽게 할 수 있는 저렴한 주택이 부족함에도 아파르트헤이트 종식 이후 급성장했다. 이러한 성장은 남아프리카공화국의 컨테이너 무역에서 가장 큰 부분을 차지하는 항구도시 더반에서 더욱 억제된다. 또 다른 대규모 도시 케이프타운은 현재 추정치에 따르면 전국적으로 흑인 아프리카 유권자의 3퍼센트 이하의 지지를 받는 소수 정당이 시와 지방을 통제하며, 백인의 보루가 되었다. 이 도시는 아마도 이러한 이유에서 국제적으로 경쟁력 있는 관광업, 서비스업, 농업의 유인을 통해 호황을 맞았다. 하지만 이와 같은 부는 겨울에 남부 프랑스 해안 대신 방문할 장소를 찾는 부유한 유럽인만 아니라 역사적 중심지와 테이블마운틴Table Mountain의 경사면에서 멀리 떨어져 사는 많은 가난한 흑인 이주민을 유인한다. 이와는 대조적으로 남아프리카공화국의 소규모 도시 피터마리츠버그Pietermaritzburg, 블룸폰테인Bloemfontein, 포트엘리자베스, 이스트런던East London은 거의 성장하지 못하고 있다. 남아프리카공화국에서는 관광, 서비스, 또는 새로운 광산 채굴을 기반으로 번창하는 케이프타운 인근에 몇몇 소규모 타운이 있는데, 오래된 광산타운이나 철도타운railway town은 매우 열악한 상황에 놓여 있고, 어떤 경우에는 절대적 인구 감소를 겪고 있다.

세네갈의 도시 투바에서는 이슬람 형제단 무리디야Muridiyya〔무리드Mouride〕에 충성하는 상인들, 특히 세네갈 출신으로 그곳에 거주지를 갖는 것을 선호한 상인들이 상업 본부를 두고 있다. 이곳은 아프리카 상인들이 세계화 시대에 기회를 포착하는 방식에 의해 아주 적은 인구의 도시로(인구 50만 명으로 추산) 성장했다. 세계화는 전 세계에 걸쳐 도시 단위들이 이른바 세계도시world city가 되기 위해 흥미진진한 경쟁을 한다고 생각하는 이론가들이 상상하는 방식으로 실행되지 않았다. 분명 아프리카 도시들은 확실히 우리 시대에 런던이나 뉴욕과 비교해 '경쟁력'이 있지 않으며, 이것이 비극도 아니다. 그러나 세계화는 혹은 더 나은 표현으로 세계화가 주도하는 지역화regionalization는 그 영향력을 행사한다. 케이프타운은 오스트레일리아 시드니 같은 다른 대도시 관광지와 상당한 유럽의 부동산 투자 및 소비 지출을 놓고 성공적으로 경쟁하고 있다. 나이로비는 유엔 기구들이 위치하면서 이익을 얻고 있고, 킨샤사 또한 생존주의자 수준에서 유엔평화유지군인 유엔콩고민주공화국임무단MONUC으로부터 이익을 얻는다. 아비장의 문제는 서아프리카와 프랑스어 사용권의 중심지를 찾는 상업 및 서비스 활동을 더 오랜 도시로 끌어들이는 데서 다카르에 상당한 이익이 되었다.

이 장은 자주 언급되는 요점을 반복하면서 시작했다. 아프리카는 가장 덜 도시화한 대륙임에도 많은 대규모 도시가 있어서 빠르게 도시화하고 있다. 문화적으로 이러한 도시들은 종종 재해석되기는 하지만, 다른 곳에서 파생된 소비주의consumerism의 근대성에 대한 꿈이 재충전된 아프리카의 전통과 융합하는 장소다. 이들 도시가 자신들의 특성 및 양식이 부족하다고 생각하는 것은 실수일 것이다. 이런 도시들을 덜 불평등하고 도시민에게 더 많은 서비스를 제공할 수 있는 곳으로 만들며, 생산적 활동과 함께 많은 사람을 먹여 살리면서 명백하게 산업화 과정을 포함한 소비와 수많은 상업 활동의 균형을 맞출 수 있는 경제를 만드는 일이 앞으로의 과제일 것이다. 게다가, 도시 공동체 전체에서 기인하는 정체성을 가진 도시민들이 아직 실제로 부족한 것을 창조해내지 않는다면, 도시는 이를 자극해야만 하는 과제를 안고 있다.

주

1   Michael Crowder, *The Story of Nigeria* (London: Faber & Faber, 1973, 3rd edn.), 254.

2   Jeanne Penvenne, *African Strategies and Colonial Racism: Mozambican Strategies and Struggles in Lourenfo Marques 1877-1962* (Oxford and Portsmouth, N. H.: James Currey and Heinemann, 1995), 90, 142.

3   Thomas Hodgkin, *Nationalism in Colonial Africa* (New York: New York University Press, 1957), 70.

4   Gary Kynoch, *We are Fighting the World: A History of the Marashea Gangs of South Africa 1947-1999* (Pietermaritzburg and Athens, Oh.: University of Kwazulu-Natal Press and Ohio University Press, 2005), 152.

5   Abner Cohen, *Custom and Politics in Urban Africa: A Study of Hausa Migrants in Yoruba Towns* (Berkeley and Los Angeles: University of California Press, 1969). 그는 이를 '정치적 종족성〔민족성〕political ethnicity'이라 부른다.

6   Frederick Cooper, *Africa since 1940* (Cambridge: Cambridge University Press, 2002), 121.

7   Mike Davis, *Planet of Slums* (London: New Left Books, rev. edn., 2006).

참고문헌

Anderson, David, and Rathbone, Richard, eds., *Africa's Urban Past* (London and Portsmouth, N. H.: James Currey & Heinemann, 2000).

Cobbett, William, and Cohen, Robin, eds., *Popular Struggles in South Africa* (Review of African Political Economy & James Currey, 1988).

Cooper, Frederick, ed., *Struggle for the City: Migrant Labor, Capital and the State in Urban Africa* (London and Beverly Hills: Sage, 1983).

Coquery-Vidrovitch, Catherine, *Histoire des villes d'Afrique noire dès origines à la colonisation* (Paris: Albin Michel, 1993).

Ferguson, James, *Expectations of Modernity: Myths and Meanings of Urban Life on the*

Zambian Copperbelt (Berkeley and Los Angeles: University of California Press, 1999).

Freund, Bill, *The African City: A History* (Cambridge: Cambridge University Press, 2007).

Guèye, Cheikh, *Touba: la capitale des mourides* (Paris: Karthala, 2002).

Kea, Ray, *Settlements, Trade and Polities in the Seventeenth Century Gold Coast* (Baltimore and London: The Johns Hopkins University Press, 1982).

Mabogunje, A. L., *Urbanisation in Nigeria* (London: University of London Press, 1968).

Meillassoux, Claude, *Urbanization of an African Community* (Seattle: University of Washington Press, 1968).

Myers, Garth, *African Cities: Alternative Visions of Urban Theory and Practice* (London and New York: Zed, 2011).

Rakodi, Carole, ed., *The Urban Challenge in Africa: The Growth and Management of Its Large Cities* (New York, London, and Tokyo: United Nations University Press, 1998).

Simone, Abdoumalique, *For the City Yet to Come: Changing African Life in Four Cities* (Durham, N. C.: Duke University Press, 2006).